KB103846

제4판

부동산 신탁
실무 해설

제4판 부동산 신탁 실무 해설

지은이 장중식

발 행 2024. 02. 26.
펴낸이 한건희
펴낸곳 주식회사 부크크
출판사등록 2014.07.15.(제2014-16호)
주 소 서울특별시 금천구 가산디지털1로 119 SK트윈타워 A동 305호
전 화 1670-8316
이메일 info@bookk.co.kr

ISBN 979-11-410-7372-5

www.bookk.co.kr

제4판

부동산 신탁
실무 해설

장중식 변호사

Prologue

이 책은 부동산신탁업계에 종사하는 실무자들을 위해 만들었습니다.

저는 오랜 기간 전업 부동산 신탁회사에서 법무와 리스크관리 업무를 담당하고 있습니다. 이 책은 제가 그 시간 동안 나름대로 공부하고 치열하게 고민했던 신탁의 이론과 쟁점을 기록한 것입니다.

실무에 도움이 되지 않는 학술적 논의는 과감하게 배제했고, 업무처리에 기준이 될 수 있는 판례와 유권해석을 최대한 반영하였습니다. 실무자들과 머리를 맞대고 고민하여 만든 각종 계약서 예시안도 엄선하여 담았습니다.

부동산 신탁 관련 법률관계는 끊임없이 변화하면서, 실무자들에게 매번 다른 시각과 새로운 해석을 요구하는 것 같습니다. 고객이 신탁한 신탁재산의 관리·처분·개발을 담당하는 실무자들은 변화하는 부동산과 금융 시장에 발맞춰 고도화 되어가는 신탁상품의 구조, 제·개정된 수많은 법령, 새로이 등장하는 판례와 유권해석을 공부해야 합니다. 이 책이 공부하는 실무자들에게 도움이 되었으면 좋겠습니다. 이 책에 도움을 주신 수많은 실무자들에게 감사를 표합니다.

2024. 2.
장중식

CONTENT

III 이론과 쟁점 - 비토지신탁

IV 이론과 쟁점 - 토지신탁

V 부동산 신탁과 세법

VI   기타 실무상 쟁점

VII   신탁 관련 중요 판례

VIII 신탁 관련 중요 유권해석

01

부동산
신탁 일반

1 　신탁이란

1. 신탁의 법률효과

　　신탁이란, 위탁자는 수탁자에게 특정 재산의 소유권을 이전하고 수탁자는 신탁 목적에 따라 그 재산을 관리, 처분, 운용, 개발하며 그에 따른 신탁의 이익은 수익자가 향수하는 법률관계를 말합니다(신탁법 제2조 참조).[1]

　　신탁의 법률적 성격에 대한 학술적 논의는 차치하고, 실무자가 알아야 할 신탁의 법률효과 내지 신탁으로 인한 기본적 법률관계는 ① 대내외적으로 소유권의 완전한 이전, ② 신탁재산의 독립, ③ 신탁재산에 속하는 채무에 대한 수탁자 고유재산의 책임으로 요약할 수 있습니다.

2. 대내외적으로 소유권의 완전한 이전

> 판례　대내외적으로 소유권의 완전한 이전
>
> • 대법원 2002.4.12. 선고 2000다70460판결
> 『부동산의 신탁에 있어서 수탁자 앞으로 소유권이전등기를 마치게 되면 대내외적으로 소유권이 수탁자에게 완전히 이전되고, 위탁자와의 내부관계에 있어서 소유권이 위탁자에게 유보되어 있는 것은 아니라 할 것.....다만, 수탁자는 신탁의 목적 범위 내에서 신탁계약에 정하여진 바에 따라 신탁재산을 관리하여야 하는 제한을 부담함에 불과하다.』[2]

---

1) [담보권 신탁] 개정 신탁법(2011.7.25. 법률 제10924호로 개정된 신탁법. 이하 같음)은 담보권 신탁을 도입하였습니다. 담보권 신탁은 소유권의 이전이 아니라 수탁자를 담보권자로 하는 담보권의 설정을 내용으로 하는 신탁으로서 위 정의가 그대로 적용되지 않습니다. 담보권 신탁에서 수탁자는 대내외적으로 완전한 담보권자이나, 담보권 설정 대상 재산은 위탁자의 재산입니다(위탁자 도산시 수탁자는 회생담보권자 또는 별제권자가 될 것입니다).

2) [신탁재산의 실질적 소유권자는 위탁자라는 오해에 대하여]

• 대법원 2003.1.27.자 2000마2997결정

『신탁의 효력으로서 신탁재산의 소유권이 수탁자에게 이전되는 결과 수탁자
는 대내외적으로 신탁재산에 대한 관리권을 갖는 것이고……신탁재산에 관하
여는 수탁자만이 배타적인 처분·관리권을 갖는다고 할 것이고, 위탁자가 수탁
자의 신탁재산에 대한 처분·관리권을 공동행사하거나 수탁자가 단독으로 처
분·관리를 할 수 없도록 실질적인 제한을 가하는 것은 신탁법의 취지나 신탁
의 본질에 반하는 것』

3. 신탁재산의 독립 – 도산격리의 효과3)

신탁으로 인하여 신탁재산의 소유권은 대내외적으로 완전하게 수탁자에게 이전된다
는 것이 대법원의 확립된 태도임에도 불구하고, 거래 실무상으로는 여전히 위탁자를
신탁재산의 실질적 소유권자로 오해하는 경우가 많습니다. 이러한 오해의 원인은 무
엇일까요.

첫째, 신탁(信託)이란 단어의 한자적 의미가 신탁의 법률관계를 정확히 포착하는데
장애가 되고 있습니다. 신탁을 "믿고 맡기는 것"으로 이해하면서, 소유권의 완전한
이전이라는 법률효과를 온전히 받아들이지 못하는 것입니다.

둘째, 현재 부동산 신탁 상품은 자익신탁(위탁자와 수익자가 동일한 신탁)을 기초로
하는 수동적 신탁(수익자의 지시에 따라 관리·처분·개발을 하는 신탁)이 압도적으
로 많습니다. 이에 신탁사무로서 수탁자의 소유권 행사가, 위탁자의 지시에 따르는
행위에 불과한 것으로 오해하는 경우가 있는 것으로 보입니다. 그러나 이 경우 신탁
사무는 위탁자의 지시가 아니라 수익자의 지시를 따른 것이고, 수익자의 지시·감독
권한이 수탁자의 관리·처분·개발의 권한을 형해화하는 정도에 이른다면 이는 수동
적 신탁의 한계를 넘어 신탁의 본질에 반하는 것입니다.

셋째, 일부 신탁약관 및 특약의 잘못된 표현도 문제입니다. 상당수 신탁약관 및 특
약에서는 수탁자를 "소유권을 관리하는 자"로 표현하고 있습니다. 이는 과거 실무상
신탁에 따른 소유권 이전 행위를 설명하기 위한 목적에서, 수탁자를 소유권을 이전
받아 관리하는 자로 표현하고자 했던 것으로 보입니다. 그러나 법률적으로 "부동산
소유권을 이전받아 관리"하는 것은 신탁법상의 신탁이 아니라 사실상 부동산 명의신
탁에 지나지 않습니다. 이러한 약관 및 특약의 잘못된 표현이 신탁재산의 실질적 소
유권자는 여전히 위탁자라는 오해를 불러일으키는 것으로 보입니다.

3) [수탁자의 고유재산으로부터 독립]
신탁재산의 소유권은 수탁자에게 완전히 이전되므로 그 당연한 귀결로 '위탁자의 재
산으로부터 독립'합니다. 그런데 신탁재산이 '수탁자의 고유재산으로부터 독립'하는

판례   신탁재산의 독립

• 대법원 2002.12.6.자 2002마2754결정

『신탁법상의 신탁재산은 위탁자의 재산권으로부터 분리될 뿐만 아니라 수탁자의 고유재산으로부터 구별되어 관리되는 독립성을 갖게 되는 것이며, 그 독립성에 의하여 수탁자 고유의 이해관계로부터 분리되므로 수탁자의 일반채권자의 공동담보로 되는 것은 아니고······』

※ 신탁재산 독립의 효과

신탁재산은 위탁자의 책임재산이 아니므로 위탁자의 채권자(조세채권자 포함)는 신탁재산에 대하여 강제집행 등을 할 수 없습니다(신탁법 제22조 참조). 신탁법상 신탁재산은 수탁자의 고유재산으로부터 독립하는바, 수탁자 파산 등의 경우에도 수탁자의 파산재단 등을 구성하지 않습니다(신탁법 제24조 참조).

부동산 PF개발사업에서, 관리형 토지신탁 구조를 이용하는 가장 큰 이유도 신탁재산의 독립성(도산격리)이라 할 수 있습니다. PF대주 입장에서는 사업부지와 개발 목적 건축물이 차주 또는 시행법인의 책임재산으로부터 독립(신용위험과 절연)되어야만 사업의 안정성을 확보할 수 있기 때문입니다.

4. 신탁재산에 속하는 채무에 대한 수탁자 고유재산의 책임

것은 어떻게 이해할 수 있을까요.

신탁재산은 "대내외적으로 소유권의 완전한 이전" 효과로 수탁자에게 귀속합니다. 그러나 신탁재산은 수탁자에게 귀속되더라도 신탁의 이익은 수익자가 향수하는 것이므로 고유재산으로부터의 독립하여 구별·관리할 필요가 있습니다. 이를 위해 신탁법은 수탁자에게 신탁재산을 고유재산과 분별하여 관리하도록 하고(신탁법 제37조), 신탁재산은 수탁자의 책임재산을 구성하지 않도록 정하였습니다(신탁법 제24조). '수탁자의 고유재산으로부터의 독립성'은 수익자 이익 보호를 위해 정책적으로 마련된 위 신탁법 조항들에 의하여 부여된 효과로 볼 수 있습니다.

판례 　신탁채권에 대한 고유재산의 책임

• 대법원 2006.11.23.선고 2004다3925판결

『수탁자가 신탁사무를 처리하는 과정에서 수익자 외의 제3자에게 채무를 부담하는 경우 그 이행책임은 신탁재산의 한도 내로 제한되는 것이 아니라 수탁자의 고유재산에 대하여도 미친다』

※ '수익채권에 대한 수탁자의 책임'은 신탁재산을 한도로 하는 유한책임이지만, '신탁채권에 대한 수탁자의 책임'은 원칙적으로 신탁재산을 넘어 고유재산으로까지 부담하는 책임입니다.

※ 개정 신탁법은 유한책임신탁제도를 도입하였습니다(신탁법 제114조 이하 참조).4) 유한책임신탁의 경우, 수탁자는 신탁재산에 속하는 채무에 대하여 신탁재산만으로 책임을 부담합니다.

---

4) [유한책임신탁 Vs. 책임제한특약 조건부 신탁]
　　현재 실무상 취급하고 있는 관리형 토지신탁은 유한책임신탁이 아닙니다. 관리형 토지신탁계약에서 수탁자의 책임을 신탁재산으로 한정하고 이를 신탁원부상에 공시하였다 하더라도 이로써 당연히 신탁채권에 대한 수탁자의 책임이 신탁재산으로 한정되는 것은 아닙니다. 다만, 관리형 토지신탁사업 수행을 위해서 공사도급계약 또는 각종 용역계약을 체결할 때 해당 계약에서 수탁자의 책임을 신탁재산 또는 신탁계약상 신탁계좌 잔액 범위로 제한하는 책임제한특약을 하고 있는바, 이 경우 계약 상대방과의 관계에서는 책임제한특약의 효력에 의하여 수탁자의 책임이 제한될 수 있는 것입니다.

2 신탁재산 관리·처분·개발의 이익 vs. 신탁의 이익

1. 문제의 소재

신탁의 이익은 수익자가 향수하며, 수탁자는 누구의 명의로도 신탁의 이익을 누리지 못합니다(신탁법 제36조 참조). 신탁의 효과로 신탁재산의 소유권은 대내외적으로 완전하게 수탁자에게 이전됨에도 불구하고 신탁의 이익은 수익자가 향수하는 것을 어떻게 이해해야 할까요.

2. 신탁재산에 대한 관리·처분·개발의 이익과 신탁의 이익

영미법상의 신탁은 위탁자가 자신의 재산을 수익자를 위하여 보유해 줄 것을 목적으로 수탁자에게 이전시키면서 수탁자는 보통법상의 소유권을 보유하고 수익자는 형평법상의 소유권을 보유하게 된다고 설명합니다. 따라서 영미법상 신탁의 수익자는 형평법상의 소유권자로서 신탁재산에서 발생하는 이익을 직접 향수한다고 볼 수 있을 것입니다.

그러나 우리 법제상 수탁자는 신탁재산에 대한 완전한 소유권자이며, 신탁재산에 대한 관리·처분·개발의 이익은 신탁재산에 편입되는 것인바(신탁법 제27조[5] 참조), 결국, 신탁재산에 대하여 발생하는 이익과 소득의 귀속주체는 수탁자라고 할 것입니다. 수탁자는 신탁사무 처리과정에서 발생한 관리·처분·개발의 이익을 신탁계약에서 정한 바에 따라 관리·운용하고[6] 신탁계약에서 정

---

[5] **법령** 신탁법

제27조(신탁재산의 범위) 신탁재산의 관리, 처분, 운용, 개발, 멸실, 훼손, 그 밖의 사유로 수탁자가 얻은 재산은 신탁재산에 속한다.

[6] 신탁재산의 관리·처분·개발의 이익이 현금으로 발생할 경우 이는 "신탁재산에 속하

한 결산기 또는 신탁의 종료시에 신탁계산을 거쳐 확정된 신탁의 이익을 수익자에게 교부·배당하는 것이고, 수익자는 이러한 신탁 이익의 교부·배당을 요구할 수 있는 채권적 권리를 가질 뿐입니다.

물론, 신탁재산에 대한 관리·처분·개발의 이익이 수탁자에게 귀속된 후 최종적으로 신탁의 이익으로 변환되어 수익자에게 귀속되는 과정을 이해함에 있어 신탁의 역할을 이익 흐름의 도관에 지나지 않는 것으로 보는 견해도 있습니다. 그러나 적어도 우리 실체법의 해석상으로는, 신탁재산에 대한 관리·처분·개발의 이익의 귀속주체는 신탁재산에 대한 대내외적 완전한 소유권자인 수탁자라는 점을 간과해서는 안될 것입니다.

판 례   토지신탁사업에서 개발이익의 귀속주체는 수탁자

• 대법원 2014.08.28. 선고 2013두14696 판결

『부동산 신탁에서 수탁자 앞으로 소유권이전등기를 마치게 되면 대내외적으로 소유권이 수탁자에게 완전히 이전되고, 위탁자의 내부관계에서 소유권이 위탁자에게 유보되지 않으며, 신탁재산의 관리, 처분, 운용, 개발, 멸실, 훼손, 그 밖의 사유로 수탁자가 얻은 재산은 신탁재산에 속하게 되므로(신탁법 제27조), 토지 소유자인 사업시행자가 부동산신탁회사에 토지를 신탁하고 부동산신탁회사가 수탁자로서 사업시행자의 지위를 승계하여 신탁된 토지에서 개발사업을 시행한 경우에 토지가액의 증가로 나타나는 개발이익은 해당 개발토지의 소유자이자 사업시행자인 수탁자에게 실질적으로 귀속된다고 보아야 하고, 수탁자를 개발부담금의 납부의무자로 보아야 한다.』

는 금전"이 됩니다. 신탁계약에서 이에 대한 관리방법을 정하지 않은 경우에는 수탁자는 신탁법에 따라 국공채 매입, 은행예금 등으로 관리하여야 합니다(신탁법41조 참조). 한편, 자본시장법상 금융투자업인인 신탁업자의 경우에는 "신탁재산에 속하는 금전" 운용에 대하여 별도의 제한을 받습니다(자본시장법 제105조 참조).

신탁채권과 수익채권

1. 신탁채권과 수익채권의 개념

'수익채권'이란, 수익자가 수익권에 기하여 신탁재산에 속한 재산의 인도와 그 밖에 신탁재산에 기한 급부를 요구할 수 있는 청구권입니다.[7]

'신탁채권'이란, 신탁재산에 관하여 발생한 신탁관계인 및 제3자의 채권으로서, 원칙적으로 수탁자의 신탁사무처리를 원인으로 하여 수탁자에 대하여 가지는 채권입니다(이에 상응하는 채무는 '신탁재산에 속하는 채무'입니다). 신탁사무처리를 위해 체결한 각종 계약으로 발생한 채권과 신탁재산과 관련하여 수탁자를 납세의무자로 하는 조세공과금 채권은 물론, 수탁자의 신탁사무 처리로 인하여 발생한 불법행위에 기한 손해배상청구권도 신탁채권이라 할 수 있습니다.

2. 신탁채권과 수익채권의 우열

> **법령** 신탁법
>
> • 제62조(수익채권과 신탁채권의 관계) 신탁채권은 수익자가 수탁자에게 신탁재산에 속한 재산의 인도와 그 밖에 신탁재산에 기한 급부를 요구하는 청구권(이하 "수익채권"이라 한다)보다 우선한다.

신탁법상 신탁채권은 수익채권에 우선합니다. 신탁채권에 대한 채무이행

---

7) 수익채권은 신탁이익에 대한 교부청구권이라 볼 수 있습니다. 신탁사의 주력 상품인 토지신탁과 담보신탁의 경우, 해당 계약서에서 신탁이익은 신탁종료시에 발생되고 확정되는 것으로 정하고 있는바, 이러한 상품에서 수익채권은 사실상 잔여신탁재산 교부청구권과 일치하게 될 것입니다.

비용은 신탁사무처리비용이고, 수익채권은 신탁이익(신탁수익에서 신탁보수와 신탁사무처리비용 등을 공제하고 수익자에게 귀속)에 대한 교부청구권이라는 점에서, 즉, 신탁보수와 신탁채권에 대한 변제가 완료된 이후에 잔여신탁재산이 신탁이익으로서 수익자에게 귀속된다는 점에서, 신탁채권은 수익채권과의 관계에서 우선할 수밖에 없는 것입니다.

3. 수익채권에 대한 유한책임 vs. 신탁채권에 대한 고유재산의 책임

법령 신탁법

- 제38조(유한책임) 수탁자는 신탁행위로 인하여 수익자에게 부담하는 채무에 대하여는 신탁재산만으로 책임을 진다.

수익채권에 대한 수탁자의 책임은 신탁재산 한도로 한정되는 유한책임입니다(신탁법 제38조). 반면, 신탁채권에 대한 수탁자의 책임은 수탁자의 고유재산에 대하여도 미치는 것입니다.

판 례 신탁채권에 대한 수탁자의 책임은 고유재산에도 미침

- 대법원 2006.11.23. 선고 2004다3925 판결

『수탁자가 신탁사무를 처리하는 과정에서 수익자 외의 제3자에게 채무를 부담하는 경우 그 이행책임은 신탁재산의 한도 내로 제한되는 것이 아니라 수탁자의 고유재산에 대하여도 미친다.』

※ 실무상으로는 신탁채권에 대한 수탁자의 책임을 신탁재산 등으로 한정하는 경우가 많습니다. 특히, 관리형토지신탁사업에서 신탁사는 시공사 또는 각종 용역업체와 계약 체결시 해당 계약에서 신탁사의 책임을 신탁재산 또는 신탁계좌 잔액 범위로 제한하고 있고, 이러한 신탁채권에 대한 책임제한약정의 효력은 유효한 것으로 판단됩니다.

4 신탁사무처리비용과 비용상환청구권

1. 신탁사무처리비용과 비용상환청구권의 의의

　　수탁자가 신탁 목적에 따라 신탁사무(신탁재산의 관리·처분·개발)를 처리하기 위해서는 여러 가지 비용 부담이 필요한 경우가 발생합니다. 신탁사무를 처리하기 위해 필요한 비용을 '신탁사무처리비용'이라 합니다. 신탁사무처리비용이 발생한 경우, 신탁계약에서 별도로 정한 바가 없다면 수탁자는 신탁재산에 속하는 금전에서 지출할 수 있습니다. 신탁재산이 부족하거나, 일시적인 환가성 문제 등으로 수탁자가 자신의 고유재산으로 신탁사무처리비용을 부담한 경우, 이를 신탁재산 또는 수익자로부터 상환받을 수 있는 권리를 비용상환청구권이라 합니다(신탁법 제46조 참조).

판례　비용상환청구권의 의의

- 대법원 2005.12.22. 선고 2003다55059 판결

『신탁재산에 관한 조세, 공과(공과), 기타 신탁사무를 처리하기 위한 비용은 신탁재산의 명의자이자 관리자인 수탁자가 제3자에 대하여 부담하게 되는바, 수탁자로서는 위와 같은 채무를 신탁재산으로 변제할 수도 있고, 자신의 고유재산에 속하는 금전으로 변제할 수도 있는데...... 자신의 고유재산으로써 이를 변제한 수탁자는 신탁재산으로부터 보상을 받을 수 있어야 할 것이므로, 신탁법 제42조에서 규정하고 있는 수탁자의 비용상환청구권은 수탁자가 신탁사무의 처리에 있어서 정당하게 부담하게 되는 비용 또는 과실 없이 입게 된 손해에 관하여 신탁재산 또는 수익자에 대하여 보상을 청구할 수 있는 권리라 할 것이다.』

2. 비용상환청구권의 한계 및 제한

판례   비용상환청구권의 한계 및 제한에 대하여

• 대법원 2008.3.27. 선고 2006다7532,7549 판결

『수탁자가 신탁의 본지에 따라 신탁사업을 수행하면서 정당하게 지출하거나 부담한 신탁비용 등에 관하여는 신탁자에게 보상을 청구할 수 있지만, 수탁자가 선량한 관리자의 주의를 위반하여 신탁비용을 지출한 경우에는 그 과실로 인하여 확대된 비용은 신탁비용의 지출 또는 부담에 정당한 사유가 없는 경우에 해당하여 수탁자는 비용상환청구를 할 수 없다고 봄이 상당하다. 그런데 토지개발신탁에 있어서는 장기간에 걸쳐 사업이 진행되고 부동산 경기를 예측한다는 것이 쉽지 않은 일이어서 경우에 따라 대규모의 손실이 발생할 수 있는 것인데, 수탁자가 부동산신탁을 업으로 하는 전문가로서 보수를 지급받기로 한 후 전문지식에 기초한 재량을 갖고 신탁사업을 수행하다가 당사자들이 예측하지 못한 경제상황의 변화로 신탁사업의 목적을 달성하지 못한 채 신탁계약이 중도에 종료되고, 이로 인하여 위탁자는 막대한 신탁비용 채무를 부담하는 손실을 입게 된 사정이 인정된다면, 신탁비용의 지출 또는 부담에서의 수탁자의 과실과 함께 이러한 사정까지도 고려하여 신의칙과 손해의 분담이라는 관점에서 상당하다고 인정되는 한도로 수탁자의 비용상환청구권의 행사를 제한할 수 있다고 할 것이다.』

3. 신탁채권 및 수익채권과의 우열관계

신탁채권(수탁자의 신탁사무 처리로 인하여 발생한 권리 등)은 수익채권에 우선합니다(신탁법 제62조).

비용상환청구권과 수익채권의 관계를 살펴보면, 수탁자는 수익자에 대하여 비용상환을 청구할 수 있는 점, 수익채권은 신탁이익의 교부를 구할 수 있는 권리이고 신탁이익은 신탁수익에서 신탁사무처리비용을 공제 계산하여 산정되는 것이라는 점 등을 고려할 때, 비용상환청구권은 언제나 수익채권에 우선한다고 할 수 있을 것입니다.

그러나 수탁자가 신탁재산에 대하여 가지는 비용상환청구권은 다른 신탁

채권자가 신탁재산에 대하여 가지는 신탁채권에 비하여 상대적으로 열위에 있습니다. 수탁자는 신탁의 효과(대내외적으로 소유권의 완전한 이전)에 따라 별도로 책임한정특약을 하지 않는 이상 신탁재산에 속하는 채무에 대하여 고유재산으로도 책임을 부담하기 때문입니다. 즉, 신탁재산을 책임재산으로 하여 수탁자의 비용상환청구권과 제3자의 신탁채권이 경합한다면, 사실상 신탁채권이 비용상환청구권보다 우선한다고 할 수 있을 것입니다(신탁사가 신탁재산으로부터 신탁사무처리비용을 선상환 받더라도 이후 고유재산으로 일반 신탁채권에 대하여 책임을 부담하기 때문입니다).[8]

---

8) 정당한 신탁채권에 대한 변제비용은 신탁사무처리비용입니다. 수탁자가 신탁재산에 속하는 금전의 일시적 부족 등으로 고유재산에서 신탁채권에 대한 변제비용을 지출하면 신탁재산에 대하여 비용상환청구권이 발생합니다.

5 주식회사와 (토지)신탁의 비교

투자의 역사에서 가장 혁신적인 투자기구는 주식회사였습니다. 오늘날 주식회사는 주식 단위 자본 구성과 주주유한책임의 원칙을 토대로 가장 보편적인 투자기구가 되었습니다. 그런데 신탁 역시 주식회사 못지않게 투자기구로서 적합한 구조를 가지고 있습니다.

자본시장법상 투자 목적의 주식회사, 투자 목적의 신탁은 가장 대표적인 간접투자기구입니다(투자금 내지 자본금과 부채로 형성된 자산을 신탁이라는 툴에 집어넣어 운용하는 것이 "투자신탁"이라는 간접투자기구이고, 회사라는 툴에 집어넣어 운용하는 것이 "투자회사"라는 간접투자기구입니다). 부동산 신탁 역시 향후 수익증권발행신탁과 결합되면 간접투자기구로서 기능할 수 있을 것입니다.

주식회사와 신탁은 가장 대표적인 투자기구로 활용되다 보니 실무적으로도 (토지)신탁의 위탁자 겸 수익자를 주식회사의 주주에 비유하는 경우가 많습니다. 주식회사와 (토지)신탁의 비교는 (토지)신탁의 구조를 이해하는 데 도움이 될 수 있을 것 같습니다.

표 주식회사와 (토지)신탁의 비교

	주식회사	(토지)신탁
주주/ 수익자	• 주금 납입 후 주주 지위 취득 • 증자를 통한 자본 조달	• 토지 신탁 후 수익자 지위 취득 • 수익증권 발행신탁제도 도입9)
자본금/ 신탁원본	• 자본금은 회사의 자산을 이루고, 회사채무에 대한 담보로 기능	• 신탁 토지는 신탁원본으로서 신탁재산에 속하는 채무, 고유계정차입금에 대한 담보로 기능10)
자금조달	• 신주발행, 사채발행	• 고유계정 차입 • 수익증권발행신탁, 신탁사채11)

유한책임	• 주주유한책임(주식 인수가액을 한도로 책임 부담) • 회사채권 우선의 원칙	• 수익자 유한책임(실질적으로 신탁원본이 책임 한도로 기능) • 비용상환의무 부담(수익자가 얻은 이익 범위로 제한)12) • 수익채권 대비 신탁채권 우선
자산운용	• 소유와 경영의 분리 • 주주는 주주권 행사를 통해 자산운용에 관한 의사결정에 일부 참여 가능	• 수탁자의 자산운용. 단, 수익자는 일정한 감독권한 보유(장부열람권, 신탁재산 원상회복청구권, 유지청구권 등)
사업이익 /투하자본 회수	• 이익배당/청산을 통한 잔여재산 분배 • 주식양도의 자유	• 신탁이익교부(단, 선지급 기준에 따른 제한) • 위탁자 지위 이전, 수익권 양도 가능

---

9) 2011년 개정신탁법은 수익증권 발행신탁 제도를 도입하였습니다. 다만, 자본시장법은 아직 부동산 신탁에 대한 수익증권 발행을 허용하지 않고 있습니다(자본시장법 제110조 제1항 참조).

10) 자본금이 회사채권에 대한 담보가 되듯이, 신탁원본 역시 신탁채권 및 비용상환청구권에 대한 담보가 됩니다.

11) 2011년 개정신탁법은 유한책임신탁의 경우 회사채와 유사하게 신탁재산을 근거로 한 사채발생을 허용하였습니다(사채총액한도는 유한책임신탁에 현존하는 순자산액의 4배로 제한됩니다. 신탁법 시행령 제8조 참조).

12) [위탁자에 대한 비용상환청구권의 한계] 수익자의 비용상환의무는 그가 얻은 이익의 범위로 제한됩니다(신탁법 제46조 제4항). 토지신탁사업의 경우 손실이 발생하여 신탁원본인 토지비까지 완전 잠식되면(주식회사의 경우 완전 자본잠식에 해당), 위탁자 겸 수익자가 얻을 수 있는 잔여 신탁재산 내지 신탁이익이 남지 않습니다. 따라서 신탁법상으로는 위와 같은 경우 위탁자 겸 수익자에게 비용상환청구권을 행사할 수는 없는 것이 원칙입니다(이는 회사제도상 주주의 유한책임 원칙과 같이 토지신탁에서도 수익자의 유한책임 원칙이 관철되는 것으로 볼 수 있을 것입니다). 다만, 대주주가 회사채무를 연대보증하는 것과 같이, 토지신탁사업의 위탁자가 고유계정차입금 등 신탁재산에 속하는 채무에 대하여 보증을 서거나 담보를 제공하는 것은 가능할 것으로 생각되며, 실무적으로도 신탁계약 특약에서 위탁자는 제한 없이 비용상환의무를 부담하는 것으로 정하는 것이 일반적입니다.

신탁원부란 부동산등기법 제81조에 따라 등기관이 신탁등기의 등기사항을 기록한 공적장부입니다. 신탁원부는 부등산등기법에 따라 등기기록의 일부로 간주됩니다(부동산등기법 제81조 제3항).[13]

신탁등기 신청인은 등기예규상 신탁원부 양식에 위 등기사항을 기재하여 전자문서로 등기소에 제출하고, 등기관은 이에 번호를 부여하여 등록하는 방법으로 신탁원부를 작성하게 됩니다(부동산등기규칙 제140조 등). 실무적으로 신탁원부상 '신탁조항' 기재란에는 신탁계약서 조항 일체를 기재하는 것에 갈음하여 해당 신탁계약서를 별지로 첨부하고 있습니다.

이 론   신탁등기 / 신탁원부 / 신탁계약서의 관계

- 신탁원부는 신탁등기의 등기사항을 기록한 등기부 기록의 일부입니다. 한편, 신탁 목적, 신탁재산의 관리·처분 방법, 그 밖의 신탁 조항은 모두 신탁등기의 등기사항인바, 실무상 신탁원부 작성시 신탁계약서 자체를 첨부하는 관계로, 신탁계약서가 신탁원부의 일부가 되고 있습니다. 이 때문에 신탁계약의 변경은 신탁등기의 등기사항 변경을 초래하는 것이므로, 이는 신탁원부 기록의 변경(신탁변경등기) 원인이 되는 것입니다.[14]

---

13) 부동산등기법 제81조(신탁등기의 등기사항)
  ① 등기관이 신탁등기를 할 때에는 다음 각 호의 사항을 기록한 신탁원부를 작성.....
   1. 위탁자, 수탁자 및 수익자의 성명 및 주소......
   13. 신탁의 목적
   14. 신탁재산의 관리, 처분, 운용, 개발, 그 밖에 신탁 목적의 달성을 위하여 필요한 방법
   16. 그 밖의 신탁 조항
  ③ 제1항의 신탁원부는 등기기록의 일부로 본다.

14) '전산정보처리조직에 의하여 영구보존문서등에 관한 등기사무를 처리하는 경우의 업무처리지침' 별지 제1호 신탁원부 양식

: 생략 (Chapter 7. N.8. "신탁원부의 대항력", N.9. "신탁부동산에 대한 관리비 납부의무 귀속 주체" 참조)

신 탁 원 부

위 탁 자   김 삼 남
수 탁 자   이 도 령
신청 대리인   이 갑 돌 (인)

1	위탁자의 성　　명 주　　소	
2	수탁자의 성　　명 주　　소	
3	수익자의 성　　명 주　　소	
4	신탁관리 인의성명 주　　소	
5	신　　탁 조　　항	\<별지와 같음\> ※ 통상적으로 신탁계약서 전문을 별지로 첨부함

7 신탁재산에 속하는 금전채권 공시의 문제

1. 문제의 소재

신탁 부동산은 신탁 등기라는 공시방법으로써 대항력을 갖습니다. 한편, 부동산을 신탁한 경우 그 관리ㆍ처분ㆍ개발의 이익은 결산기에 이르러 신탁의 이익으로 수익자에게 교부하기 전까지는 "신탁재산에 속하는 금전"으로서 수탁자가 관리하게 됩니다. 통상적으로 신탁사는 신탁재산에 속하는 금전을 은행예금으로 관리하는바, 이 경우 예금채권이 신탁재산이라는 점은 어떻게 공시하여 대항력을 갖추어야 할까요.

2. 신탁재산에 속하는 금전채권 공시의 방법

법령 신탁법

제4조(신탁의 공시와 대항)
② 등기 또는 등록할 수 없는 재산권에 관하여는 다른 재산과 분별하여 관리하는 등의 방법으로 신탁재산임을 표함으로써 그 재산이 신탁재산에 속한 것임을 제3자에게 대항할 수 있다.

등기 또는 등록할 수 없는 재산권의 경우, 수탁자가 분별관리의무를 다하여 신탁재산임을 표시ㆍ입증할 수 있으면 제3자에게 대항할 수 있다고 해석하는 것이 일반적이며, 예금채권의 경우 고유재산과는 구분되는 별도의 예금계좌 개설의 방법으로 신탁재산임을 표시하면 이로써 대항력을 가질 수 있다는 견해가 있습니다.[15] 현재 실무적으로도 신탁재산에 속하는 예금채권에 대하여 고유재산과 구분하여 별도로 계좌를 개설하는 외에 다른 공시방법은 취하지 않고 있습니다.[16]

---

15) 신탁법 해설, 법무부, 2012년, 제48쪽 내지 제49쪽 참조

3. 예금채권 등 금전채권 공시의 불완전성에 따른 문제

현재 실무상 신탁계좌에 대하여는 신탁사 내부적으로 고유재산과 구분되는 별도의 계좌를 개설하는 외에 별도의 공시방법을 취하지 않고 있고, 이로 인하여 신탁재산 독립성에 반하는 강제집행의 문제가 발생하고 있습니다.

가. 청구채권과 관련없는 신탁계좌에 대한 부적절한 집행

수탁자 고유재산에 대한 채권자가 신탁계좌에 대하여 강제집행을 하거나, A신탁재산에 대한 채권자가 B신탁재산에 속하는 신탁계좌에 대하여 강제집행을 하는 경우가 있습니다. 만약, 해당 신탁계좌가 특정 신탁재산에 속하는 예금채권이라는 점을 사전에 은행에 알리고 이를 통해 대항력을 갖추었다면, 신탁사는 해당 신탁계좌에 대한 강제집행의 무효를 주장할 수 있을 것입니다. 그러나 현실은 해당 신탁계좌가 특정 신탁재산에 속한다는 점이 충분히 표시되지 않았기 때문에, 이를 예금은행에 대항하기 어렵습니다. 실무적으로도 신탁사는 청구채권이 발생한 고유계정 또는 실제 채무를 부담하는 신탁계정에서 청구채권을 변제토록 한 이후에 강제집행의 취소·해제를 구하고 있습니다.

나. 청구채권과 관련없는 고유재산 예금계좌에 대한 부적절한 집행

---

16) [신탁재산에 속하는 예금채권의 공시방법] 고유재산과 구분되는 별도의 예금계좌를 개설하는 것만으로, 신탁재산에 속하는 예금채권임을 공시한 것으로 볼 수 있을까요. 신탁법 제4조 제2항은 모든 분별관리의 방법에 대하여 대항력을 인정하는 것이 아니라, 대외적으로 신탁재산임을 표시할 수 있는 방법으로 분별관리를 한 경우에 대항력을 인정할 수 있다는 취지입니다. 수탁자가 고유재산과 별도의 예금계좌를 개설하였다 하더라도 해당 예금채권이 신탁재산임을 은행에 알리지 않았다면, 은행으로서는 해당 예금채권이 신탁재산임을 알 수 없는바, 이러한 경우까지 공시를 한 것으로 보아 대항력을 인정하기는 어려워 보입니다. 민사상으로도 채권에 대한 공시방법은 채무자의 인식가능성을 기초로 하는바, 예금채권 등 금전채권의 경우, 수탁자가 해당 채권이 신탁재산에 속하는 것임을 은행 등 채무자에 통지했을 때 대항력을 인정하는 것이 타당할 것으로 생각됩니다. 금융기관에 대한 통지방법 등에 대한 제도 개선이 필요한 문제입니다.

특정 신탁계정의 수익자 또는 그 채권자가 수익채권에 기초하여 고유재산 예금계좌에 강제집행을 하는 경우가 있습니다. 이 경우 수탁자는 해당 예금채권이 고유재산에 속하는 것임을 입증하여 강제집행의 배제를 구할 수 있습니다(아래 판례 참조).

판례	수익채권에 기한 고유재산 집행시 청구에 관한 이의의 소

• 서울중앙지방법원 2019.4.10. 선고 2018가합547168 판결

『한편 신탁법 제38조(유한책임)는 "수탁자는 신탁행위로 인하여 수익자에게 부담하는 채무에 대하여는 신탁재산으로만 책임을 진다."라고 규정하고 있는데, 이러한 책임의 제한은 수탁자가 수익자에게 부담하는 채무의 존재 및 범위의 확정과는 관계가 없고 다만 판결의 집행대상을 신탁재산의 한도로 한정함으로써 판결의 집행력을 제한할 뿐이며……수탁자가 신탁행위로 인하여 채무를 부담함에도 수익자가 제기한 소송의 사실심 변론종결 시까지 그 사실을 주장하지 아니함으로써 책임의 범위에 관한 유보가 없는 판결이 선고되어 확정되었다고 하더라도, 수탁자는 그 후 신탁행위로 인하여 부담하는 채무라는 사실을 내세워 청구에 관한 이의의 소를 제기할 수 있다고 봄이 타당하다』

8 신탁원부 기록의 변경등기(신탁변경등기)

신탁원부란 신탁등기의 등기사항이 기록된 등기기록입니다. 따라서 부동산등기법 제81조에서 정하고 있는 신탁원부 기록사항(수익자, 신탁의 목적·신탁재산의 관리방법, 신탁종료의 사유, 기타 신탁조항 등)이 변경된 경우에는 신탁원부 기록의 변경등기(신탁변경등기)가 필요합니다.

신탁원부 기록의 변경등기 신청을 위해서는, 해당 '등기사항 변경의 원인사실을 증명하는 정보'를 첨부하여 등기소에 제공하여야 합니다.

가장 문제되는 수익자 변경의 경우를 살펴보면, 그 변경원인별로, ① '신탁계약 변경으로 인한 수익자 변경'의 경우는 신탁계약 변경계약서,[17] ② '대위변제에 따른 수익자 변경'의 경우는 기존 수익자의 대위변제확인서, ③ '수익권 양도에 따른 수익자 변경'의 경우는 해당 수익권 양도계약서를[18][19] 수익자 변경의 원인사실 증명정보로 등기소에 제출하여야 합니다.

---

17) 신탁변경등기는 신탁등기와 마찬가지로 수탁자 단독 신청이 원칙입니다. 그런데 신탁계약변경을 원인으로 하는 신탁변경등기의 경우, 그 변경 원인을 증명하는 정보로 신탁계약변경계약서를 첨부하여야 할 것인데, 신탁계약변경계약서는 위탁자의 날인이 필요하다는 점에서 위탁자의 협조가 필요할 수밖에 없습니다.

18) 대법원 인터넷 등기소의 신탁원부기록변경등기신청서 서식을 보면, 수익권양도의 경우 신탁수익권양도계약서를 첨부하도록 예시되어 있습니다.

19) [수익권 양도와 신탁원부변경] 수익자 지위 이전에 갈음하는 수익권 양도가 있는 경우, 수익자 변경을 내용으로 하는 신탁계약 변경계약을 체결한 뒤 이를 첨부하여 신탁원부변경을 하는 방법이 원칙적이겠으나, (특히, 신탁계약 변경계약에 대한 위탁자의 협조 및 계약 날인이 없는 경우) 수탁자 단독으로 수익권 양도계약서를 첨부하여 신탁원부변경을 할 수 있습니다.

9   신탁변경등기 없는 수익권 양도의 효력

신탁법은 수익권 양도의 대항요건으로 확정일자 있는 통지·승낙을 규정하고 있습니다(신탁법 제65조 참조)[20]. 신탁법 및 신탁계약상 대항요건을 갖추었으나, 아직 신탁원부 기록의 변경등기를 경료하지 않았더라도 수익권 양수인은 수익자로서 권한을 행사할 수 있는지 문제됩니다.

수익자 지위 이전에 갈음하는 수익권 양도 계약이 있고, 확정일자부 통지 및 수탁자의 승낙 등 대항요건을 갖추었다면, 수익권 양수인은 신탁원부 변경등기 전에도 수익자로서 권한 행사가 가능할 것으로 생각됩니다.[21] 그러나 실무

---

[20] [수탁자 승낙없는 수익권 양도의 효력] 통상적으로 신탁계약에서는 수익권 양도시 수탁자의 사전승낙을 받도록 정하고 있습니다. 만일 수탁자 승낙없이 수익권을 양도한 경우라면, 수익권 양수인이 위와 같은 양도제한약정이 있음을 알았거나 중대한 과실로 알지 못하였다면 수익권 이전의 효과는 발생하지 않습니다(지명채권 양도제한약정에 대한 일반적인 해석입니다. 대법원 2019.12.19.선고 2016다24284판결 등 참조).

[21] [수익권 양도 Vs. 수익채권 양도 Vs. 수익자 지위 이전]
수익권은 수익자가 가지는 신탁재산 및 수탁자에 대한 각종 권리의 총체로서, 자익권(수익채권)과 공익권(수탁자에 대한 각종 감독권한, 신탁재산에 대한 보전권한, 신탁운영에 대한 참가권한 등)으로 구성됩니다. 반면, 수익채권은 수익자가 수탁자에게 신탁재산에 속한 재산의 인도와 그 밖에 신탁재산에 기한 급부를 요구하는 청구권입니다(신탁법 제62조).

신탁법은 수익권과 수익채권을 명확히 구분하고 있으나, 실무상으로는 양 개념이 혼용되고 있으며, 법원에서도 이를 명확히 구분하는 것 같지 않습니다. 당사자들은 수익권 양도를 의욕하고 양도계약서를 작성하지만, 실제 문언상으로는 수익채권에 대한 양도계약에 지나지 않는 경우가 많습니다(이 경우 수익권의 내용인 공익권과 신탁계약상 수익자의 권리가 누구에게 귀속되는지 여부가 문제될 수 있습니다. 당사자들이 수익채권이 아니라 수익권 양도를 의도하는 경우라면, 그 양도계약서상 양도대상을 "수익권(수익채권은 물론, 신탁법 및 신탁계약상 수익자의 권한 일체를 포함)"으로 기재하도록 안내하는 것이 바람직할 것입니다.

한편, 현재 실무상으로는 '우선수익권 양도'와 '우선수익자 지위이전'도 명확히 구분하지는 않는 것으로 보입니다(수익권 양도계약서를 첨부하여 수익자 변경을 내용으

상 (우선)수익권이 양도되었으나 신탁원부 변경이 없는 상태에서 (우선)수익권 양수인의 처분요청에 따른 신탁재산 처분·변경 등으로 등기신청이 필요한 경우, 등기관은 신탁원부상 기존 (우선)수익자의 요청 또는 동의의 의사 확인이 필요하다는 이유로 등기신청을 받아주지 않는다는 점에 주의할 필요가 있습니다.[22]

| 등 기 선 례 | 신탁해지를 원인으로 소유권이전등기 및 신탁등기의 말소등기를 신청할 때의 우선수익자의 동의서 제공 여부 |

• 제정 2018. 5. 4. [부동산등기선례 제201805-3호, 시행]

『등기관은 등기기록과 신청정보 및 첨부정보만에 의하여 등기신청의 수리 여부를 결정하여야 하는 바, 신탁원부는 등기기록의 일부로 보게 되므로 "위탁자와 수탁자가 신탁계약을 중도 해지할 경우에는 우선수익자의 서면동의가 있어야 한다"는 내용이 신탁원부에 기록되어 있다면 신탁해지를 원인으로 소유권이전등기 및 신탁등기의 말소등기를 신청할 때에는 일반적인 첨부정보 외에 신탁계약의 중도해지에 대한 우선수익자의 동의가 있었음을 증명하는 정보(동의서)와 그의 인감증명을 첨부정보로서 제공하여야 한다.』

로 하는 신탁원부변경등기도 가능합니다). 그러나 엄밀하게는 수익권 내지 수익채권 양도와 신탁계약 변경계약을 통한 수익자 지위 이전은 법률적으로 동일하지는 않습니다. 법리적으로 기초계약상 발생하는 채권을 양도하더라도, 기초계약상 계약자 지위 자체가 이전되지 않기 때문입니다. 즉, (우선)수익권 양도계약이 있더라도, 그로써 (우선)수익자 지위까지 이전되는 것은 아니므로, 별도로 (우선)수익자 변경을 내용으로 하는 신탁계약 변경계약 및 그에 따른 신탁원부변경등기를 경료하기 전까지는, 신탁계약상 (우선)수익자의 의무 등은 여전히 기존 (우선)수익자에게 있는 것으로 볼 소지가 있습니다. 따라서 당사자들의 의사가 우선수익자 지위 전체의 이전을 의도하는 것이라면, (우선)수익자를 변경하는 내용의 신탁계약 변경계약 및 신탁원부변경등기 절차를 취하도록 하는 것이 바람직할 것입니다.

22) 신탁등기사무처리에 관한 예규 제6조 가.항은 "수탁자를 등기의무자로 하는 등기신청의 경우, 등기관은 신탁목적에 반하는 등기신청을 수리하여서는 아니된다"라고 규정하고 있습니다. 위 조항을 근거로 신탁재산에 대한 처분 또는 귀속을 원인으로 하는 등기신청시에 등기관들이 신탁원부상 수익자의 동의를 요구하는 경우가 종종 있습니다.

예시   담보신탁 우선수익권 양도시 승낙조건

[우선수익권 양도에 대한 승낙조건]

1. 수탁자는 양도 대상 우선수익권과 관련하여 본건 신탁계약에 따라 "양도인"에게 대항할 수 있는 일체의 항변사유로써 "양수인"에게 대항할 수 있습니다.

2. 우선수익권 양도는 그 피담보채권과 함께 양도하여야 효력이 있으며, 피담보채권의 양도 및 그에 대한 대항력 구비는 "양도인"과 "양수인"의 책임과 부담으로 이행하여야 합니다.

3. 신탁법에 따라 신탁채권, 수탁자의 비용상환청구권 및 보수청구권은 본건 양도 대상 우선수익권에 우선합니다. 수익한도금액은 피담보채권액 범위 내에서 신탁부동산 환가대금 등으로부터 위 선순위 항목을 공제한 후 지급받을 수 있는 신탁이익의 최고한도액입니다. 수익권증서는 유가증권이 아니며, 수익권증서상 재산가액 또는 수익한도금액의 지급이 보장되지 않습니다.

4. "양수인"은 신탁법상 사해신탁으로 본건 신탁이 취소되거나, 신탁 전 원인으로 발생한 권리 또는 신탁사무 처리상 발생한 권리에 기인한 강제집행 등으로 우선수익권이 소멸되거나 제한되더라도 수탁자에게 책임을 물을 수 없습니다.

5. "수탁자"는 "신탁계약"에 따라 신탁목적 달성을 위해 선관주의로써 신탁사무를 수행할 수 있고, 수탁자의 고의 또는 과실 없는 신탁사무처리로 인하여 불가피하게 신탁재산이 감소하더라도, "양수인"은 이에 대하여 일체의 이의를 제기할 수 없습니다.

6. 기타 양도 대상 우선수익권의 내용과 범위, 그에 대한 제한사항 등은 본건 신탁계약에 따라 정해지는바, "양수인"은 직접 신탁계약의 내용을 확인하고 숙지하여야 합니다(본건 신탁계약은 별지 목록 기재 부동산에 대한 신탁원부에 공시되고 있습니다).

7. 우선수익자 변경에 따른 신탁원부 변경등기 절차는 "양도인"과 "양수인"의 책임과 부담으로 진행하는바, 변경등기가 경료되지 않아 "양수인"의 우선수익권 행사에 제한이 발생하더라도 수탁자는 그에 대한 책임을 부담하지 않습니다.

8. "양수인"은 수탁자의 사전동의 없이 본건 우선수익권을 타인에게 양도하거나, 질권 설정 등 기타 처분행위를 할 수 없습니다.

10 　신탁재산 처분에 의한 신탁등기

　　신탁등기에는 '신탁행위에 의한 신탁등기', '위탁자의 선언에 의한 신탁등기'(신탁법 제3조 제1항 제3호에 따른 신탁), '재신탁등기'(신탁법 제3조 제5항에 따른 신탁), '신탁재산 처분에 의한 신탁등기'(신탁법 제27조에 따른 신탁), '신탁재산 회복(반환)으로 인한 신탁등기'(신탁법 제43조에 따른 신탁), 담보권신탁등기 등이 있습니다(신탁등기사무처리에 관한 예규 참조).

　　'신탁행위에 의한 신탁등기'는 그 표현 그대로 신탁행위(신탁계약)를 원인으로 하는 신탁등기입니다. 한편, 신탁법 제27조에 의하면, 기존 신탁재산의 관리 · 처분 · 개발 · 멸실 · 훼손, 그 밖의 사유로 수탁자가 얻은 재산은 별도의 신탁행위 없이 신탁재산에 속하는바, 이 때 새로 귀속된 재산이 부동산인 경우 그에 대한 신탁등기가 필요하고 이를 등기실무상 **'신탁재산 처분에 의한 신탁등기'**로 통칭하고 있습니다(신탁등기사무처리에 관한 예규 제1.나.(5)참조).[23]

　　예를 들어, 토지신탁 사업에서, 신탁재산인 분양수입금으로 수탁자가 도로부지를 직접 취득할 경우, 신탁법 제27조에 따라 해당 부지도 신탁재산으로 편입될 것입니다. 그런데 이는 별도의 신탁행위 없이 수탁자가 기존 신탁재산을 처분하여 직접 취득한 신탁재산이므로, 이를 공시하기 위해서는 '신탁재산 처분에 의한 신탁등기'를 경료하는 것입니다.[24]

---

23) "신탁재산 처분에 의한 신탁등기"는 그 표현과 달리, 기존 신탁재산을 처분하면서 그에 대한 반대급부로 얻게 된 부동산뿐만 아니라, 기존 신탁재산의 관리 · 처분 · 개발 · 멸실 · 훼손 및 기타 사정으로 인하여 별도의 추가적인 신탁행위 없이 수탁자에게 귀속하는 모든 부동산에 대한 신탁등기라고 할 수 있습니다.

24) [신탁재산 처분에 의한 신탁등기 신청방법] 신탁재산 처분에 의한 신탁등기를 위해서는, 등기 대상 부동산이 '종전 신탁행위에 의한 신탁재산'을 처분함으로써 취득한 것임을 증명할 수 있는 자료를 첨부해야 합니다. 그런데 실무적으로 토지신탁사업에서 분양수입금으로 미확보 사업부지를 취득하는 경우, 취득대금 상당의 금전신탁계약서를 별도로 작성한 후 이를 첨부정보로 제출하는 경우가 많습니다. 이는 종합신

실무　신탁재산 처분에 의한 신탁등기 사례

① 토지신탁 사업 진행 중 수탁자가 국공유지를 매입하는 경우

② 토지신탁 사업으로 신축한 건물을 보존등기하는 경우 (등기선례 제5-618호 참조)

③ 미준공 택지에 대한 신탁계약 체결 이후 택지가 준공되어 보존등기 경료 후 곧장 수탁자에게 소유권 이전 등기를 하는 경우

④ 공유물 일부 지분 신탁 이후 공유자간 공유물 분할을 원인으로 지분이전 등기 및 신탁등기를 경료하는 경우(등기선례 제9-257호, 제6-466호)

탁업자들이 금전을 신탁받아 운용하면서 부동산을 취득 및 등기경료하는 과정을 그대로 차용한 것으로 보입니다. 그러나 토지신탁의 경우라면, 원칙대로 종전 토지신탁계약서를 제출하고, 분양수입금이 위 신탁계약에 따라 신탁재산으로 편입된 점, 해당 분양수입금으로 사업부지를 매수한 점을 소명하여 신탁등기를 신청하는 것이 바람직할 것입니다.

신탁이 제한되는 부동산

1. 재단법인의 기본재산인 부동산

재단법인의 기본재산의 처분은 주무관청의 허가를 얻어야 유효합니다. 따라서 주무관청의 허가 없는 재단법인 기본재산의 신탁은 효력이 없다는 점에 유의하기 바랍니다.

2. 농지법상 농지

토지대장상 지목이 전·답·과수원인 토지는 원칙적으로 신탁을 받을 수 없으며, 신탁등기를 경료하더라도 이는 농지법상 무효입니다. 다만, 예외적으로 ①도시지역 내의 농지(다만, 도시지역 중 녹지지역 안의 농지에 대하여는 도시계획시설사업에 필요한 농지에 한함) ②농지법 제34조 제2항에 의한 농지전용협의를 완료한 농지(계획관리지역에 지구단위계획구역 지정시 포함된 농지 등) 등은 신탁등기가 가능합니다.[25]

3. 미완성 건물

미완성 건물의 신탁 가능 여부는 당해 건물의 시공 단계별로 구체적인 검토가 필요합니다.

① '가설공사 단계에서 토지상에 부착된 동산'은, 동산으로서 신탁 가능한 물건이나 토지와 별도로 신탁할 실익이 있는 경우는 별로 없을 것입니다.

② '토공사·기초공사 단계에서 토지에 부합된 구조물'은 토지에 부합된 정착물은 토지 소유자에게 귀속되는 것이므로, 토지에 대한 신탁이 있는 경우 별도의 신탁행위 없이 신탁재산에 포함된다고 할 것입니다.

---

25) 상세내용은 Chapter 1. N.13. "농지에 대한 신탁등기" 참조

③ '일부 층에 대한 골조 및 조적공사가 완료된 경우'(최소한의 기둥과 지붕 그리고 벽이 이루어진 경우), 해당 미완성 건물은 토지와 독립된 별도의 부동산으로 인정되며 특별한 사정이 없는 한 건축주의 소유가 됩니다(이 단계부터 일정 요건이 충족되는 경우 토지에 대한 법정지상권이 성립할 수 있습니다).[26] 현행법상 이 단계의 미완성건물은 공시방법이 존재하지 않는다는 점에서, 해당 미완성 건물만을 신규로 신탁하고 공시하는 것은 불가능한 것으로 보입니다.[27] 물론, 토지신탁사업의 경우, 신탁사가 건축주이므로, 신탁 사업으로 공사 진행 중인 미완성 건물은 별도의 행위 없이도 신탁재산에 편입된다고 할 것입니다.

④ '건물 전체에 대한 골조 및 조적 공사가 완료된 경우'(지번, 구조, 면적 등이 건축허가 내용과 사회통념상 동일하다고 인정되는 경우), 해당 건물에 대하여는 건축물대장 생성 전이라도 (가)압류, 가처분 등이 가능합니다. 이때 법원이 (가)압류 등 처분제한의 등기를 촉탁하면, 등기관 직권으로 미완성건물에 대한 직권 보존등기 경료 후 처분제한의 등기를 경료하는 바(부동산등기법 제66조 참조), 이후에는 신탁등기 경료도 가능할 것입니다.[28]

---

26) [공사 중단 후 제3자 완공 건물의 소유권 귀속 문제]
건축공사가 중단되었던 미완성의 건물을 인도받아 나머지 공사를 마치고 완공하는 경우가 있습니다. 공사가 중단된 시점에서 미완성 건물이 독립된 부동산으로서의 요건을 갖추지 못했다면, 이후 공사를 진행하여 건물을 완성한 자가 해당 건물을 원시취득하는 것에 의문이 없습니다(다만, 이 경우 공사 중단 전 건축주는 건물의 원시취득자에 대하여 부당이득 반환을 청구할 수 있습니다. 대법원 2010.2.25.선고 2009다83933판결 참조). 반면에, 공사가 중단된 시점에서 사회통념상 독립한 건물이라고 볼 수 있는 형태와 구조(최소한의 기둥과 지붕 그리고 주벽이 이루어진 상태)를 갖추고 있었다면 원래의 건축주가 그 건물의 소유권을 원시취득합니다(대법원 1998.9.22. 선고 98다26194 판결, 대법원 2002.4.26.선고 2000다16350판결 참조. 이에 반하는 판례로는 대법원 2006.11.9.선고 2004다67691판결).

27) 관습법상 수목 등에 대하여 인정되는 명인방법으로 해당 건물에 신탁재산임을 표시하여도 신탁의 대항요건으로 인정된다는 견해가 있으나, 수목과 달리 미완성 건물에 대하여 그러한 관습법이 인정될 수 있을지는 다소 의심스럽습니다.

28) [담보신탁 등에서 공사 중단 건물의 신탁등기] 토지에 대한 담보신탁계약을 체결하고 위탁자가 건물을 신축하여 이를 추가 신탁하기로 하였으나, 위탁자 부도 등으로

4. 집합건물의 대지

집합건물법상 구분소유자의 대지사용권은 전유부분의 처분에 따르며, 대지사용권은 전유부분과 분리하여 처분할 수 없습니다(집합건물법 제20조 참조). 따라서 구분소유권이 성립한 이후에는 집합건물의 대지만을 신탁받을 수는 없는 것입니다.

대법원 판례(2013.1.17.선고 2010다71578판결)에 의하면, 신탁계약체결당시 그 대지상 미완성 건물이 구조상·이용상의 독립성을 갖추었고, 사업시행자가 구분건물 각각에 대하여 분양계약을 체결함으로써 구분의사를 외부에 표시한 경우, 전유부분에 관하여 이미 구분소유권이 성립되어 전유부분과 대지사용권의 일체성이 인정되므로 이에 반하는 대지만의 신탁행위는 무효이고, 신탁등기도 말소되어야 한다고 판단하였습니다.

5. 구조상 독립성이 소멸된 구분건물

건축물관리대장상 독립한 별개의 구분건물로 등재되고, 등기부상에도 구분소유권의 목적으로 등기되었더라도, 격벽 등 구분시설이 철거되는 등의 사정으로 구조상 독립성이 소멸된 경우, 해당 구분건물은 구분소유권의 객체가 될 수 없고 해당 등기도 무효인바, 이러한 구분물건은 신탁받을 수 없다고 할 것입니다.

단, 상가건물의 경우 경계표지를 바닥에 견고하게 설치하고, 구분점포별로 건물번호표지를 견고하게 붙이는 등 집합건물법상의 요건을 충족하면 격벽 등

공사가 중단되는 경우가 많습니다. 이 경우 미완성건물을 어떻게 신탁재산으로 편입할 것인지가 문제됩니다. 건축허가 내용과 사회통념상 동일하다고 인정되는 수준으로 공사가 진행되었다면, 수탁자 명의로 추가 신탁 약정에 기초하여 공사 중단 건물에 대한 처분금지가처분 신청이 가능하고, 이 경우 법원 촉탁에 의한 가처분등기와 등기관 직권에 의한 보존등기가 경료될 수 있으며, 이후 신탁등기를 경료할 수 있을 것입니다.

의 물리적인 구분시설이 없더라도 구분소유권의 객체가 될 수 있습니다(집합건물법 제1조의2 참조).

대법원은 구조상의 구분에 의하여 구분소유권의 객체범위를 확정할 수 없는 경우에는 구분소유권의 객체로서 적합한 물리적 요건(구조상의 독립성)을 갖추지 못한 것으로서 구분소유권이 성립될 수 없고 등기부상 구분소유권의 목적으로 등기되었다하더라도 그 등기는 무효라고 판단하고 있습니다(대법원 2013.3.28.선고 2012다4985판결). 따라서 위와 같은 경우 등기부상 구분소유 목적물에 대한 신탁등기를 경료하더라도 이는 무효가 될 것입니다. 물론, 위와 같이 구조상 구분이 소멸된 건물부분은 해당 등기부상 구분소유권자 전원의 공유이므로 공유자들의 지분을 신탁받거나, 공유자들 전원의 동의를 받아 전체 공유물을 신탁받을 수는 있을 것입니다.

6. 제3자가 건물 소유 목적으로 임차한 토지

건물의 소유를 목적으로 한 토지임대차는 등기하지 아니한 경우에도 임차인이 그 지상건물을 등기한 때에는 제3자에 대하여 임대차의 효력이 생깁니다(민법 제622조).

따라서 토지를 신탁함에 있어, 토지에 대한 등기부상에 임차권 등기가 없는 경우라도 제3의 토지 임차인이 건물을 신축하여 등기를 경료하였다면, 위 임차인은 수탁자에게 대항할 수 있고, 위탁자의 토지 임대인으로서의 지위는 수탁자에게 승계되는 효과가 있습니다. 또한 건물 소유 목적의 토지임대차가 종료되면, 일정한 경우 임차인은 임대인에게 건물매수청구권을 가집니다. 위와 같은 경우 수탁자는 임대차보증금 반환의무를 부담할 뿐만 아니라, 건물 매수대금 지급의무까지 부담할 수 있다는 점에 유의하기 바랍니다.

7. 부지에 대한 사용권한 없는 건물

건물과 그 부지의 소유권이 각각 다른 이에게 귀속되고, 부지에 대한 법정지상권 조차 인정되지 않는 경우가 있습니다. 이 경우 부지에 대한 소유권자는 건물에 대한 수탁자를 상대로 건물철거소송 및 부지 사용에 대한 부당이득 반환청구 소송을 제기할 수 있다는 점에 유의하기 바랍니다.

8. 건축법 위반 건축물

건축법 및 건축법상 명령이나 처분에 위반되는 건축물을 신탁받은 경우, 수탁자를 상대로 원상복구명령 및 이행강제금이 부과될 수 있습니다. 신탁 전에 건축물대장을 열람하여 건축법 등 위반건축물인지 여부를 확인하여야 한다는 점에 유의하기 바랍니다.

9. 임대차 목적물인 부동산

: 생략 (Chapter 1. N.12. "임대차와 신탁" 참조)

12 임대차와 신탁

1. 신탁 전 임대차가 있는 경우

부동산 신탁 의뢰가 들어온 경우, 대항력 있는 임차권 존재 여부를 확인하는 것이 필요합니다. 주택임대차보호법과 상가건물임대차보호법의 적용을 받는 임대차,[29] 임차권 등기를 한 임대차, 건물 소유 목적 토지임대차로서 건물에 대한 등기를 경료한 경우(민법 제622조 참조) 등은 수탁자에게 대항할 수 있는 임대차입니다.

대항력 있는 임대차 이후에 신탁등기를 경료한다면, 수탁자가 기존 임대인의 지위까지 승계하게 됩니다. 신탁계약 특약조항에서 수탁자에게 보증금반환의무가 없는 것으로 정하더라도 이미 대항력을 갖춘 임차인에게는 대항할 수없다는 점, 즉, 수탁자가 보증금반환의무를 부담한다는 점을 명심해야 합니다.

> **판례**   신탁과 임대인 지위 승계
>
> • 대법원 2002.4.12.선고 2000다70460판결
>
> 『이와 같이 수탁자에게 이 사건 임대아파트의 관리권이 이전된 이상 피고는 주택임대차보호법 제3조 제2항에 의하여 원고와 주식회사 대승 사이의 임대차계약상 임대인의 지위를 승계하였다고 보아야 할 것』

위와 같이 대항력 있는 임대차가 있는 부동산을 신탁받는 경우, 수탁자가 임대인의 지위를 승계하므로, 해당 임대계약의 내용을 파악하여야 할 것입니다.

---

29) 2015. 5. 13. 법률 제13284호로 개정된 상가건물 임대차보호법은 대항력, 권리금 등에 대한 규제를 모든 상가건물임대차에 적용하도록 적용범위를 확대하였습니다. 따라서 보증금 액수와 관계없이, 대항력 요건(건물인도, 사업자 등록 신청)을 갖춘 임대차가 있는 상가건물 신탁시, 수탁자는 기존 임대인의 지위를 승계하게 됩니다 (위 법 제3조 제2항, 제2조 제3항 참조).

임대차계약서 사본과 함께 인터넷등기소 등에서 발급하는 확정일자부(주택의 경우) 또는 관할세무서의 확정일자부 내지 상가건물임대차현황서(상가건물의 경우)를 위탁예정자로부터 제출받아 확인하는 것이 필요합니다.

또한, 특약사항에 환가대금 정산특약을 두어 정산시에 신탁 전 설정된 임대차의 임대보증금 또는 이에 대한 수탁자의 대지급금 및 그 이자가 우선수익자 채권보다 선순위임을 명시하여야 합니다.

한편, 위와 같이 대항력을 갖춘 임대차 목적 부동산을 수탁하는 경우에는, 위탁자로부터 임대차보증금반환채권에 대한 (가)압류 내역을 조사하여야 합니다. 대법원 판례상 임대인 지위 승계시 위 임대차보증금 반환채권에 대한 (가)압류의 제3채무자 지위까지 승계되기 때문입니다.

> 판례   임대차보증금에 대한 가압류 제3채무자 지위 승계 여부
>
> • 대법원 2013. 1. 17. 선고 2011다49523 전원합의체 판결
>
> 『주택임대차보호법 제3조 제3항은 같은 조 제1항이 정한 대항요건을 갖춘 임대차의 목적이 된 임대주택의 양수인은 임대인의 지위를 승계한 것으로 본다고 규정하고 있는바, 이는 법률상의 당연승계 규정으로 보아야 하므로, 임대주택이 양도된 경우에 양수인은 주택의 소유권과 결합하여 임대인의 임대차 계약상의 권리·의무 일체를 그대로 승계하며, ... 나아가 임차인에 대하여 임대차보증금반환채무를 부담하는 임대인임을 당연한 전제로 하여 임대차보증금반환채무의 지급금지를 명령받은 제3채무자의 지위는 임대인의 지위와 분리될 수 있는 것이 아니므로, 임대주택의 양도로 임대인의 지위가 일체로 양수인에게 이전된다면 채권가압류의 제3채무자의 지위도 임대인의 지위와 함께 이전된다고 볼 수밖에 없다.』

2. 신탁 이후 신탁부동산 임대의 경우

가. 신탁부동산에 대한 임대권한은 소유권자인 수탁자에게 있고, 이 경우 월세와 차임 등은 신탁재산에 편입하는 것이 원칙이라고 할 것입니다. 그러나 실

무적으로는 대부분의 신탁에서 수탁자의 동의를 조건으로 위탁자에게 신탁부동산에 대한 임대권한을 부여하는 경우가 많습니다. 즉, 신탁회사는 보증금반환의무 등 임대인으로서의 의무가 없다는 점을 명시하여 위탁자의 임대차에 동의를 하고 있으며, 월세와 차임 등은 신탁이익 교부에 갈음하여 위탁자 또는 우선수익자가 직접 수취하는 경우가 많습니다.

나. 위탁자가 수탁자 동의없이 신탁부동산에 대한 임대차계약을 체결한다면, 해당 임대차는 주택임대차보호법 등이 적용되지 않고, 수탁자에게 대항할 수 없으며, 신탁부동산 공매절차에서도 보호를 받지 못합니다.

> **판 례**　　신탁 이후 임대차와 대항력
>
> • 대법원 2014. 7. 24. 선고 2012다62561판결
>
> 『신탁등기일 이후로는 신탁조항에 따라 수탁자의 사전승낙 등을 거쳐 체결된 임대차만이 소유자인 수탁자에게 대항할 수 있게 된다.』
>
> • 대법원 2019. 3. 28. 선고 2018다44879판결
>
> 『위탁자가 수탁자의 동의 없이 임대차계약을 체결한 후 신탁종료에 따른 소유권 귀속을 원인으로 다시 위탁자 앞으로 소유권이전등기를 경료한 경우, 그 즉시 임차인은 대항력을 취득한다.』

다. 위탁자가 소유권자인 수탁자로부터 신탁부동산 임대에 대한 동의를 받아 임대차계약을 체결한다면, 이는 적법한 임대권한을 가진 자의 임대차계약으로 볼 수 있고,[30] 해당 임대차는 주택임대차보호법이나 상가건물임대차보호법의 적용을 받는 것이 원칙입니다. 즉, 수탁자 동의하에 위탁자와 약정한 임대차는, 전입신고 등 법정요건을 갖추는대로 제3자에 대한 대항력을 가지며, 공매 등으

---

30) [소유권자는 아니지만 적법한 임대권한을 가진 자의 임대차]
　　『주택임대차보호법이 적용되는 임대차는..... 주택 소유자는 아니더라도 주택에 관하여 적법하게 임대차계약을 체결할 수 있는 권한을 가진 임대인과 임대차계약이 체결된 경우도 포함된다(대법원 2012. 7. 26. 선고 2012다45689 판결)』

로 임대목적물인 신탁부동산이 처분될 경우, 그 취득자는 임대인의 지위를 승계한다고 보아야 할 것입니다(그러나 최근 대법원은 이와 다른 판단을 한 바 있습니다. 아래 판결 참조).

판 례   수탁자 동의 받은 임대차의 대항력

- 대법원 2022. 2. 17. 선고 2019다300095판결

『신탁계약에서 수탁자의 사전 승낙 아래 위탁자 명의로 신탁부동산을 임대하도록 약정하였으므로 임대차보증금 반환채무는 위탁자에게 있고, 이러한 약정이 신탁원부에 기재되어 임차인에게도 대항할 수 있으므로, 임차인인 병은 임대인인 갑 회사를 상대로 임대차보증금의 반환을 구할 수 있을 뿐 수탁자인 을 회사를 상대로 임대차보증금의 반환을 구할 수 없고, 을 회사가 임대차보증금 반환의무를 부담하는 임대인의 지위에 있지 아니한 이상 그로부터 오피스텔의 소유권을 취득한 정이 주택임대차보호법 제3조 제4항에 따라 임대인의 지위를 승계하여 임대차보증금 반환의무를 부담한다고 볼 수도 없다.』[31]

---

31) [수탁자 동의받은 임차권의 대항력 제한]

  소유권자가 아니더라도 소유권자로부터 임대권한을 부여받아 임대차계약을 체결하였다면, 해당 임대차는 주택임대차보호법에 따른 대항력이 인정된다는 것이 일반적인 대법원 판례입니다. 그러나 위 사안에서 대법원은 신탁원부의 대항력을 광범위하게 인정하는 전제에서 신탁원부상 수탁자가 임대보증금 반환의무를 부담하지 않는 것으로 기재된 이상 수탁자는 물론, 수탁자로부터 신탁부동산을 취득한 제3자도 임대보증금 반환의무를 부담하지 않는다는 취지로 판단하였습니다.

  우리 대법원은 신탁원부의 대항력을 다소 폭넓게 인정해왔습니다(대법원 2002다12512 판결, 대법원 2001다58054판결 등. 신탁원부에 첨부된 신탁계약서의 경우 공시기능이 약하다는 점에서, 이러한 판례에 대하여는 비판적인 시각이 있었습니다. 상세 내용은 Chapter 7. N.8. 참조).

  그런데 본건 사안의 경우, 신탁원부의 대항력 문제를 떠나서도, 임차인은 수탁자가 보증금반환의무를 부담하지 않는 점을 인지하고 감수한 것이므로 특별한 불공정 사유가 없다면 수탁자의 보증금 반환의무는 부정하는 것이 타당해 보입니다. 그러나 기존 판례에서 보듯이 소유권자로부터 임대권한을 부여받아 체결한 임차권은 대항력이 인정되는 것이고, 주택임대차보호법은 임차권의 대항력 보장을 위해서 소유권 변동시 '임대인 지위 승계'를 정하고 있는 것인바, 공매 등에서 신탁부동산을 취득한 제3 취득자는 소유권자인 신탁사가 아닌 임대인인 위탁자의 지위를 승계하는 것으로 보아 임대차보증금반환의무도 승계하는 것으로 보는 것이 타당하지 않았을까

3. 신탁부동산 환가절차와 대항력 있는 임차인의 보호

대항력 있는 임차인(신탁 전 대항력을 갖춘 경우, 신탁 후 수탁자가 임대하거나 수탁자 동의하에 임대한 경우 등)은, 신탁부동산 환가절차에서 보호가 필요합니다. 물론, 신탁계약과 임대차계약에서 위탁자가 임대차보증금 반환의무를 부담하는 것으로 정한 경우에는 위탁자가 이를 이행하지 않더라도 신탁재산이나 수탁자의 고유재산에서 보증금을 반환할 법적인 의무는 없다고 평가할 수도 있습니다(위 대법원 판결 참조).

그러나 경매 등 절차에서 임대차보증금의 우선적 변제를 정하고 있는 임대차보호 법령들의 취지를 고려할 때, 나아가 통상적으로 신탁 이후 수령한 임대차보증금은 우선수익자 채권 상환에 사용하는 것이 일반적인 점을 더해보면, 신탁회사로서는 공매 진행시 임대인 지위 승계 조건으로 입찰토록 하거나 신탁부동산 환가대금 정산시 수탁자가 동의한 임대차계약의 보증금이 선순위로 반환되도록 처리하는 것이 바람직할 것입니다(이를 위한 신탁계약서 특약사항 예시안은 아래 내용 참조).

예시   임대차 관련 신탁부동산 환가대금 정산특약안

제O조(신탁부동산 처분 등)
③ 제1항에 따라 신탁부동산이 처분되는 경우 그 처분대금은 본계약 제22조에 따라 정산하되, 신탁 전 대항력을 갖춘 임대차, 특약 제O조 제1항에 따라 "수탁자"의 동의를 받은 임대차에 대하여 "갑"이 임대차보증금을 반환하지 않은 경우, 해당 임대차보증금 반환금 또는 이에 대한 "수탁자"의 대지급금 (연 O%의 이자 포함)은 "우선수익자"의 채권에 우선하여 정산하기로 한다.

하는 생각입니다.

농지에 대한 신탁등기

1. 농지에 대한 신탁등기

농지는 자기의 농업경영에 이용하거나 이용할 자가 아니면 소유할 수 없고, 농지를 취득하려는 자는 농지취득자격증명을 발급받아야 하는 것이 원칙입니다(농지법 제6조 제1항, 제8조 제1항). 부동산 신탁사는 농지법상 농지소유제한에 대한 예외요건이 충족되지 않는 한 농지에 대하여 신탁을 원인으로 소유권이전등기 및 신탁등기를 신청할 수 없습니다.[32]

농지법 및 관련 법령상 농지소유제한에 대한 예외로서 농지취득자격증명 없이 신탁등기가 가능한 대표적인 경우를 정리하면 아래와 같습니다.

> **신 탁** 　농지취득자격증명 없이 신탁등기가 가능한 경우
>
> ① 수용 및 협의취득을 원인으로 소유권이전등기를 신청하는 경우
>
> ② 도시지역 내 농지에 대하여 소유권이전등기를 신청하는 경우(도시지역 중 녹지지역 내 농지에 대하여는 도시계획시설사업에 필요한 농지에 한함)
>
> ③ 농지법 제34조 제2항에 의한 농지전용협의를 완료한 농지를 취득하여 소유권이전등기를 신청하는 경우, 토지거래계약 허가를 받은 농지에 대하여 소유권이전등기를 신청하는 경우
>
> ④ 지목이 농지이나 토지의 현상이 농작물의 경작 또는 다년생식물재배지로 이용되지 않음이 관할관청이 발급하는 서면에 의하여 증명되는 토지에 관하여 소유권이전등기를 신청하는 경우[33]

---

[32] 　**선례**　농지 신탁과 농지취득자격증명 요부

• 2003. 10. 6. 제정, 등기선례 제7-465호

『농지에 대하여 신탁을 원인으로 하여 소유권이전등기를 신청하는 경우에는 관리신탁, 처분신탁, 담보신탁 등 신탁의 목적에 관계없이 농지취득자격증명을 첨부하여야 한다.』

〈③관련 농지전용에 관한 협의 대상(농지법 제34조 제2항 참조)〉
• 도시지역에 주거지역·상업지역 또는 공업지역을 지정하거나 도시·군계획시설을 결정할 때에 해당 지역 예정지 또는 시설 예정지에 농지가 포함되어 있는 경우
• 계획관리지역에 지구단위계획구역 지정시 해당 구역 예정지에 농지가 포함되어 있는 경우
• 도시지역의 녹지지역 및 개발제한구역의 농지에 대하여 개발행위를 허가하거나 토지의 형질변경허가를 하는 경우

2. 농지전용 협의 완료 농지의 신탁 사례

선 례   농지전용협의 완료 농지의 신탁

• 제정 2013. 4. 30. [등기선례 제201304-5호, 시행]

「농지법」제34조 제2항에 따른 농지전용협의를 완료한 농지를 취득한 사업시행자가 신탁을 원인으로 하여 신탁회사 명의로 소유권을 이전하는 경우, 소유권이전등기신청서에 「농지법」 제8조 제1항에 따라 농지전용협의 완료를 증명하는 서면을 첨부하면 충분하고 농지취득자격증명서를 첨부할 필요가 없다.」

선 례   농지전용협의가 완료된 농지에 대한 소유권이전등기 신청과 농지취득자격증명

• 제정 2019. 12. 31. [부동산등기선례 제201912-12호, 시행]

「......농지전용협의가 완료된 농지에 대하여 소유권이전등기를 신청할 때에는

---

33) [토지의 현상이 농지가 아니라는 **증명을 받는 방법**] 농지취득자격증명발급심사요령 제9조에 의하면, 농지가 아닌 토지, 자격증명을 발급받지 아니하고 취득할 수 있는 농지 등에 대한 취득자격증명발급신청이 있는 경우에는 그 자격증명 미발급사유를 구체적으로 기재하도록 하고 있습니다(ex. "신청대상 토지가 농지법에 의한 농지에 해당되지 아니함", "신청대상 농지는 농지취득자격증명을 발급받지 아니하고 취득할 수 있는 농지임"). 이에 따라 토지의 현상 및 현황이 농지가 아닌 경우에도 일차적으로 농지취득자격증명 발급신청을 한 후 대상 토지는 농지가 아니라는 취지의 자격증명미발급 사유서를 받아서 소유권이전등기를 신청하는 경우가 많습니다.

농지취득자격증명을 첨부정보로서 제공할 필요가 없으나, 그러한 농지임을 확인할 수 있는 자료를 첨부정보로서 제공하여야 한다. 즉 ①해당 농지가 도시지역 중 주거지역·상업지역·공업지역 안의 농지임을 확인할 수 있는 토지이용계획확인서, ②해당 농지가 도시지역 중 녹지지역 안의 농지이지만 도시·군계획시설에 필요한 농지임을 확인할 수 있는 토지이용계획확인서, ③해당 농지가 계획관리지역의 지구단위계획구역 안의 농지임을 확인할 수 있는 토지이용계획확인서 또는 ④해당 농지가 도시지역 중 녹지지역 안의 농지이거나 개발제한구역 안의 농지임을 확인할 수 있는 토지이용계획확인서와 개발행위허가나 토지형질변경허가를 증명하는 정보(등기권리자가 허가받은 것이어야 함[34])를 첨부정보로서 제공한 경우에는 농지취득자격증명을 제공할 필요가 없다.』

3. 농지에 대한 신탁가등기

농지취득자격증명없이 신탁이 가능한 경우가 아니어서, 신탁가등기를 고려하는 경우가 있습니다. 신탁가등기는 '신탁예약을 원인으로 하는 가등기'와 '정지조건부 신탁을 원인으로 하는 가등기'가 있을 수 있습니다('신탁등기사무처리에 관한 예규'에서는 신탁예약을 원인으로 하는 신탁가등기 기록례만을 예시하고 있으나, 일반 법리상 정지조건부 신탁을 원인으로 하는 가등기 역시 가능할 것입니다).

실무적으로는 민법상 '예약'에 대한 법리적인 이해 부족으로, 계약서상 제

---

34) [위탁자가 개발행위허가 등을 득하면 농지 신탁이 가능한지 여부] 농지가 포함된 개발제한구역에서는 개발행위허가나 토지형질변경허가시 농지전용협의를 거치게 됩니다. 따라서 개발행위허가 등을 받은 사업자는 농지취득자격증명없이 해당 농지에 대한 소유권이전을 받을 수 있는 것입니다. 그런데 위 등기선례 제201912-12호는, 소유권이전을 받는 등기권리자(신탁의 경우 수탁자)가 '개발행위허가 등을 받은 자'인 경우에만 농지취득자격증명없이 해당 농지를 소유권이전받을 수 있다는 취지로 해석될 여지가 있다는 점에서 주의할 필요가 있습니다(이러한 해석은 농지 취득 규제 취지에 부합하는 측면도 있습니다). 다만, 아직 등기실무상으로는 앞선 등기선례 제201304-5호를 근거로, 위탁자가 개발행위허가 등을 받은 경우에도 해당 농지에 대한 소유권이전 및 신탁등기를 처리해주고 있는 것 같습니다.

목은 '신탁예약'이나, 계약서 내용은 단순한 신탁계약 내지 정지조건부 신탁계약인 경우가 많습니다. 이러한 경우 장래에 신탁예약 가등기에 기한 본등기를 경료하지 못하는 경우가 많을 것입니다.

농지에 대한 정지조건부 신탁계약(ex. 장래 위탁자가 신탁 대상 농지에 대하여 개발행위허가를 받는 것을 정지조건으로 소유권이전 및 신탁을 하기로 약정하는 경우)을 체결하면, '신탁예약'이 아니라 (정지조건부)'신탁'을 원인으로 하는 소유권이전 및 신탁등기 가등기가 가능할 것입니다.

1. 위탁자에 대한 회생절차가 개시된 경우, 수익권에 대한 질권자에게 미치는 영향은?

위탁자가 수익권에 대한 질권을 설정해 준 후 회생절차가 개시된다면, 질권자는 회생담보권자로서 개별적인 권리행사가 금지되고 회생계획에 규정된 바에 따라서만 변제를 받을 수 있습니다(채무자회생법 제141조, 131조).

또한 회생담보권자의 권리는 회생계획에 따라 변경될 수 있다는 점(채무자회생법 제252조)에 유의해야 합니다. 예를 들어 회생계획에 따라 회생담보권자 채권원리금이 감면 변경되었는데도 불구하고, 회생계획을 확인하지 않고 변경 전 채권원리금 상당의 신탁 이익을 지급하여서는 안될 것입니다.

2. 위탁자에 대한 회생절차가 개시가 우선수익자에게 미치는 영향은?

위탁자의 도산은 신탁재산과 우선수익자의 우선수익권에 영향을 미치지 않습니다(도산격리효과). 즉, 우선수익권은 회생절차 및 회생계획의 영향을 받지 않습니다. 즉, 회생계획과 상관없이 우선수익권 내용에 따라 신탁이익을 수령하고 채권변제를 받을 수 있습니다(다만, 전형적인 담보신탁에서의 우선수익권 설정은 실질적으로 근저당 설정과 동일한 경제적 효과를 가져온다는 점에서 도산격리 효과를 인정하면 안된다는 견해도 있습니다).

※ 참고판례 : 대법원 2002. 12. 26. 선고 2002다49484 판결, 대법원 2001. 7. 13. 선고 2001다9267판결, 대법원 2014. 5. 29. 선고 2014다765판결, 대법원 2017. 11. 23. 선고 2015다47327판결 등

| 판 례 | 저당권 설정 후 신탁시 위탁자의 회생절차가 저당권 등에 미치는 영향 |

- 대법원 2017. 11. 23. 선고 2015다47327 판결

『신탁자가 그 소유의 부동산에 채권자를 위하여 저당권을 설정하고 저당권설정등기를 마친 다음, 그 부동산에 대하여 수탁자와 부동산 신탁계약을 체결하고 수탁자 앞으로 신탁을 원인으로 한 소유권이전등기를 해 주어 대내외적으로 신탁부동산의 소유권이 수탁자에게 이전하였다면, 수탁자는 저당부동산의 제3취득자와 같은 지위를 가진다. 따라서 그 후 신탁자에 대한 회생절차가 개시된 경우 채권자가 신탁부동산에 대하여 갖는 저당권은 채무자 회생 및 파산에 관한 법률 제250조 제2항 제2호의 '채무자 외의 자가 회생채권자 또는 회생담보권자를 위하여 제공한 담보'에 해당하여 회생계획이 여기에 영향을 미치지 않는다. 또한 회생절차에서 채권자의 권리가 실권되거나 변경되더라도 이로써 실권되거나 변경되는 권리는 채권자가 신탁자에 대하여 가지는 회생채권 또는 회생담보권에 한하고, 수탁자에 대하여 가지는 신탁부동산에 관한 담보권과 그 피담보채권에는 영향이 없다.』

| 판 례 | 위탁자의 회생절차가 우선수익권에 미치는 영향 |

- 대법원 2014.05.29. 선고 2014다765 판결

『이 사건 대출의 대주인 피고 농협 등이 이 사건 신탁부동산에 관한 공동 제2순위 우선수익권을 가지게 된 원인이 비록 임광토건의 신탁행위로 말미암은 것이라 하더라도, 그 우선수익권은 법 제250조 제2항 제2호가 정한 '채무자 외의 자가 회생채권자 또는 회생담보권자를 위하여 제공한 담보'에 해당하여 회생계획이 여기에 영향을 미칠 수 없다.』

15 각종 부동산 및 개발 관련 법령에서 토지소유자는 위탁자인가 수탁자인가

1. 쟁점의 소재

각종 부동산 및 개발 관련 법령에서는 해당 개발사업의 계획 및 시행과정에서 토지등소유자의 동의를 얻도록 정하거나, 일정한 요건하에서 토지등소유자에게 직접 해당 개발사업에 참여할 수 있는 권한을 주는 경우가 많습니다. 또한 토지등소유자에게 각종 부담금을 부과하는 법령도 있습니다. 그렇다면, 신탁을 원인으로 수탁자에게 소유권이전등기가 경료된 경우, 위와 같은 개발사업 참여권 내지 동의권을 가지는 토지등소유자, 각종 부담금의 납부의무자는 위탁자일까요 수탁자일까요.

부동산 신탁을 원인으로 소유권이전등기를 경료하면, 대내외적으로 소유권이 수탁자에게 완전히 이전되는 것입니다. 신탁으로 인한 소유권이전의 효과를 고려한다면, 신탁 후 해당 토지등의 소유자는 언제나 수탁자라고 보아야 할 것입니다. 하지만, 이와 다른 판례, 유권해석이 다수 존재합니다.[35]

2. 건축 및 개발 법령상 사업시행에 대한 참여권자인 토지등소유자의 해석

가. 건축법과 주택법

건축법과 주택법의 적용을 받는 민간 영리 개발사업에서는 전반적으로 수탁자가 대내외적으로 완전한 소유권자임을 의심하지 않는 것으로 보입니다.

건축법상 분양 목적 공동주택에 대한 건축허가를 받기 위해서는 대지의

---

35) 본문에서 소개하는 유권해석의 상세 내용은 Chapter 8. 참조

소유권 확보가 필요합니다(건축법 제11조 제11항 제1호 참조). 이와 관련 대지의 소유권자가 담보신탁을 한 사안에서, 법제처는 대내외적 소유권은 수탁자에게 이전되므로, 위탁자는 더 이상 대지의 소유권 확보 요건을 충족하지 못한다고 해석하였습니다(법제처 16-0509).

주택법상 지역주택조합이 담보신탁을 한 사안에서, 법제처는 해당 조합은 주택건설사업계획의 승인 요건으로서 해당 주택건설대지의 소유권을 확보한 것으로 볼 수는 없다고 해석하였습니다(법제처 13-0284).

그러나 예외적으로, 지역주택조합이 토지매매계약상 잔금지급 전에 지주들로부터 신탁을 받고 토지소유권자로서 사업계획승인을 신청했던 사안에서, 신탁해지 등 신탁관계 종료시 소유권이전의무의 발생이 예정된 수탁자는 주택건설사업을 안정정으로 수행할 수 있는 주체로 볼 수 없다는 이유로 주택건설대지의 소유권을 확보한 자로 볼 수 없다고 해석한 사례가 있습니다(법제처 18-0378).

나. 도시정비법 및 소규모주택정비법상 재개발사업

재개발사업, 도시개발사업과 같이 일부 공익적 성격을 가지는 사업의 경우, 일부 판례와 유권해석은, 공익적 사업에 일반적인 사법관계의 기준을 적용할 수 없고, 관련 법령에서 사업시행에 대한 참여권·동의권을 인정하는 것은 해당 사업에 대한 직접적인 이해관계자의 의사를 반영하기 위한 것이라는 점 등을 이유로, 토지등소유자를 위탁자로 해석하는 사례가 늘고 있습니다.

이와 관련, 2015. 9. 1. 법률 제13508호로 개정된 도정법 제2조 제9호는 "신탁업자가 사업시행자로 지정된 경우 토지등소유자가 정비사업을 목적으로 신탁업자에게 신탁한 토지 또는 건축물에 대하여는 위탁자를 토지등소유자로 본다"고 규정하였으나, 신탁업자가 사업시행자가 아닌 상황에서의 수많은 신탁관계에 대하여는 여전히 법률해석의 영역에 맡기고 있습니다.

주택재개발사업에서 10명의 토지소유자가 동일 신탁사에 처분신탁을 한 후 토지등소유자의 동의자 수 산정이 문제된 사안에서, 법제처는 재개발에 따른 이익과 비용이 최종적으로 귀속되는 위탁자 및 수익자를 기준으로 동의자 수를 산정하여야 한다고 해석하였습니다(법제처 06-0130).

소규모주택정비법상 가로주택사업에서 조합설립의 동의 대상인 토지등소유자가 누구인지 문제된 사안에서, 법제처는 같은 이유로 위탁자가 토지등소유자라고 해석하였습니다(법제처 23-0538)

도시환경정비사업에서 토지등소유자의 자격 및 동의자 수 산정이 문제가 된 사안에서, 대법원은 도시환경정비사업에서 사업시행인가 처분의 요건인 사업시행자로서의 토지등소유자의 자격 및 사업시행계획에 대한 토지등소유자의 동의를 일반적인 사법관계와 동일하게 볼 수 없다며, 토지등소유자의 자격 및 동의자 수를 산정할 때에는 정비사업에 다른 이익과 비용이 최종적으로 귀속되는 위탁자를 기준으로 하여야 한다고 판시하였습니다(대법원 2013두15262판결 참조).

다. 도시개발법상 도시개발사업

도시개발법상 사업시행과 관련하여 토지소유자의 동의를 요구하는 제조항의 해석이 문제된 사안에서도, 법제처는 "이는 도시개발사업과 직접 이해관계가 있는 토지소유자의 의견을 반영하기 위한 것이므로, 토지를 신탁한 경우 도시개발법에 규정된 토지소유자는 도시개발사업에 따른 이익과 비용이 최종적으로 귀속되는자(위탁자)를 말한다"고 해석하였습니다(법제처 06-0393).

또한, 도시개발구역내 토지면적의 3분의 2 이상을 관리신탁 내지 처분신탁으로 신탁받은 신탁사가 토지소유자 지위에서 도시개발사업 시행자가 될 수 있는지 문제 된 사안에서, "신탁재산을 수탁한 신탁회사에 대하여 신탁의 법리에 따라 사법관계에서의 지위를 인정한다고 하더라도, 그 신탁회사에 대하여 일반적인 사법관계라고 하기 어려운 도시개발사업의 시행자가 될 수 있는 법 제11조 제1항 제5호의 토지소유자로 인정하는 것은 별개의 문제이며 해당 신탁회사는 법 제11조 제1항 제5호에 따른 토지소유자에 해당하지 않습니다"라고 해석한 바 있습니다(법제처 09-0329)

라. 국토계획법상 도시계획시설사업

도시·군계획시설사업의 대상인 토지를 담보신탁 경우, 위탁자를 해당 사업의 시행자로 지정받을 수 있는 토지소유자로 볼 수 있는지가 문제된 사안에서, 법제처는 "신탁법은 신탁에 관한 사법적 법률관계를 규정하는 것을 목적으로 하는 법률이라는 점에서 국토계획법에 따른 도시·군계획시설사업 시행자의 토지 소유 요건을 이와 동일하게 보아야 하는 것은 아니라면서, 위탁자를 토지소유자로 볼 수 있다고 해석한 바가 있습니다(법제처 20-0008).[36]

3. 개발 관련 법령상 각종 부담금의 납부의무자

개발 관련 법령에서 각종 부담금 납부의무자를 토지 또는 건물의 소유자로 정하는 경우가 많습니다. 종래 부담금 납부의무자인 토지등소유자를 수탁자로 보는데 큰 이견이 없었으나, 최근에는 주로 담보신탁 관계에서 해당 법령의 취지 등을 고려하여 토지등소유자를 위탁자로 보는 해석이 나오고 있습니다.

개발이익환수법상 개발부담금 납부의무자가 누구인지 문제된 사안에서, 국토부는 궁극적으로 개발사업의 시행으로 인한 개발이익을 향유하는 자가 개발부담금 납부의무를 부담한다며, 담보신탁의 위탁자를 개발부담금 납무의무자로 해석한 바 있습니다(국토교통부 토지정책과-1245, 2013. 5.23).

도시교통정비법상 교통유발부담금 납무의무자가 누구인지 문제된 사안에서, 법제처는 교통유발부담금은 원인자 부담 원칙에 따라 부과하는 것이므로 부

---

36) [토지신탁사업에서 도시계획시설사업의 토지소유자는?] 위 해석은 도시계획시설사업과 연계된 개발사업의 사업주체가 담보신탁의 위탁자였던 것으로 생각됩니다. 토지신탁사업을 진행하면서 수탁자가 관련 도시계획시설사업의 시행자 지정을 받고자 하는 경우까지 확대적용할 해석은 아닌 것으로 생각됩니다.

과대상 시설물의 소유 및 운영으로 발생하는 이익이 실질적으로 귀속되는 자로
보아야 한다는 이유로, 부과대상 시설물의 소유자는 위탁자라고 해석하였습니다
(법제처 23-0569, 2023. 9. 22).

4. 마치며

사견으로는, 공익사업을 위한 법률관계라고 하여 사법관계와 다른 소유권
귀속을 인정하거나, 개별 신탁상품의 내용에 따라 소유권 귀속자를 달리 해석하
는 것은 법적안정성을 심각하게 해치는 해석이라는 생각입니다.

사법관계에서의 소유권과 일부 공익사업적 성격을 가지는 개발사업의 법
률관계에서의 소유권을 달리 해석할 이유가 없으며, 소유권에 대한 이원적 분리
해석은 우리 법체계에서 그 근거를 찾을 수 없는 해석입니다. 공익사업적 성격
을 가지는 개발사업의 시행과 관련하여 해당 사업과 직접적 이해관계를 가지는
토지등소유자의 참여를 인정하고 의견을 반영할 필요가 있는 것은 맞습니다. 그
러나 이 때문에 우리 법체계상 소유권 개념과 신탁의 효과(대내외적 소유권의
완전한 이전)를 부정할 것은 아닙니다. 기존 토지등 소유자가 신탁을 하였다면,
대내외적 소유권자인 수탁자가 위탁자 겸 수익자의 의견을 청취하고 그 이익에
부합하는 방향으로 대외적인 의견을 개진함으로써 직접적인 이해관계인의 의사
가 해당 사업에 반영되도록 하는 것이 바람직한 것입니다(신탁의 목적에 따라
수탁자가 해당 사업에 대하여 직접적인 이해관계를 가지는 경우도 있을 것입니
다).[37]

일부 담보신탁에서 각종 부담금 부과의 원인이 되는 개발이익, 기타 신탁

---

[37] 일부 유권해석을 보면, 재개발사업이나 도시개발사업 등에서 토지등소유자의 동의자
수를 산정해야 하는데, 다수 위탁자로부터 신탁을 받은 수탁자를 토지등소유자로 본
다면, 동의자 수도 1인으로 산정해야 한다는 점에서 여러 가지 불합리가 나올 수
있다는 점을 지적하고 있습니다. 사견으로는 위와 같은 법령에서 토지등소유자의 동
의가 문제될 경우 토지등소유자는 수탁자로 보더라도, 동의자 수를 산정할 때에는
신탁재산과 수탁자 고유재산과의 독립성을 감안하여, 위탁자 별로 또는 신탁재산 별
로 동의자 수를 인정할 필요가 있을 것입니다.

재산으로부터 발생하는 이익의 귀속주체가 위탁자라는 이유로 해당 부담금 납부의무자를 위탁자로 해석하는 것도 동의하기 어렵습니다. 이는 신탁을 신탁재산에 대하여 발생하는 이익과 소득의 단순 도관으로 보는 시각에 근거한 것입니다. 그러나 사견으로는 신탁재산의 관리·처분·개발을 통해 발생하는 개발이익과 소득 등은 신탁상품의 종류와 상관없이 소유권자인 수탁자에게 귀속되는 것이고,[38] 수익자에게 귀속되는 것은 신탁계산을 거쳐 확정된 신탁이익으로서 배당소득의 성격을 가지는 것으로 이해하는 것이 타당하다고 생각합니다.

각종 부동산 및 개발 관련 법령상 토지등소유자 개념과 관련하여, 당해 법률조항의 취지나 신탁계약의 내용, 신탁상품의 종류에 따라 토지등소유자가 달리 해석되는 것은 법적 안정성을 심각하게 저해하는 문제라고 생각합니다.

[38)   **판례**   신탁부동산 개발이익의 귀속주체는 수탁자

- 대법원 2014.08.28. 선고 2013두14696 판결

『부동산 신탁에서 수탁자 앞으로 소유권이전등기를 마치게 되면 대내외적으로 소유권이 수탁자에게 완전히 이전되고, 위탁자의 내부관계에서 소유권이 위탁자에게 유보되지 않으며, 신탁재산의 관리, 처분, 운용, 개발, 멸실, 훼손, 그 밖의 사유로 수탁자가 얻은 재산은 신탁재산에 속하게 되므로(신탁법 제27조), 토지 소유자인 사업시행자가 부동산신탁회사에 토지를 신탁하고 부동산신탁회사가 수탁자로서 사업시행자의 지위를 승계하여 신탁된 토지에서 개발사업을 시행한 경우에 토지가액의 증가로 나타나는 개발이익은 해당 개발토지의 소유자이자 사업시행자인 수탁자에게 실질적으로 귀속된다고 보아야 하고, 수탁자를 개발부담금의 납부의무자로 보아야 한다.』

16 신탁원본과 신탁재산, 신탁수익과 신탁이익

___이 론___ 신탁원본

- 신탁원본이란 위탁자가 직접 또는 제3자로 하여금 신탁의 이익을 향수할 수 있도록 신탁한 재산을 말합니다(경우에 따라 신탁원본은 신탁원본의 가액을 의미하기도 합니다).

- 부동산 신탁업자의 경우, 신탁계정 회계처리시 신탁원본은 신탁계정에서 자본을 구성합니다. 주식회사의 경우 납입자본금에 상응하는 것입니다. 이때 신탁원가의 인식은 위탁자의 장부금액-위탁자의 취득원가-개별공시지가의 순서를 따라야 합니다(기업회계기준서 제5004호 제32, 39 참조).

- 참고로 자본시장법상 금융투자상품은 투자성(원본손실 가능성)이 있는 모든 금융상품을 의미합니다. 토지신탁의 경우에도 신탁 기간 동안 신탁의 수익으로 신탁사무처리비용을 충당하지 못하여 신탁 종료시 잔여 신탁재산 가액이 신탁원본(가액)에 미치지 못할 수 있는바(자본 잠식과 유사), 이러한 원본손실 가능성이 있기 때문에 부동산 신탁의 수익권은 금융투자상품으로 분류되는 것입니다.

___이 론___ 신탁재산의 범위

- 신탁재산은 신탁기간 동안 증감 변동합니다. 최초 신탁의 설정시에는 신탁원본만이 신탁재산이라 할 것입니다. 신탁기간 동안 신탁재산의 관리, 처분, 운용, 개발, 멸실, 훼손, 그 밖의 사유로 수탁자가 얻은 재산은 모두 신탁재산에 속합니다(신탁법 제27조 참조). 예를 들어, 관리신탁에서 임대료 수입이 발생하거나, 토지신탁에서 분양수입금이 발생하는 경우 이는 모두 신탁재산에 속합니다.

- 신탁의 수익도 각종 비용 및 신탁 보수 등을 공제한 후 신탁의 이익으로 확정되어 수익자에게 교부되기 전까지는 신탁재산에 속합니다.

이 론   신탁수익과 신탁이익

- 실무적으로 혼용되고 있는 개념입니다. 학술적인 논의는 없고, 그 용례가 정립된 것은 아니지만, 회계적인 개념을 고려할 때, 신탁재산을 관리·처분·개발하면서 발생하는 수입(임대료, 분양수입금 등)을 신탁수익이라 할 수 있을 것이고, 신탁수익에서 신탁사무에 관한 계산을 거쳐(신탁사무처리비용과 신탁보수 충당 등) 최종적으로 수익자에게 귀속되는 것을 신탁이익으로 이해할 수 있을 것으로 생각됩니다. 즉, 수익자가 향수하는 것은 신탁의 수익이 아니라 신탁의 이익입니다.

이 론   수익권과 수익채권

- 수익권은 수익자가 가지는 신탁재산 및 수탁자에 대한 각종 권리의 총체{자익권(수익채권), 공익권(수탁자에 대한 각종 감독권한, 신탁재산에 대한 보전권한, 신탁운영에 대한 참가권한 등)}입니다. 반면, 수익채권은 수익자가 수탁자에게 신탁재산에 속한 재산의 인도와 그 밖에 신탁재산에 기한 급부를 요구하는 청구권입니다(신탁법 제62조).

02

부동산
신탁 상품

1. 갑종 관리신탁

계약서 갑종 관리신탁 39)

> 제0조(신탁부동산의 유지관리) 신탁부동산의 전부 또는 일부를 수탁자가 적정하다고 인정하는 임대방법 및 임대조건으로 임대를 하고, 임대를 위한 유지관리사무는 수탁자가 직접하거나 수탁자가 선임하는 제3자에게 위탁할 수 있다.
>
> 제0조(신탁의 수익) 신탁의 수익은 신탁부동산으로부터 발생하는 임대료 및 신탁 재산에 속하는 금전의 운용에 의해 발생한 이익, 기타 이에 준하는 것으로 한다.

- 갑종 관리신탁이란, 수탁자가 능동적으로 신탁부동산을 관리·운용하고 그로 인하여 발생한 신탁이익을 교부하는 상품입니다. 부동산 소유자가 신탁회사에게 임대관리 등 업무를 일임하고자 할 경우 이용할 수 있는 상품입니다.

- 현재 전업 부동산 신탁사는 갑종 관리신탁 상품을 거의 취급하지 않습니다. 그러나 향후 수익증권 발행신탁이 활성화되는 경우, 리츠와 경쟁할 수 있는 신탁상품으로 발전할 가능성이 있으며, 갑종 관리신탁에 기초한 유언대용신탁 등 신규 상품의 출현가능성도 높다고 할 것입니다.

2. 을종 관리신탁

---

39) 업계에서 통용되는 관리신탁 약관 조항입니다. 관리신탁이나 처분신탁의 경우, 약관에 해당하는 본계약은 각각 갑종 관리신탁과 갑종 처분신탁을 예정하고 있습니다. 그러나 통상적으로 특약사항에서 수익자의 지시에 따라 신탁부동산을 관리·처분하도록 정하여 사실상 을종 신탁상품으로 운용되고 있습니다.

- 을종 관리신탁이란, 수탁자가 수동적으로 수익자의 지시에 따라 신탁부동산을 관리·운영하는 신탁상품입니다.[40] 순수한 을종 관리신탁 상품 역시 취급사례가 많지 않으나, 향후 을종 관리신탁 구조를 바탕으로 한 유언대용신탁 등 신규 상품 개발 가능성이 높습니다.

3. 파생형 - 소유권 명의 보존 목적의 을종 관리신탁 [41]

계약서 소유권 명의 보존 목적 관리신탁

제0조(신탁부동산의 유지·관리) "을"은 신탁목적물의 등기사항증명서상의 소유권 명의 보존 업무를 수행하고, 신탁부동산의 점유, 사용, 유지관리 등 실질적 관리는 "갑"의 책임과 비용으로 수행하고 "을"은 이에 대해 책임을 부담하지 아니한다.

- 현재 취급하고 있는 관리신탁 상품은 대부분 위와 같은 소유권 명의 보존 목적의 관리신탁입니다.
- 을종 관리신탁도 신탁부동산의 관리주체는 수탁자입니다. 단지, 관리방법에 있

---

40) **[수동형 신탁은 신탁법상 유효한 신탁인지 여부]** 자익신탁과 결합한 을종 신탁상품의 경우 신탁의 본질에 부합하는 것인지 의문이 들 수 있습니다. 수탁자는 신탁재산에 대하여 대내외적으로 완전한 소유권자이고, 내부적인 관계에서 소유권이 위탁자에게 유보된 것이 아님에도 불구하고, 소유권자로서 권한을 행사함에 있어 수익자의 개별적·구체적 지시에 따른다는 것은 적절하지 않기 때문입니다(대법원 2000마2997판결 참조). 하지만 수동형 신탁(을종 신탁)의 경우, 수익자의 지시가 수탁자의 신탁재산에 대한 관리·처분권을 형해화하는 정도에 이르지 않는다면, 그 효력을 완전히 부정할 것은 아니라고 생각합니다. 다만, 수탁자는 수익자의 지시가 있더라도 이를 기계적으로 따를 것이 아니라, 선관주의로써 수익자의 이익에 부합하는지 판단하여 관리·처분권을 행사하여야 하며 그 과정에서 최종적이고 확정적인 의사결정 주체는 수탁자라는 점을 잊지 말아야 할 것입니다.

41) 계약서상 신탁의 목적으로 기재된 표현을 차용한 명칭이며, 실무적으로 통용되는 명칭은 아닙니다.

어서 수익자의 지시를 따르는 것일 뿐입니다. 그런데 소유권 명의 보존 목적
목적의 관리신탁은 신탁부동산을 위탁자가 전적으로 관리하는 것을 예정하고
있다는 점에서, 관리신탁 상품 범주에 포함시키기 어려운 측면이 있습니다.[42]

판례   소유권 명의 이전만을 목적으로 하는 신탁의 효력

- 대법원 1979. 1. 16. 선고 78누396 판결

『수탁자인 원고에게 위 토지들의 소유권의 명의만이 이전될 뿐이고, 수탁자
인 원고에게 이에 대한 관리처분의 권한과 의무가 적극적, 배타적으로 부여
되어 있는 것은 아니라고 할 것이므로 그 신탁관계는 이른바 명의신탁 또는
수동신탁이라고 할 것이고 그 신탁관계가 신탁법 제1조 제2항에 규정하는
신탁법상의 신탁이라고 할 수 없고……』

---

42) [소유권 명의 보존 목적 관리신탁 상품의 문제점] 관리신탁은 수탁자가 능동적으로
(또는 수동적으로) 신탁부동산을 관리·운용하고 그로부터 발생한 신탁이익을 수익자
에게 교부하는 신탁상품입니다. 그런데 위탁자가 전적으로 신탁부동산을 관리·운용하
는 형태의 신탁상품은 관리신탁의 개념적 허용범위를 넘어서는 것으로 의심되는 부
분이 있습니다. 신탁법상 신탁사무는 신탁재산에 대한 관리, 처분, 운용, 개발 등이며
(신탁법 제2조), 소유권 명의의 보존 및 관리 자체는 신탁법상 수탁자의 신탁사무가
될 수 없습니다. 또한, 부동산 신탁회사는 신탁 목적에 따라 부동산을 관리, 처분, 개
발하는 업을 영위하는 것이지 등기부상 소유권 명의 등을 보존하는 업을 영위할 수
도 없기 때문입니다.

2 처분신탁

1. 갑종 처분신탁

계약서 갑종 처분신탁 [43]

> 제6조 (신탁부동산의 처분 및 운용) 수탁자는 신탁부동산을 적정하다고 인정하는 처분가격·처분방법 및 처분조건으로 처분하고, 처분시까지의 관리사무를 약정한 경우에는 임대사무 및 임대를 위한 유지관리사무를 수탁자가 직접하거나 수탁자가 선임하는 제3자에게 위탁할 수 있다.

- 수탁자가 능동적으로 신탁부동산을 처분하고 그로 인하여 발생한 신탁이익을 수익자에게 교부하는 상품입니다.

- 처분신탁은 신탁부동산의 처분 자체가 신탁의 목적이며, 그 목적이 달성하기 전까지 신탁부동산의 관리업무를 수탁자가 수행할지 여부는 신탁행위로써 정하는 것이 일반적입니다.

2. 을종 처분신탁

- 수탁자가 수동적으로 위탁자 또는 수익자가 지시하는 방법으로 신탁부동산을 처분하고 그에 따른 신탁이익을 교부하는 상품입니다.

- 위탁자 또는 수익자의 지시대로 처분하고자 하면서 굳이 처분신탁을 이용하는 이유가 무엇일까요. 을종 처분신탁을 통해 수탁자로 하여금 신탁부동산을 처분하도록 하는 이유는, 매매계약의 완전한 이행 담보 또는 채권 담보의 목적 등이라 할 수 있습니다. 아래에서 자세히 살펴보겠습니다.

---

43) 업계에서 통용되는 처분신탁계약서 약관내용을 발췌한 것입니다. 위 약관 자체는 소위 갑종 처분신탁을 예정하고 있으나, 통상적으로 특약사항에서 수익자가 지시하는 방법으로 처분하도록 정하여 을종 처분신탁으로 운용하는 경우가 많습니다.

3. 소유권이전등기 등 매매계약의 이행을 담보하기 위한 목적의 처분신탁

- 부동산 매매는 매매계약의 체결시점과 매매계약의 완전한 이행시점(소유권이전 등기 경료)시점까지 시간적 간극이 존재하는 경우가 많습니다. 매수인 입장에서는 매매계약의 완전한 이행 전까지 매도인의 변심과 이중처분의 위험, 제3채권자의 (가)압류 및 체납처분 등으로 인한 소유권 이전 장애사유 발생 등의 위험을 부담하게 됩니다.

- 한편, 신탁의 기본적인 효과는 소유권의 대내외적 완전한 이전인바, 처분신탁 계약 이후 완전한 처분권한을 가지는 수탁자와 매매계약을 체결한다면, 매수인으로서는 위와 같은 위험을 회피할 수 있고, 특별한 사정이 없는 한 수탁자의 매매계약 이행을 충분히 신뢰할 수 있기 때문에 처분신탁을 이용하는 것입니다.

- A(지주)와 B(매수예정자)가 매매조건에 대한 협의를 완료한 후, A는 B를 수익자 또는 매수예정자로 정하여 처분신탁계약을 체결하고 수탁자에게 소유권이전을 하며,[44] 수탁자는 A가 지정하는 매수예정자 B와 매매계약을 체결하고 B가 매매대금을 완납하면 이에 따라 소유권을 이전하고 매매대금은 신탁의 이익으로서 A에게 교부하도록 약정할 수 있습니다. 결국, 처분권능을 포함한 소유권의 대내외적 완전한 이전의 효과를 가지는 신탁을 이용하여, 매매계약의 완전한 이행을 보장받을 수 있는 것입니다.

---

44) **[매매계약 후 처분신탁계약을 체결하는 실무 관행]** 실무적으로는 위탁자와 매수인이 매매조건에 대한 협의를 넘어 완전한 매매계약을 체결한 이후 매수인을 수익자 또는 매수예정자로 정하여 신탁계약을 체결하는 경우가 많습니다. 이 경우, 매수인이 매도인에게 매매대금을 완납하고 이를 수탁자에게 입증하면, 수탁자는 매수인에게 등기 이전 목적으로 간략한 처분계약을 체결하고 그에 따라 소유권을 이전합니다.

위와 같은 경우 신탁사의 소유권 이전은, 묵시적으로 신탁계약을 종료시키면서 수탁자의 위탁자에 대한 소유권이전등기의무와 신탁 전 매매계약에 따른 위탁자의 매수인에 대한 소유권이전등기의무를 단축하여 이행한 것으로 평가될 소지가 있어 보입니다.

실무적으로 매매계약을 체결한 뒤, 그에 따른 소유권이전등기의 의무이행을 담보하기 위한 목적의 처분신탁계약을 체결하는 경우가 많습니다. 이 경우 매매계약의 이행 또는 해제 여부와 처분신탁계약이 기능적으로 연동될 수 있도록 주의할 사항이 있습니다.

① 우선, 매매계약상 매수인의 의무가 완전 이행되어 소유권이전등기청구가 가능한 시점에, 신탁계약상 수탁자는 매수예정자에게 신탁부동산을 처분하고 소유권이전을 하도록 정하여야 합니다.

② 매매계약이 해제가 된다면, 위탁자에게 다시 소유권을 귀속시켜야 할 것입니다. 따라서 신탁계약에서는 매매계약 해제를 신탁 종료 사유 중 하나로 정하고, 이 경우 잔여 신탁재산 귀속권리자는 위탁자로 정하여야 할 것입니다.

4. 채권 담보 목적의 처분신탁

• 처분신탁은 종전 소유권자인 위탁자의 처분권한을 수탁자에게 완전히 이전하는 효과가 있다는 점에서, 채권자를 우선수익자로 정하고 그 우선수익자에게 처분요구권을 부여한다면, 그 자체 채권 담보 목적의 신탁으로 운용할 수 있습니다. 현재는 담보신탁이라는 별도 상품으로 특화되어 운용되고 있습니다.45)

---

45) [처분신탁과 담보신탁을 결합합 상품구조] 처분신탁계약상 매수예정자에게 매매대금의 일부 또는 전부를 대여한 자를 우선수익자로 정하고, 일정한 경우 위 대여금 채권 담보 목적의 신탁부동산 환가를 통한 피담보채권 충당이 필요한 경우가 있습니다. 처분신탁과 담보신탁이 결합된 구조라 할 수 있습니다.

이러한 구조는 통상적으로 매매대금은 대여금을 재원으로 완납되었으나, 토지거래허가 등을 이유로 소유권이전등기가 일시적으로 불가한 상황에서 이용될 것입니다. 만일, 특별한 사정으로 매매대금이 완납되지 않은 상태에서 신탁부동산 환가를 인정해야 한다면, 위탁자에게 신탁부동산의 환가사유가 발생할 수 있다는 점을 충분히 설명하고, 환가대금 정산순서를 정할 때 우선수익자 채권 상환 후 잔여 금원이 위탁자에게 교부될 수 있도록 주의하여야 할 것입니다.

3 담보신탁

1. 담보신탁

담보신탁은 우선수익자가 가지는 채권에 대한 담보 목적으로 만들어진 신탁상품입니다. 위탁자는 수탁자에게 신탁재산의 소유권을 이전하고, 수탁자는 채무자가 피담보채무를 불이행할 경우 우선수익자의 요청에 따라 신탁재산을 환가한 후 이를 우선수익자에게 교부하여 피담보채권이 만족될 수 있도록 약정한 상품이 담보신탁입니다.

저당권과 같은 담보물권의 핵심 표지는 환가성과 우선변제권입니다. 즉, 담보적 기능을 위해서는, 기한의 이익 상실시 환가가 가능해야 하고, 그 환가대금으로부터 피담보채권의 우선적 변제가 가능해야 합니다. 담보신탁은 신탁재산의 처분권이 수탁자에게 이전함으로써, 그 어떤 담보물권보다 신속하고 편리한 환가성과 우수한 도산절연효과가 보장됩니다. 다만, 담보신탁의 우선수익자가 가지는 우선적 변제권은 신탁의 이익을 대상으로 하는 채권적 권리에 지나지 않습니다. 즉, 우선수익자의 채권은, 수탁자를 채무자로 하는 신탁채권(조세채권 포함), 수탁자의 비용상환청구권, 신탁 이후 설정된 대항력 있는 임차권 등 법정 우선변제권자들에게 우선할 수는 없습니다.

2. 우선수익자의 법률적 지위

우선수익자는 신탁계약상 신탁재산에 대한 환가요구권을 가지고, 일반 수익자보다 우선적인 신탁수익 교부청구권을 가지고 있으나, 수익자로서의 일반적인 지위 역시 그대로 가지고 있습니다.

판례   우선수익권의 법적 성격

- 대법원 2018. 4. 12. 선고 2016다223357 판결

『우선수익권은 구 신탁법이나 신탁법에서 규정한 법률용어는 아니나, 거래 관행상 통상 부동산담보신탁계약에서 우선수익자로 지정된 채권자가 채무자의 채무불이행 시에 신탁재산 처분을 요청하고 처분대금에서 자신의 채권을 위탁자인 채무자나 그 밖의 다른 채권자들에 우선하여 변제받을 수 있는 권리를 말한다. 우선수익권은 수익급부의 순위가 다른 수익자에 앞선다는 점을 제외하면 그 법적 성질은 일반적인 수익권과 다르지 않다. 채권자는 담보신탁을 통하여 담보물권을 얻는 것이 아니라 신탁이라는 법적 형식을 통하여 도산 절연 및 담보적 기능이라는 경제적 효과를 달성하게 되는 것일 뿐이므로, 그 우선수익권은 우선 변제적 효과를 채권자에게 귀속시킬 수 있는 신탁계약상 권리이다.』

한편, 실무적으로 우선수익자가 신탁법에 따라 비용상환의무를 부담하는 수익자인지 여부가 문제되는 경우가 있습니다. 우선수익자 역시 기본적으로 수익자이므로 신탁법에 따라 비용상환의무를 부담한다고 할 것입니다(대법원 2014. 12. 11. 선고 2013다70897판결 역시 같은 취지임).

3. 우선수익권과 피담보채권의 부종성과 수반성

우리 대법원은 담보신탁의 우선수익권과 그 피담보채권의 부종성과 수반성을 부정한 바 있습니다(대법원 2014다225809판결 참조).

___판 례___ 우선수익권과 피담보채권의 수반성

• 대법원 2017. 6. 22. 선고 2014다225809 전원합의체 판결

『담보신탁을 해 준 경우, 특별한 사정이 없는 한 우선수익권은 경제적으로 금전채권에 대한 담보로 기능할 뿐 금전채권과는 독립한 신탁계약상의 별개의 권리가 된다. 따라서 이러한 우선수익권과 별도로 금전채권이 제3자에게 양도 또는 전부되었다고 하더라도 그러한 사정만으로 우선수익권이 금전채권에 수반하여 제3자에게 이전되는 것은 아니고, 금전채권과 우선수익권의 귀속이 달라졌다는 이유만으로 우선수익권이 소멸하는 것도 아니다.』

그러나 담보신탁의 우선수익권은 기본적으로 우선수익한도 내에서 피담보채권의 변제에 이를 때까지 신탁의 이익을 교부받을 수 있는 권리입니다. 따라서 피담보채권이 소멸된 경우에는 우선수익권도 소멸할 수밖에 없다는 점에서, 계약당사자들 사이에 양자간 존속상의 부종성에 대한 묵시적 합의가 있다고 보아야 할 것입니다. 담보신탁의 우선수익권은 그 피담보채권 범위 내에서 그 채권변제를 목적으로 존재하는 것인바, 피담보채권과 분리하여 우선수익권만 처분할 수는 없다고 할 것입니다. 또한, 특별한 사정으로 피담보채권만 처분된 경우에는 그에 대한 우선수익권은 소멸된다고 보아야 할 것입니다.[46]

4. 담보신탁계약 체결시 주의사항

: 생략 (Chapter 3. N.1. "담보신탁계약 체결시 유의사항" 참고)

5. 담보신탁기간 중 위탁자에 의한 신탁재산 분양의 문제

: 생략 (Chapter 3. N.2. "담보신탁 부동산에 대한 위탁자 직접 분양의 문제" 참고)

사 례   소유권이전등기청구권 담보 목적의 담보신탁

Q : 소유권이전등기청구권 담보 목적의 담보신탁이 가능한지

A : 일반적으로 담보신탁에서 우선수익자의 채권은 신탁부동산의 환가 및 정산을 통해 만족을 얻을 수 있어야 하기에, 원칙적으로 우선수익권의 피담보채권은 금전채권에 한정된다고 할 것입니다.

---

46) 실무적으로 우선수익권에 대한 양도 승낙시, 우선수익권과 함께 피담보채권이 양도되는지 여부, 그에 대한 대항력 구비 여부를 확인하고, 이를 양도인과 양수인에게 주지시킬 필요가 있다고 할 것입니다. 한편, 우선수익권 양도의 대항요건은 수탁자에 대한 확정일자부 통지 또는 수탁자로부터의 확정일자부 승낙이라면, 피담보채권 양도의 대항요건은 채무자에 대한 확정일자부 통지 또는 채무자로부터의 확정일자부 승낙이라는 점에 주의하여야 합니다.

그러나 담보신탁은 이해관계자들의 의도에 따라 유연하고 탄력적인 상품설계가 가능합니다. 여기서는 매도인이 장래 매매계약 등 해제시 매수인을 상대로 갖게 되는 소유권이전등기청구권을 피담보채권으로 하는 담보신탁을 소개하고자 합니다.

실제 용산국제업무지구 개발사업 과정에서 이용한 담보신탁의 구조입니다. 당시 사업 관계인들은 토지 매매대금 조달을 위해 담보신탁을 이용하되, 사업 무산의 경우 토지 소유권의 원상회복을 보장하기 위하여 매도인이 2순위 우선수익자가 되었습니다. 즉, 1순위 우선수익자인 대주는 대출채권을 피담보채권으로, 2순위 우선수익자인 매도인은 사업협약 해제시 매수인에 대한 소유권이전등기청구권을 피담보채권으로 정하였습니다. 그리고 사업협약 해제시 매도인이 대출금액 상당액을 1순위 우선수익자에게 지급하면 신탁부동산은 2순위 우선수익자에게 귀속되는 것으로 정하였습니다.47)

담보신탁에서 우선수익자의 채권은 신탁부동산의 환가 및 정산을 통해 만족을 얻는 것이 일반적이기에, 우선수익권의 피담보채권은 금전채권으로 한정되는 것으로 생각하기 쉽습니다. 그러나 위 사례와 같이 신탁종료시 신탁재산 귀속에 대한 특약과 결합하면, 소유권이전등기청구권도 피담보채권이 될 수 있음을 알 수 있습니다. 신탁상품의 유연성과 탄력성을 보여주는 상품설계 사례라 할 것입니다.

---

47) 실제 위 사업은 무산되었고, 신탁부동산은 위 신탁특약에서 정한 바에 따라 매도인인 2순위 우선수익자에게 귀속되었습니다. 당시 과세관청은 우선수익자 앞 신탁재산 귀속에 대하여 취득세를 부과하였으나, 이는 아래 판결을 통해 취소되었습니다.

| 판례 | 매매계약 해제에 따른 원상회복으로서 신탁을 종료하고 소유권 귀속처리시 취득세 부과여부 |

• 대법원 2020.1.30. 선고 2018두32927판결

『형식적으로 신탁재산인 부동산을 수탁자로부터 수익자에게 이전하는 모든 경우에 취득세 과세대상이 된다고는 볼 수 없고, 그 소유권 이전의 실질에 비추어 해제로 인한 원상회복의 방법으로 이루어진 경우에는 취득세 과세대상이 된다고 볼 수 없다......원고가 이 사건 토지의 소유권을 이전받은 것은 그 실질이 이 사건 각 토지 매매계약의 해제에 따른 원상회복이므로 취득세 과세대상이 되는 부동산 취득에 해당하지 않는다.』

근저당권 설정 방식과 담보신탁 방식의 비교

	근저당권 이용	담보신탁 이용
금융기관의 지위	• 근저당권자	• 우선수익자
채무자의 지위	• 소유권자. 부동산에 대한 처분·사용·수익 가능	• 위탁자 겸 수익자. 신탁기간 중 신탁부동산에 대한 사용·수익 가능
(가)압류 및 후순위 제한물권 설정 가능성	• 채무자의 제3채권자들의 (가)압류 가능 • 대출기관 동의 없는 후순위 제한물권 설정 및 그에 따른 경매절차 개시 가능	• 위탁자의 채권자들은 신탁재산에 대하여 (가)압류 불가 • 신탁계약에서 후순위우선수익자 추가시 선순위 우선수익자의 사전동의를 받도록 정할 수 있음
담보대출 한도	• 지역별 대출기관별 LTV 한도 - "방공제"(임대차보호법상 최우선 변제대상인 소액보증금 상당액 공제)	• 지역별 대출기관별 LTV 한도
담보대출 비용	• 금융기관은 등록면허세(채권최고액 × 0.2%), 지방교육세(등록면허세액 × 20%) 등 부담 • 채무자는 제1종 국민주택채권 매입 부담	• 등록면허세, 지방교육세 미발생. 국민주택채권 매입의무 미발생 • 신탁보수는 우선수익한도액의 0.1% ~ 0.3% 수준
기한이익 상실시 환가 방법 및 절차	• 법원 경매 • 절차 복잡, 장기간 소요, 절차의 경직성 • 소액임차보증금, 최종 3개월분 임금, 최종 3년간의 퇴직급여 등이 우선적으로 배당	• 신탁사 주관 공매 원칙 • 신탁계약상 다양한 환가조건 설정 가능 • 절차 간편, 단기간 소요, 절차의 융통성
채무자(위탁자) 부도·파산이 미치는 영향	• 채무자 회생절차 개시의 경우, 회생담보권자로서 회생계획에 따라 변제를 받음 • 위탁자 파산시 별제권 인정 가능	• 우선수익자의 권리는 위탁자의 부도·파산에 영향받지 않음(도산격리효과)

4

토지신탁

1. 토지신탁이란

토지신탁이란, 위탁자는 수탁자에게 개발사업 부지를 이전하고 수탁자는 개발사업을 수행하여 그로 인한 신탁의 이익을 수익자에게 교부하는 상품입니다. 신탁의 목적이 신탁부동산의 개발이기 때문에, 신탁사무로서 개발사업을 수행하기 위해서 신탁사는 해당 개발 관련 법령에서 요구하는 시행자격을 갖추어야 합니다.[48] 토지신탁은 수탁자가 사업비 조달 책임을 부담하는 차입형 토지신탁과 사업비 조달 책임을 부담하지 않는 관리형 토지신탁으로 구분됩니다.

___
역사   차입형 토지신탁의 시작

• 정부는 1990년 "4.13 부동산투기억제대책"의 일환으로 부동산신탁업 육성방안을 발표하였습니다. 부동산투기와 토지신탁은 어떤 관계가 있을까요. 정부는 부동산 시장 상승기에 자체 개발능력이 없는 토지 소유자들은 미개발 양도를 통한 차익실현을 기대하고, 이는 유휴토지 증가와 집값 상승을 초래할 수 있다는 보았습니다. 이에 토지신탁을 도입하면 나대지 또는 저밀도상태 유휴토지를 적극개발하여 지가를 현재화시키지 않고 주택 등을 공급할 수 있을 것으로 판단한 것입니다. 이에 따라 1991. 5. 부동산신탁회사가 설립되고, 1992. 11. 토지신탁상품이 나오게 되었습니다. 후에 관리형 토지신탁이 나오면서, 종래의 토지신탁은 차입형 토지신탁으로 분류되었습니다.

2. 토지신탁사업에서 수탁자의 지위

___

48) 신탁업자가 부동산개발법에 따른 부동산개발업 등록, 주택법에 따른 주택건설업 등록을 하는 이유입니다. 개발사업에 따라서는 이외 별도의 시행자격을 요구하는 경우가 많습니다.

토지신탁사업에서 수탁자는 사업부지에 대한 완전한 소유권자이자, 해당 개발사업의 완전한 사업주체입니다. 수탁자는 해당 개발사업 관련 법령에서 요구하는 사업시행 자격을 갖추고, 해당 인허가 내용에 따라 사업계획을 이행하여야 하며, 공급계약상 공급자로서의 의무를 이행하여야 합니다.

이 론 　토지신탁과 "영업신탁"

• 2011년 개정 신탁법 제2조는 신탁재산에 "영업"이 포함될 수 있음을 명시적으로 규정하였습니다.

• 토지신탁의 수탁자는 개발 사업의 기초 재산인 사업부지만 신탁받는 것이 아니라, 인허가권은 물론 사업주체 및 공급자로서의 지위 일체, 해당 사업 수행을 위해 체결한 각종 용역계약상 지위까지 이전받습니다. 즉, 토지신탁은 단순히 부동산만을 신탁받는 것이 아니라, 개발사업 목적을 위해 조직화된 유기적 일체로서의 기능적 재산 일체를 신탁받는 "영업신탁"의 성격을 가진다고 할 것입니다.

• 다만, 관리형 토지신탁의 경우에는, 일부 계약만을 수탁자 명의로 체결하고 있는바(공급계약, 분양보증계약, 공사도급계약, 설계 및 감리용역 계약 등), 영업신탁적 성격은 약하다고 볼 수 있습니다.

3. 토지신탁사업에서 사업비 조달

이론적으로 토지신탁사업에서 신탁사무는 개발사업의 수행이므로 그 사업비 조달 책임은 원칙적으로 사업주체인 수탁자에게 있다고 할 것입니다(그러나 부동산금융 구조화 과정에서 여러 가지 토지신탁상품이 개발되었고, 수탁자가 사업비 조달 책임을 부담하지 않는 관리형 토지신탁이 출현하였습니다). 차입형 토지신탁 사업에서 사업비 조달 방식은 ① 수탁자가 사업주체 지위에서 신탁재산을 담보로 금융기관에서 차입을 하는 방법 ② 수탁자가 고유재산으로부터 차입하는 방법(고유재산 ⇒ 신탁재산) ③ 수탁자가 고유재산에서 사업비를 대지급하고 그 비용 및 이자를 신탁재산으로부터 상환받는 방법이 있을 수 있습니다.

4. 관리형 토지신탁의 특수성

(1) 관리형 토지신탁의 기본 구조

관리형 토지신탁은, 수탁자가 사업비 조달책임을 부담하지 않는 토지신탁 상품입니다. PF개발사업에서 시행사 위험을 차단하고, 신탁사에 의한 안정적인 사업관리의 목적으로 관리형 토지신탁을 이용하기 시작하면서, 비약적으로 발전한 상품입니다. 관리형 토지신탁의 사업비는 위탁자의 Equity, PF대출, 분양수입금 등으로 마련되며, 부족 사업비 조달의무는 위탁자가 부담합니다. 관리형 토지신탁에서도 수탁자는 사업주체이자 공급자로서 지위를 가지나, 위탁자와 PF대출 대주 등의 요청 및 동의를 받아 수동적으로 사업을 관리하는 것이 일반적입니다.

역사   관리형 토지신탁의 비약적 발전 배경

• 2000년대 후반 부동산 PF개발사업은 종래 시공사의 PF보증에만 의존하던 구조에서 탈피하여 개발과정의 위험을 분산하는 방식으로 고도화되었는데, 이 과정에서 시행사 위험 차단 목적으로 관리형 토지신탁을 이용하기 시작했습니다. 관리형 토지신탁은 종래 PF개발사업 구조에서 발생할 수 있는 각종 시행사 위험(시행사의 도산, 시행사의 이중 분양/분양대금 편취 등 각종 불법행위, 시행사의 개발사업에 대한 전문성 부족, EOD 발생시 시행사의 사업장 매각 방해 등)을 한번에 해결해주었습니다. 또한 PF대출채권 유동화시에도 종래 시공사 보증에 갈음하여 신탁의 우선수익권을 PF대출채권과 함께 기초자산에 편입하여 유동화할 수 있는 장점이 있었습니다. 시행사 입장에서도 별도의 SPC를 사업주체로 할 경우 발생하는 이중과세의 문제가 없다는 점에서 관리형 토지신탁을 마다할 이유가 없었습니다.

---

(2) 수탁자의 대외적 책임

신탁법리상 수탁자는 대내외적으로 완전한 소유권자이며, 신탁사무 처리를 위하여 부담하는 채무에 대하여 고유재산으로도 책임을 집니다. 관리형 토지신탁에서도 수탁자는 수분양자 및 기타 계약 상대방에 대하여 완전한 책임을 부담하는 것이 원칙일 것이나, 실제로는 개별약정에 기초하여 수탁자의 책임을 제한하고 있습니다.

우선, 관리형 토지신탁계약상 수탁자는 고유재산으로 공사비에 대한 책임을 부담하지 않는 것으로 정하고 있고(일반적으로 시공사 역시 관리형토지신탁계약의 당사자로서 계약서에 날인을 하고 있습니다), 공사도급계약은 물론 각종 용역계약체결시 수탁자의 책임을 신탁재산 또는 신탁계좌 잔액 범위 등으로 제한하는 약정을 하고 있는바, 이러한 개별약정에 기초하여 수탁자의 책임은 신탁재산 범위로 제한되는 것입니다.[49][50]

이와 관련하여 신탁사업에서 수탁자가 공급계약상 공급자로서 부담하는 책임도 특별약정으로 제한하는 것이 가능한지 문제됩니다. 최근에는 관리형토지신탁사업의 경우에도 공급계약서상에 수탁자가 공급자로서 부담하는 의무는 신탁재산에 속하는 금전 범위로 그 책임이 한정되며 이를 초과하는 부분은 위탁자가 책임을 부담한다는 취지의 내용을 기재하고 있습니다.

그러나 공급계약에 대하여 HUG의 분양보증을 받는 경우, 신탁사가 공급계약을 이행하지 못하면, HUG에 대하여 구상채무를 부담하기 때문에, 신탁사는

---

49) 신탁사들은 관리형 토지신탁사업에서 공사도급계약 또는 용역계약 체결시, 공사비 또는 용역비에 대한 책임을 "신탁계좌에서 관리하는 자금 중 그 자금집행순서에 따른 자금집행 한도"로 제한하고 있습니다(위 한도를 초과하는 비용은 자금조달책임을 부담하는 위탁자 또는 시공사의 부담으로 정함. 다만, 신탁계약서 자금집행순서를 보면, 사업비 중 가장 비중이 큰 공사비를 다른 사업비보다 후순위로 정하고 있기 때문에, 자금부족의 경우에도 공사비를 제외한 다른 용역비를 지급하지 못하는 경우는 발생하기 어렵습니다).

50) 관리형 토지신탁사업의 경우, 실무상 공급계약, 분양보증계약, 도급계약, 설계 및 감리용역계약만을 신탁사 명의로 체결하고 있습니다. 관리형토지신탁에서 수탁자의 수동적 지위에 기인한 것이나, 신탁사가 고유재산으로 계약상 책임을 부담하지 않기 위한 방편(모든 용역제공업자와 책임제한약정을 체결하는 것도 쉽지 않음)으로 볼 수도 있을 것입니다.

고유재산을 투입해서라도 공급계약을 이행할 수밖에 없는 지위가 될 것입니다. 한편, HUG의 분양보증이 필요치 않은 분양상품의 경우라도, 신탁사에 대한 사회적 평판과 공신력, 감독기관의 압력 등을 고려할 때, 신탁사가 신탁계약상 사업비조달책임이 없다는 이유로 공급계약 이행을 거절하는 것은 쉽지 않을 것입니다.

(3) 위탁자 조달 자금의 회계처리 등

자본시장법상 전업부동산신탁사는 원칙적으로 금전을 신탁받을 수 없습니다(다만, 부동산개발사업 목적의 신탁의 경우 사업비의 15/100 이내에서만 금전신탁이 가능합니다. 자본시장법 제103조 제4항 참조). 위탁자가 조달한 자금을 신탁받아 신탁원본에 편입할 수 없다면, 위탁자의 사업비 조달책임을 전제로 하는 관리형토지신탁사업은 어떻게 진행할 수 있는 것일까요.

신탁업자의 신탁계정에 대한 기업회계기준은, 신탁시 위탁자로부터 받은 신탁사업 소요자금은 부채(신탁사업예수금 등)로 인식하는 것으로 정하고 있습니다(기업회계기준서 제5004호 부록B.23 참조). 즉, 회계기준상 위탁자가 조달한 자금은, 신탁계정의 자본을 구성하는 신탁원본이 아니라 위탁자로부터 차입한 부채로 인식하는 것입니다.

(4) 관토사업에서 위탁자 체결 용역계약의 용역비 집행의 문제

: 생략 (Chapter 3. N. 16. "자금관리업무별 주의사항" 참조)

5

책임준공확약형 관리형 토지신탁

1. 책임준공확약형 관리형 토지신탁이란

책임준공형 관리형 토지신탁은, 일반적인 관리형 토지신탁과 같이 수탁자는 원칙적으로 사업비 조달의무를 부담하지 않으나, 시공사가 부도·파산 등으로 책임준공의무를 이행하지 못할 경우에는 수탁자가 대주에 대하여 시공사를 대신하여 책임준공의무를 이행하거나 대주의 손해를 배상할 것을 확약하는 조건이 결부된 관리형 토지신탁상품입니다.

2. 책임준공확약형 관리형 토지신탁의 등장 배경

부동산 PF는 해당 사업에서 발생하는 미래의 불확실한 현금흐름을 담보로 자금을 조달하는 금융기법입니다. 부동산 PF는 사업 목적 건축물의 준공과 함께 안정적인 물적 담보를 확보할 수 있습니다. 부동산 PF의 안정성은 사업 목적 건축물의 준공 여부에 따라 좌우된다고 보아도 과언이 아닙니다. 이 때문에 부동산 PF 대주는 준공위험을 최소화하기 위하여 여러 가지 신용보강장치를 고안해왔는데, 그 중 하나로 책임준공의 궁극적인 책임을 신탁사에게 부담시키는 내용의 책임준공형 관리형 토지신탁이 등장한 것입니다. 책준확약상품의 등장은 중소형 시공사들이 신탁사의 신용보강하에 PF개발사업에 참여할 수 있는 계기가 되었다고 할 수 있습니다.

3. 책임준공확약형 관리형 토지신탁의 구조

① 우선, 준공을 위해 필요한 비용 및 준공에 이르기까지 필수적으로 소요되는 비용(준공필수사업비)을 위탁자 Equity 및 PF 대출금으로 최대한 확보하여 준공위험을 최소화하고, ② 일차적으로 시공사가 책임준공의무를 부담하고 이를 이행하지 못할 경우 PF대출채무를 인수하기로 하되, ③ 궁극적으로 시공사

가 책임준공의무를 이행하지 못할 경우 신탁사가 PF대주에 대하여 책임준공이행 또는 이에 갈음하는 손해배상책임을 부담하는 구조입니다.

4. 책임준공확약형 관리형 토지신탁 상품의 구조적 문제점 등

① 보증 여부

: 자본시장법 시행 이후 신탁사는 보증을 업으로 영위할 수 없습니다(당시 부수업무 신고 대상이었으나, 감독기관에서 이를 받아주지 않음). 그런데 책준확약 상품은 신탁사가 시공사를 보증하는 것으로 볼 소지가 있습니다. 다만, 현재 금융감독원은 "책임준공확약은 신탁업자 본인의 채무에 해당하며, 수탁재산의 손실을 직접 보전하는 것이 아니므로 지급보증 및 손실보전에 해당하지 않는다"[51]는 입장으로 보입니다.

② 손해배상 금액 약정의 적정성

: 책준사업에서 신탁사가 책준확약을 이행하지 못하면 PF대주에 대하여 손해배상의 책임을 부담하게 됩니다. 이와 관련하여 금융감독원은 신탁사가 책임준공의무를 이행하지 못할 경우 부담하는 손해배상액 산정 조건이 통상적인 조건이 아닌 경우(과도한 손해배상금액 약정 등) 손실보전에 해당될 수 있다는 입장입니다.[52]

---

51) 2016. 11. 금융감독원 자산운용국이 작성한 부동산신탁사 준법감시인 간담회 자료상 기재 내용입니다. 감독기관의 입장은, 관리형 토지신탁의 수탁자는 공급주체로서 준공의무가 있다는 점에서, 수탁자의 책임준공확약은 "타인"의 채무이행을 보장하는 것으로 볼 수 없다는 취지로 보입니다. 그러나 공급주체로서의 준공물 공급의무는 수분양자에 대한 의무입니다. 반면, 책임준공확약은 "타인"인 시공사가 대주에게 부담하는 책임준공의무의 이행을 보장하는 성격이 있다는 점에서 보증으로서의 성격이 강하다는 점을 부정하기 어렵습니다.

52) 위 금융감독원 준법감시인 간담회 자료상 기재 내용입니다.

현재 통용되는 책준사업 신탁계약서를 보면, 신탁사의 손해배상 범위는 "책임준공 미이행으로 인해 대출금융기관에게 발생한 손해(대출원리금 및 연체이자)"로 정하고 있습니다.53) 사견으로는, 신탁사의 책준확약이 금지되는 것이 아닌 이상, 그 '확약 미이행에 대한 손해배상약정 또는 손해배상액의 예정'도 가능한 것이고, 이를 자본시장법이 금지하는 '금융투자상품에 대한 손실보전약정'으로 볼 것은 아닌 것으로 생각됩니다.54)

③ 신탁사 고유자금 투입금 상환 순서

: 현재 시장에서 통용되는 책준사업 신탁계약서를 보면, 신탁사가 시공사를 대신하여 책임준공 이행을 위하여 고유자금을 투입한 경우, 해당 비용은 PF 대출원리금 보다 후순위로 상환받을 수 있도록 정하고 있습니다.

PF대출은 '토지비에 대한 대출'과 '사업비에 대한 대출'로 구분할 수 있는데, 최소한 '토지비에 대한 대출원리금'은 신탁의 이익으로써 상환하는 것이 토지신탁의 기본구조입니다. 그런데 신탁원본(가액)에 해당하는 '토지비에 대한 대출원리금'을 신탁사무처리비용에 해당하는 신탁사의 고유자금 투입금보다 선순위가 되도록 정하는 것은, 자본시장법상 금지되는 손실보전약정에 해당될 소지가 있는 것으로 의심할 수 있는 부분입니다.

---

53) "책임준공 미이행으로 인해 대출금융기관에게 발생한 손해(대출원리금 및 연체이자)"라는 문구의 해석과 관련하여, ①신탁사의 손해배상 범위는 책임준공의무 미이행과 인과관계 있는 손해로 한정되는 것이므로, 대출원리금 등에서 실제 신탁 종료 시 사업장 매각 등으로 회수가능한 금원을 제외한 금액 상당을 손해로 보아야 한다는 견해와 ②책준확약상품의 구조, 계약서의 문언 해석상 이는 손해배상액의 예정으로써 신탁사는 PF대출원리금 상당의 손해를 배상해야 한다는 견해가 있습니다.

54) [책임준공확약 관리형 토지신탁 업무처리 모범규준] 현재 감독기구에서는 책준상품에 대한 모범규준을 준비 중에 있으며, 근시일내에 시행 예정에 있습니다. 위 모범규준에서는 신탁업자의 책임준공확약의무 미이행에 따른 손해배상 범위는 대출기관이 직접적으로 입게 된 실제 손해만으로 한정할 예정이며, 손해배상채무의 이행시기는 '신탁정산 완료 이후'로 명문화할 방침으로 알려져 있습니다.

④ 책임준공확약의 범위

: 현재 책준사업상 책임준공은 정식 사용검사(사용승인)를 득하는 것까지 요구하고 있으며, 임시 사용검사는 배제하고 있습니다. 건설실무상 시공 외의 문제로 정식 사용검사가 나지 않는 경우가 많은바, 이러한 경우 신탁사는 귀책 사유 없이도 책임준공 불이행에 따른 손해배상의무를 부담할 수 있으며, 이는 신탁사에게 다소 가혹한 조건으로 생각됩니다.

⑤ 분양 부진시 필수 사업비 부족 현상

: 책준사업은 준공필수사업비를 최대한 확보하여 준공위험을 최소화하는 구조입니다. 통상적으로 책준사업의 사업수지는 일정 수준의 분양률과 그에 따른 중도금 유입을 가정하여 PF대출이자 상환금을 준공필수사업비로 책정하나, 분양이 부진할 경우, 예상보다 PF대출 한도 및 그에 대한 이자가 증가하면서 준공필수사업비가 부족해집니다. 책준사업에서 분양 부진은 시공사의 유동성 위험을 초래할 수 있는 단초가 될 수 있다고 할 것입니다.

5. 신탁회사 및 그 계열사 금융투자업자의 협업 가능 여부

| 해 석 | 책준사업에서, 증권사의 유동화SPC에 대한 사모사채인수 확약이 신탁사에 대한 신용공여에 해당되는지 여부 |

• 질의요지

B부동산신탁회사는 유동화SPC에 대하여 책임준공 확약을 제공하고 책임준공 미이행시 유동화SPC에게 발생하는 손해를 배상하기로 함. 한편, A증권회사는 유동화SPC가 발행하는 유동화증권의 신용보강을 위해 유동화SPC가 발행하는 사모사채를 인수할 것을 확약함. B부동산신탁회사가 A증권회사 대주주의 특수관계인인 경우 'A증권회사의 사모사채 인수확약'이 자본시장법 제34조제2항을 위반한 행위에 해당하는지 여부

- 회답(금융위원회 190022, 회신일 2019.07.26.))

B신탁회사의 채무 불이행 시 사모사채의 상환 가능성이 낮아짐에 따라 A증권회사에 손실을 초래할 가능성이 있고......'A증권회사의 사모사채 인수확약'은 자본시장법 제34조 제2항에서 규정하고 있는 "신용위험을 수반하는 간접적 거래"에 해당할 소지가 있습니다. [55)]

이 론	책준사업에서, 신탁사와 계열사 관계에 있는 은행, 저축은행, 여전사가 PF대주로 참여하는 것이 가능한지 여부

- 은행, 저축은행, 여전사 등의 경우에도 해당 업을 규율하는 법령에서 대주주 및 그 특수관계인에 대한 신용공여를 금지하거나 신용공여의 한도를 제한하고 있습니다.

- 저축은행은 대주주 등에 대한 신용공여가 금지되고 있고, 여전사는 대주주 등에 대한 신용공여의 한도가 자기자본의 50/100으로, 은행은 같은 신용공여의 한도가 자기자본의 25/100과 해당 대주주 등의 은행에 대한 출자비율에 해당하는 금액 중 적은 금액으로 제한되고 있습니다(은행법 제35조의2, 상호저축은행법 제37조, 여신전문금융업법 제49조의2 참조).

- 앞서 살펴 본 금융위원회 유권해석(금융위원회 190022, 회신일 2019.

---

55) 자본시장법상 금융투자업자는 대주주 및 그 특수관계인에게 신용공여를 할 수 없습니다(자본시장법 제34조 제2항 참조). 동법상 신용공여란 금융거래상의 신용위험(거래상대방의 지급불능시 발생할 수 있는 잠재적인 손실위험)을 수반하는 직·간접적 거래를 말합니다. 신용공여를 받은 대주주 또는 계열사의 부실발생시 금융투자업자까지 동반부실화 되는 것을 방지하기 위한 규정으로 볼 수 있습니다.

유권해석 사안은 금융투자업자인 증권회사가 유동화SPC에 대한 사모사채인수확약 방식으로 책준사업에 참여하는 것이 계열사인 신탁사에 대한 신용공여인지가 문제된 사안입니다. 책준사업에서 시공사 부도 등이 발생하였음에도 불구하고 신탁사가 책준확약을 이행하지 못한다면, PF대주인 유동화SPC의 대출채권은 부실화되고, 부실채권을 기초로 발행한 사모사채의 상환가능성이 낮아지고, 이를 인수해야 하는 증권사에게 손해가 발생할 수는 있을 것입니다. 금융위원회는 이러한 점 때문에 증권사의 사모사채인수확약이 간접적으로는 계열사인 신탁사의 신용위험을 떠안는 행위가 될 수 있다고 본 것입니다. 취지는 이해가 가지만 "신용위험을 수반하는 간접적 거래"를 지나치게 확대해석하고 있다는 생각도 저버릴 수가 없습니다.

07. 26.)은 신용공여(신용위험을 수반하는 직·간접적 거래)의 범위를 확대 해석하고 있습니다. 위 유권해석 취지를 그대로 따른다면, 은행, 저축은행, 여전사 등이 책준사업구조에서 PF대출을 실행하는 것은 간적적으로 계열사인 책임준공확약 신탁사에 대한 신용공여로 해석되어 해당 법령에 따른 제한을 받게 된다는 점에 주의할 필요가 있습니다.

이 론	책준사업에서, 신탁사와 계열사 관계에 있는 건설사가 해당 사업의 시공사로 참여하는 것이 가능한지 여부

• 책준사업에서, 신탁사의 대주에 대한 책임준공확약이, 시공사에 대한 간접적인 신용공여로 볼 수 있는지가 문제됩니다.

• 앞서 살펴보았듯이, 감독기관은 신탁사의 책준확약은 '지급보증' 등에 해당하지 않는 것으로 보고 있습니다. 그러나 자본시장법상 '신용공여'는 신용위험(거래상대방의 지급불능시 발생할 수 있는 잠재적인 손실위험)을 수반하는 직·간접적 거래로서 '지급보증' 보다 포괄적인 개념입니다.

• 생각건대, 책준사업에서 시공사가 부도 등의 사정으로 책임준공의무를 이행하지 못할 경우, 신탁사가 이를 대신하여 책임준공을 이행하거나 이에 갈음하는 손해배상책임을 부담함으로써 손실위험이 발생한다는 점에서, 신탁사의 책임준공확약은 시공사에 대한 신용공여적 성격이 인정될 가능성이 높습니다. 그렇다면, 자본시장법상 금융투자업자는 대주주 및 그 특수관계인에게 신용공여를 할 수 없으므로(자본시장법 제34조 제2항), 계열사 관계에 있는 건설사가 책준사업의 시공사로 참여하는 사업에서, 신탁사가 책임준공확약 수탁사로 참여하는 것은 어려울 것으로 보입니다.

6　차입형 토지신탁의 진화

1. 새로운 상품 출현 배경(퇴행 또는 진화의 시작)

　　종래 토지신탁은 신탁회사가 사업비 조달 책임을 부담하는 차입형 토지신탁과 사업비 조달 책임을 부담하지 않는 관리형 토지신탁으로 분류하였습니다. 그러나 최근에는 혼합형 토지신탁, 하이브리드 토지신탁, 리스크 분담형 토지신탁 등 차입형 토지신탁의 변종 상품들이 나오고 있습니다.

　　차입형 토지신탁 상품들이 변형되고 진화한 이유는, 크게 두 가지로 진단됩니다. 첫째는, 금융규제로 인하여 PF시장이 움츠러들 때, PF를 대체하여 신탁사의 사업비조달기능을 활용하고자 하는 니즈가 있었고, 둘째는, 신탁사는 신탁원본인 토지비에 대한 자금대여가 금지되고 이로 인하여 토지비 부담이 큰 서울과 수도권에서의 신탁사업 진행이 어려웠는바, 이를 극복 또는 우회하기 위한 부단한 노력이 있었기 때문입니다.

2. 변종 토지신탁 상품들

가. 혼합형 토지신탁

　　혼합형 토지신탁은 신탁사가 수동적으로 사업을 관리하는 관리형 토지신탁을 기본 베이스로 합니다. 그런데 PF에 대한 정부의 규제 등으로 PF금융기관을 모집하기 힘든 사업에서, 신탁사 일정 한도에서 사업비에 대한 신탁계정대여를 통해 선순위 대주의 역할을 하는 구조입니다.

　　혼합형 토지신탁의 구조는 필연적으로 토지비 PF와 신탁계정대여금 사이의 우선순위의 문제가 발생합니다. 최근 시장에서는 신탁사 역시 PF대주와 기능적으로 동일한 지위라는 점에 착안하여, 토지비 대출과 동순위 내지 일부 후순위를 요구하는 경우가 많습니다.

그러나 신탁사는 대부업자가 아닙니다. 혼합형 구조에서도 신탁사는 신탁업자로서 신탁사무처리비용을 조달하여 신탁계정에 투입한 것입니다. 따라서 신탁계정대여금은 신탁사무처리비용과 동순위여야 하고, 신탁원본에 해당되고 신탁의 이익으로써 상환이 예정된 토지비대출보다 선순위로 정하는 것이 이론적으로는 타당해 보입니다.

나. 하이브리드 토지신탁 (또는 대체형 토지신탁)

하이브리드 토지신탁은 차입형 토지신탁을 기본 베이스로 하는 상품입니다. 순수 차입형의 경우, 신탁 수익 선지급이 제한되고, 토지비 대출원리금 상환이 신탁계정대 상환보다 후순위가 되기 때문에, 토지비 PF모집이 사실상 불가하였습니다. 하이브리드 토지신탁은 준공 이후에는 신탁수익 선지급 기준의 적용예외가 인정되는 점에 착안하여, 준공 이후에는 분양수입금으로 토지비 PF 대출원리금의 선상환을 약정하는 구조입니다. 하이브리드 토지신탁이 출현한 배경은 서울 및 수도권과 광역시에서의 신탁사업 전개를 위한 것이라고 할 수 있겠습니다.

그러나 신탁사업의 경우 준공 이후에는 선지급 기준이 적용되지 않는 것은 맞으나, 준공 이후라 하여 신탁 이익이 발생하지 않는 경우까지 분양수입금으로 토지비 대출원리금을 선상환할 수 있는 것은 아닙니다. 이러한 관점에서, 하이브리드 토지신탁의 약정 구조는 자본시장법상 금지되는 손실보전약정에 해당할 소지가 있어 보입니다.

1. 담보부사채, 그리고 담보부사채신탁이란

담보부사채란 회사재산을 담보로 제공하고 모집하는 사채를 말합니다. 그런데 사채권자는 통상 불특정다수이고 유통거래를 통하여 수시로 변동합니다. 이 때문에 각 사채권자에게 개별적으로 물적 담보권을 설정해주는 것은 사실상 불가능했습니다. 불특정다수인 총사채권자를 위하여 공신력있는 자가 물상담보를 취득 · 관리 · 실행하는 상품(담보부사채신탁)이 필요한 이유입니다.

담보부사채신탁이란, 사채발행회사가 신탁계약을 체결하고 이에 따라 사채를 발행하고, 신탁회사는 신탁계약에 따라 총사채권자를 위하여 물상담보를 취득하고 이를 총사채권자를 위해 보존·실행하는 상품입니다.56) 담보부사채법상 담보부사채의 경우 신탁회사가 총사채권자의 이익을 위해 총사채권자를 대신하여 담보물건을 관리하고 필요한 경우에는 담보권을 행사하는 것입니다.

2. 담보부사채신탁의 기본구조

담보부사채신탁법상 담보부사채 발행의 경우, 신탁업자는 총사채권자를 위하여 위 법상의 물상담보를 취득해야합니다. 그런데 담보부사채신탁법은 동법상 사채에 붙일 수 있는 물상담보를 동산질, 채권질, 주식질, 저당권 등으로 한정하고 있습니다(담보부사채신탁법 제4조).

---

56) 총 사채권자를 위해 물상담보를 취득하는 내용의 신탁은, 종래 신탁법상의 신탁(소유권의 대내외적 완전한 이전의 효과를 가져오는 신탁)이 아니었습니다. 그러나 개정 신탁법상 담보권 신탁제도가 도입되었습니다. 담보부사채신탁의 구조는 담보권신탁의 구조와 사실상 일치하는 것으로 보아도 무방할 것 같습니다. 다만, 실무상 담보부사채신탁을 발행하면서 신탁법상의 담보권신탁을 직접 이용하지는 않고 있습니다.

가장 일반적인 구조는 물상담보 중 저당권을 이용하는 방법입니다. 즉, 신탁업자가 총사채권자를 위하여 사채발행회사로부터 근저당권(또는 공장저당권) 등을 설정받는 방식입니다.57) 사채의 기한의 이익 상실의 경우, 신탁업자는 총사채권자를 위해 근저당권 등을 실행하고, 경매절차에서의 배당금 등을 변제받은 경우 이를 각 사채권자에게 지급하게 됩니다.58)

신탁법상의 신탁을 이용할 수는 없을까요. 과거에 사채발행회사와 담보신탁계약을 체결하면서 총사채권자로 우선수익자로 정하고 이를 기초로 사모사채를 발행한 사례가 있습니다. 그러나, 앞서 살펴보았듯이 담보신탁의 우선수익권은 담보부사채신탁법이 인정하는 물상담보가 아닙니다.

다만, 신탁의 수익권은 채권이고, 채권질은 담보부사채신탁법에서 인정하는 물상담보 중 하나입니다. 따라서, 사채발행회사가 자신의 주요자산인 부동산에 대한 신탁계약(수익자 및 수익권 질권자의 요청에 따라 처분할 수 있는 내용 포함)을 체결하고, 담보부사채신탁업자에게 위 신탁의 수익권에 대한 질권을 설정하는 방식으로 담보부사채를 발행할 수 있습니다.

---

57) 담보부사채신탁은 신탁법상의 신탁은 아니며, 근저당권 등 설정시 별도로 신탁등기를 경료하지는 않습니다. 다만, 담보부사채신탁계약시 신탁법상의 담보권신탁을 설정하는 내용으로 계약을 한다면, 근저당권설정등기시에 담보권신탁등기를 같이 경료하여야 할 것입니다.

58) 소유권의 대내외적 완전한 이전 효과를 가져오는 일반적인 신탁은 아니므로, 신탁으로 인한 도산격리효과가 발생하지 않습니다. 따라서 사채발행회사에 대한 회생절차 개시의 경우, 신탁회사는 회생담보권자로서 회생계획에 따라 변제를 받고, 이를 다시 각 사채권자에게 지급할 수밖에 없습니다.

8 　동산 신탁에 대하여

　　전업 부동산 신탁사가 동산을 신탁받을 수 있을까요. 전업 부동산 신탁사는 자본시장법에 따라 신탁업 인가를 받았으며, 그 인가업무 단위상 "①동산, ②부동산, ③지상권, 전세권, 부동산임차권, 부동산소유권 이전등기청구권, 그밖의 부동산 관련 권리"를 신탁받을 수 있습니다.59) 따라서 전업 부동산 신탁사도 동산을 신탁받을 수 있습니다.60)

　　그런데 동산 신탁의 경우에는 신탁관계를 어떻게 공시할 것인가의 문제가 있습니다.

　　우선, 동산 중 선박, 자동차, 항공기, 건설기계관리법에 따라 등록된 건설기계 등은 관련법상의 등기부 또는 등록부에 신탁의 등기 또는 등록을 함으로써 해당 재산이 신탁재산임을 공시하고 이로써 제3자에 대한 대항력을 가질 수 있습니다(신탁법 제4조). 민법상의 부합물 또는 종물은 각각 결합된 부동산의 일부이거나 주물인 부동산의 처분에 따르는 것이므로 별도의 공시가 필요치는 않을 것입니다.61) 그 외 일반적인 동산은 실제 수탁자가 점유를 이전받아 다른

---

59) 자본시장법상 금융투자업자는 동법상 인가업무 단위별로 인가를 받습니다. 현재 전업 부동산 신탁사가 인가받은 인가업무 단위는 아래와 같습니다.

인가업무 단위	금융투자업의 종류	금융투자상품의 범위	투자자의 유형	최저자기 자본
4-121-1	신탁업	법 제103조제1항제4호부터 제6호까지의 규정에 따른 신탁재산	일반투자자 및 전문투자자	100억원

60) 대부분의 전업 부동산 신탁사들은 동산 신탁에 대하여는 별도 제정한 약관을 가지고 있지 않습니다. 동산신탁 상품이 일반화된다면 표준화된 약관을 제정하는 것이 타당하겠으나, 일회적인 신탁의 경우에는 부동산 신탁계약 약관을 원용하여 개별약정을 체결할 수 있을 것입니다.

61) 예를 들어 주유소의 지하 유류저장탱크는 토지에 부합된 것으로 보며, 주유소의 주

재산과 분별관리 하는 것 자체가 어렵다는 점에서 현실적으로 신탁사가 신탁받기에는 부적절한 경우가 많을 것입니다. 다만, 이동이 용이하지 않은 대형 설치 공작물의 경우, 소유권 및 신탁관계를 기재한 표지판 설치 등으로 동산신탁에 대한 공시가 가능한 경우가 있을 수 있습니다.

※ 부동산과 그 지상에 설치된 공작물에 대한 담보신탁의 경우에는, 위 공작물의 관리·보전에 대한 수탁자의 면책특약이 필요할 것입니다. 참고로, 신탁사는 부동산만 신탁을 받고, 공작물에 대하여는 우선수익자가 별도로 양도담보권을 설정받되, 신탁부동산 환가사유 발생시, 양도담보 대상인 공작물도 신탁부동산과 함께 일괄 공매하는 구조도 생각해볼 수 있습니다 (이 경우 신탁사는 공작물에 대한 처분대리사무를 수행하는 것에 불과하고, 공작물에 대한 처분대금은 신탁재산에 편입할 수 없다는 점에 유의하기 바랍니다).

유기는 주유소 건물의 종물로 간주됩니다(대법원 94다6345판결 참조). 즉, 주유소 건물 및 부지를 신탁받는 경우, 유류저장탱크 등의 부합물, 주유기 등의 종물에 대하여 별도의 신탁 공시가 필요치는 않습니다(다만, 중요한 부합물 및 종물은 신탁계약서상 신탁재산 목록에 기재하는 것이 좋을 것입니다).

03

이론과 쟁점
- 비토지신탁

담보신탁은 환가절차, 환가, 환가대금 정산 등의 일련의 과정을 당사자간 합의에 따라 탄력적으로 정할 수 있는 상품입니다. 따라서 담보신탁계약서는 토지신탁과 달리 표준화된 계약서를 사용하기 어려우며, 건건이 상품구조와 신탁관계인의 의사를 확인하고 이를 반영하여 특약사항을 정하여야 합니다.

1. 우선수익자가 다수인 경우(우선수익자를 추가하는 경우 포함)

우선수익자가 다수라면, 신탁계약상 우선수익자의 의사결정 및 권한행사 방법을 명확히 정하여야 합니다.[62] 가장 중요한 것은 신탁재산에 대한 환가요청권입니다. 후순위 우선수익자도 선순위 의사에 반하여 환가요청을 할 수 있는지, 동순위 우선수익자간에는 단독으로 권한행사가 가능한지 여부 등을 명확히 하여야 분쟁을 예방할 수 있을 것입니다.

> 예시   신탁부동산 환가특약 예시안
>
> 제O조(신탁부동산 처분 등) ① 다음 각 호의 1에 해당하는 경우에 우선수익자(최선순위 우선수익자를 말하며, 후순위 우선수익자는 선순위 우선수익자의 동의를 받아야 본조에 따른 처분요청이 가능하다. 동일 순위 우선수익자가 다수인 경우에는 전원의 동의가 있어야 한다. 이하 본조에서 같다.)는 "수탁자"에게 신탁부동산의 처분(일괄매각 또는 개별매각 포함)을 요청할 수 있으며 "갑"은 이에 대하여 일체의 이의제기를 하지 않기로 한다.

2. 신탁 물건이 다수인 경우

---

[62] '수익자가 여럿인 신탁'의 경우 수익자의 의사결정방법은 신탁행위로 달리 정하지 않으면 원칙적으로 수익자 전원의 동의입니다(신탁행위로 수익자 집회의 의결을 거치도록 정할 수도 있습니다. 신탁법 제71조 내지 74조 참조).

이 경우에는 일괄매각이 가능한지 여부에 대하여 정할 필요가 있습니다 (위 표준안 참조. 특약에서 정함이 없다면, 개별매각 진행시 사실상 환가 장애 요소가 있거나 오히려 전체적인 환가가치가 저하될 수 있는 특별한 사정이 있 는 경우가 아니라면, 개별매각이 원칙적인 환가방법이라고 할 것입니다).

3. 위탁자가 다수인 경우

위탁자가 다수인 경우에도, 신탁계약상 위탁자의 의사결정 및 권한행사 방법을 명확히 정하여야 합니다. 또한, 자익신탁이라면 수익자별 수익권 지분 내지 수익 대상 부동산을 명확히 기재하는 것이 중요합니다. ①위탁자 겸 수익 자들이 신탁 대상 부동산을 공유하는 경우에는, 신탁부동산 목록 작성시 위탁자 별 공유지분을 기재하고, 신탁계약서 별지상 수익자 표시란에 수익권 지분 기재 란을 추가하고 수익자별 수익권 지분을 명확히 기재하는 것이 바람직합니다.[63] ②위탁자 겸 수익자들이 각각 단독 소유하는 부동산을 공동으로 신탁한 경우에 는, 신탁부동산 목록 작성시 부동산별 소유자를 표시하고, 신탁계약서 별지 수 익자 표시란에 수익 대상 부동산 기재란을 추가하여 해당 신탁부동산 목록 번 호를 표시(ex. 수익 대상 부동산 : 붙임 2. 신탁부동산 목록 중 가.항 기재 부동 산)하는 것이 바람직할 것입니다.

4. 채무자와 물상보증인이 공동으로 신탁한 경우

채무자와 물상보증인이 공동으로 신탁한 경우에는, 당사자들의 의사를 확 인하여 환가처분 방법 및 처분대금 정산순서 등을 명확히 정하여야 하니. ① 신탁재산을 일괄하여 환가처분할 것인지, 순서를 정하여 순차적으로 환가처분할 것인지(일괄 처분 vs. 채무자 소유 부동산 먼저 환가), ②전체 신탁부동산 처분 대금에서 우선수익자 채권을 충당할 것인지, 채무자가 신탁한 부동산 환가대금 에서 우선수익자 채권을 충당할 것인지,[64] ③처분대금 정산 후 수익자에게 배

---

63) 신탁 전 공유지분 비율대로 수익권 지분을 정하는 것이 일반적이나, 신탁행위로 달리 정할 수 있을 것입니다.

64) 종래 실무상으로는 전체 처분대금에서 우선수익자 채권을 충당하고 나머지를 수익 자 지분별로 안분하여 왔습니다. 그러나 대법원은, 신탁계약에서 별도로 정한 바가

분할 금액이 있을 경우 수익자 간 배분 비율은[65] 어떻게 할 것인지 등을 사전에 정할 필요가 있습니다.

5. 건물 신축 목적 토지 담보신탁의 경우 [66]

이 경우 신탁 이후 미완성 건물에 대한 처분 문제를 고민하여야 합니다. 토지에 대한 담보신탁 이후 위탁자가 신축 중인 건물이 토지에 대한 부합의 정도를 넘어서면 신탁재산인 토지와 독립된 별도의 부동산으로 인정되며 특별한 사정이 없는 한 건축주인 위탁자의 소유가 됩니다.[67] 이 경우 신탁재산으로 볼 수 없는 미완성 건물의 처분을 위해서는 별도의 특약이 필요합니다.

예 시   신축건물 신탁재산 편입 등에 대한 특약

제O조 (신축건물에 대한 특칙) ① "위탁자"는 본 신탁부동산 위에 신축되는 건물의 소유권이전등기가 가능한 시점에 즉시 이를 "수탁자"에게 추가신탁하여 신탁재산에 편입하기로 한다.

② 제2항에 따른 신축건물 추가신탁 이전에 특약사항 제7조에 따라 신탁부동산 처분 사유가 발생하는 경우, "수탁자"는 신탁부동산 지상에 존재하는 미완성 건축물과 관련 인허가권을 본건 신탁부동산과 함께 일괄 처분할 수 있

없는 경우에는, 우선 채무자가 신탁한 부동산의 처분대금만으로 우선수익자 채권을 충당하되 부족함이 있는 경우 물상보증인이 신탁산 부동산의 처분대금으로 우선수익자 채권을 충당하여야 한다는 취지로 판단하였습니다(Chaper 3. N.5. "물상보증인이 위탁자인 담보신탁에서 환가 및 정산방법" 참조).

65) 예를 들어, 공유부동산을 신탁하면서 일괄 처분하기로 정하였다면 (수익자 간 내부 구상관계에 따른 정산은 수익자들의 몫으로 남기고) 공유지분 비율 또는 수익권 지분 비율로 안분하는 것으로 정할 수 있을 것입니다. 채무자와 물상보증인이 각각 단독 소유하는 물건을 신탁하면서 채무자 소유 부동산 환가대금에서 우선수익자 채권을 먼저 충당하기로 정하였다면, 각 부동산 환가대금별로 선순위 항목 정산 후 잔여금을 각 부동산의 수익자에게 배분하는 것으로 정할 수 있을 것입니다.

66) 상세내용은 Chapter 3. N.3. "개발 목적 토지 담보신탁에서 주의할 사항" 참조

67) 상세내용은 Chapter 1. N.11. "신탁이 제한되는 부동산" 참조

고(이를 위해서 "위탁자"는 본 신탁계약의 체결로써 "수탁자"에게 미완성 건축물과 관련 인허가권 매각에 필요한 일체의 권한을 부여·위임한 것으로 간주한다), 전체 처분대금은 본계약 제22조 및 특약사항 제7조에서 정한 바에 따라 정산하기로 한다.

③ 특약사항 제7조 및 본조 제2항에 따라 신탁부동산, 그 지상 미완성 건축물 및 관련 인허가권을 처분할 경우, "위탁자"는 그 처분상대방에게 미완성 건축물을 인도하고, 관련 인허가권을 이전하여야 하며, 건축주 및 사업주체 변경 등 이에 필요한 법률상 행정상의 모든 조치를 취하여야 한다.

④ 본조에도 불구하고, "수탁자"는 "위탁자"의 연락두절이나 비협조, "위탁자"의 채권자들의 민원 등으로 미완성 건축물의 인도 또는 관련 인허가권의 양도가 곤란하거나 법률상 분쟁이 예상되는 경우, 이를 처분대상에서 제외할 수 있다.

6. 위탁자에 의한 분양을 허용하는 경우 [68]

집합건물 중 준공 후 미분양물건에 대한 담보신탁의 경우, 위탁자에 의한 분양을 허용하는 경우가 있습니다. 이 경우, 우선수익자의 동의를 받아 신탁을 해지하고 위탁자로 하여금 직접 수분양자에게 소유권이전을 하도록 하는 것이 원칙적입니다. 다만, 위탁자의 신탁 해지시 소유권이전등기청구권이 (가)압류되는 경우에 수분양자 보호를 위하여 수탁자가 수분양자에게 직접 이전할 수 있도록 할 것인지 여부도 미리 정할 필요가 있습니다.

위탁자에 의한 분양을 허용할 경우, 수탁자가 대리사무계약 등을 통해 그 분양대금을 수납·관리할 수는 있겠으나, 이 경우에도 그 분양대금은 신탁재산으로 볼 수 없다는 점도 주의하기 바랍니다.

<u>예 시</u>   위탁자에 의한 분양 관련 특약

제O조(위탁자에 의한 분양 및 분양대금 관리 등에 대한 특약)

---

68) 상세내용은 Chapter 3. N.2. "담보신탁 부동산에 대한 위탁자 직접 분양의 문제" 참조

① "위탁자"는 "우선수익자"의 동의를 얻어 신탁부동산을 세대(호실)별로 분양할 수 있고, 이 경우 "위탁자"는 분양계약서, 분양대금 납부서류 등 분양대금 완납을 확인할 수 있는 서류를 첨부하여 "우선수익자"의 서면동의를 얻어 "수탁자"에게 신탁부동산의 해지를 요청하고, "수탁자"는 "우선수익자"의 서면동의를 확인한 후 신탁해지서류를 교부하며, "위탁자"는 신탁해지와 동시에 수분양자에게 소유권이전등기절차를 이행하여야 한다.

② 제1항에 따라 수분양자가 정상적인 분양계약을 체결하고 분양대금을 완납하였음에도 불구하고 "위탁자"가 신탁부동산의 해지를 요청하지 않는 경우, "우선수익자"는 분양계약서, 분양대금 납부서류 등 분양대금 완납을 확인할 수 있는 서류를 첨부하여 "수탁자"에게 수분양자 앞으로 직접 소유권이전을 요청할 수 있다.

7. 매각절차 및 매각조건을 매각규정과 달리 정할 필요가 있는 경우

담보신탁계약 체결시에는 매각방법, 매각절차 및 매각조건에 대하여 미리 신탁관계인과 협의하고 설명하여 신탁재산 환가관련 분쟁을 사전적으로 예방할 필요가 있습니다. 특히, 매각방법과 관련하여서는, 공매절차 없이 수의계약 체결이 가능한지 여부, 이 경우 수의계약이 가능한 최소 처분금액 등을 사전에 정하여 신탁계약서에 구체적으로 반영할 필요가 있습니다.

예 시   신탁부동산 환가시 수의계약 관련 특약 등

제0조(신탁부동산 처분 등) ② 본조 제①항에 따른 우선수익자의 처분요청이 있는 경우 "수탁자"는 본계약 제19조 내지 제21조 및 "수탁자"의 [부동산 매각업무규정]에 따라 신탁부동산을 처분하기로 한다(공개경쟁입찰시에는 한국자산관리공사의 공공자산처분시스템 온비드(OnBid)를 이용할 수 있다). 다만, 우선수익자가 요청하는 경우에는 처분가치를 저하하지 않는 범위 내에서 매각절차 및 매각조건을 달리 정할 수 있고, 공개경쟁입찰 없이 우선수익자 또는 우선수익자가 지정하는 제3자와 수의계약을 체결할 수 있다(수의계약의 경우 그 처분금액은 처분일로부터 역산하여 6개월 이내 진행한 감정평가금액 이상이어야 한다). 이에 대하여 "위탁자"와 후순위 우선수익자는 "수탁자" 및 우선수익자에게 일체의 이의제기를 하지 않기로 한다.

담보신탁 부동산에 대한 위탁자 직접 분양의 문제

1. 담보신탁 이후 위탁자에 의한 신탁재산 분양(처분)이 가능한지

준공 후 미분양 집합건물에 대한 담보신탁의 경우, 위탁자가 우선수익자의 동의하에 미분양 구분건물을 분양하고, 그 분양대금으로 대출원리금을 상환하도록 정하는 경우가 많습니다. 신탁에 의하여 소유권이 대내외적으로 완전하게 수탁자에게 이전되었음에도 불구하고, 위탁자가 수탁자 소유의 신탁재산을 분양하는 것이 어떻게 가능할까요.

민법상 타인 권리의 매매 자체는 유효한 거래입니다(민법 제569조 참조).69) 신탁재산에 대한 위탁자의 분양계약은 신탁해지 조건부 매매계약으로서 그 성격은 타인 권리 매매계약입니다. 위탁자는 장래 신탁 (일부)해지시 자신에게 귀속될 신탁재산에 대한 매매계약을 체결하는 것이며, 이로써 장래 신탁재산 귀속을 원인으로 소유권 취득하여 이를 수분양자에게 이전할 의무를 부담하는 것입니다.

이와 관련하여, 대법원 판례는 신탁계약상 위탁자 직접 분양 조항이 있는 경우, 우선수익자는 분양대금에 의한 피담보채권 변제를 조건으로 해당 미분양물에 대한 신탁 일부해지에 동의하기로 약정한 것으로 보고 있습니다.

판례   신탁재산에 대한 위탁자 직접 분양의 구조

• 대법원 2018. 12. 27. 선고 2018다237329판결

『부동산 신탁계약에서 분양대금에 의한 우선수익자의 채권 변제가 확보된 상태에 이르면, 위탁자인 시행사는 매수인에게 분양된 부동산에 관한 소유권이전등기를 마쳐주기 위하여 그 부분에 관한 신탁을 일부 해지할 수 있고, 우

---

69) 민법 제569조(타인의 권리의 매매) 매매의 목적이 된 권리가 타인에게 속한 경우에는 매도인은 그 권리를 취득하여 매수인에게 이전하여야 한다.

선수익자는 그 신탁 일부 해지의 의사표시에 관하여 동의의 의사표시를 하기로 하는 묵시적 약정을 한 것으로 볼 수 있다.』

2. 위탁자 직접 분양 물건에 대하여, 수탁자가 수분양자에게 직접 소유권이전등기를 할 수 있는지

앞서 살펴본 바와 같이, 미분양 집합건물에 대한 담보신탁에서 위탁자에 의한 직접 분양을 허용한 경우, 수분양자가 분양대금을 전액 지급하였음에도 불구하고 위탁자의 사정으로 위탁자 앞 신탁재산 귀속 및 수분양자 앞 소유권이전이 어려운 경우에 수분양자를 보호하기 위해서, 수탁자가 수분양자에게 직접 소유권이전을 할 수 있도록 정하는 경우가 많습니다.

위탁자가 직접 분양을 하였음에도 불구하고, 수탁자가 해당 수분양자에게 소유권이전절차를 이행하는 결과가 되는 것인데, 이는 법률적으로 어떻게 이해해야 할까요. 대법원은, 위탁자에 대한 소유권 귀속과 수분양자 앞 소유권이전이 단축되어 이행되는 것으로 이해하고 있습니다.

판 례   위탁자 분양 후 수탁자 직접 소유권이전의 성격

- 대법원 2018. 12. 27. 선고 2018다237329판결

『이 사건 신탁계약 특약사항은 신탁계약의 종료에 따른 소유권이전의 절차를 간편하게 처리하기 위한 합의사항에 불과할 뿐 이를 수탁자에게 신탁부동산의 처분권을 부여하는 조항으로 해석할 수는 없다. 따라서 이 사건 소유권이전등기는 특약사항 제6조 제1항에 의하여 신탁계약의 종료에 따른 수탁자의 위탁자에 대한 소유권이전등기의무와 이 사건 매매계약에 따른 위탁자의 매수인들에 대한 소유권이전등기의무가 단축되어 이행된 것에 불과하고, 그와 달리 수탁자가 신탁계약에서 정한 바대로 이 사건 오피스텔을 처분하여 그에 따른 소유권이전등기를 한 것으로 볼 수는 없다.』[70]

---

70) [위탁자 분양 후 수탁자 직접 소유권 이전의 성격] 수탁자의 수분양자 앞 직접 소유권이전등기가, 수탁자의 처분행위에 따른 소유권이전인지, 수탁자의 위탁자 앞 소유권 귀속과 위탁자의 수분양자 앞 소유권이전등기를 단축 이행한 것인지 여부가 문제된 사안인데, 대법원은 후자로 해석하였습니다.

3. 위탁자의 수탁자에 대한 소유권이전등기청구권이 압류된 경우에도, 수탁자가 수분양자에게 직접 소유권이전등기를 할 수 있는지 여부

위탁자의 채권자가 신탁종료시 위탁자가 수탁자에 대하여 가지는 소유권이전등기청구권을 (가)압류하는 경우가 많은바, 이러한 경우에도 수탁자의 수분양자 앞 직접 소유권이전등기가 가능한지 여부가 문제됩니다.

수탁자의 수분양자 앞 직접 소유권이전등기가 수탁자의 처분행위에 따른 소유권이전이라면, 위탁자가 가지는 소유권이전등기청구권에 대한 가압류가 있더라도, 수탁자의 수분양자 앞 소유권이전등기는 원칙적으로 위 가압류에 위배되지 않습니다.

그러나 앞서 살펴본 바와 같이, 대법원은 수탁자의 직접 소유권이전등기를, 신탁 일부 종료에 따라 수탁자가 부담하는 위탁자 앞 소유권이전등기의무와 위탁자의 수분양자에 대한 소유권이전등기의무가 단축되어 이행되는 것으로 보는바, 결과적으로 이러한 단축 급부 이행은 선행 가압류에서 금지하고 있는 위탁자 앞 소유권이전행위를 포함하고 있다는 점에서 위 가압류 위반의 불법행위로 판단하고 있습니다.

대법원 판례에 따르면, 수탁자가 수분양자 앞으로 경료한 소유권이전등기 자체는 유효하지만, 이는 일종의 중간생략등기로서 부동산등기특별조치법 위반의 문제, 부동산거래신고법 위반의 문제를 야기합니다.

수탁자의 직접 소유권이전시에는 별도의 처분계약을 체결하고 소유권이전등기를 경료합니다. 사견으로는 위와 같은 소유권이전은 대내외적으로 완전한 소유권자인 수탁자의 처분행위에 따른 소유권이전으로 볼 수 있다는 생각입니다(위탁자가 체결한 분양계약은 위탁자의 이행불능으로 실효되고, 이 경우 단축되는 것은, 기존 분양계약상 분양대금의 반환, 새로운 처분계약에 따른 분양대금의 납부, 분양대금 상당의 신탁이익 교부에 이르는 순환적 자금흐름으로 볼 수 있을 것입니다).

대법원 판례 사안의 경우, 해당 신탁사는 별도의 처분계약을 체결하지 아니하고, 기존 위탁자의 분양계약서상에 수탁자 명의 인감을 날인하여 이를 등기원인서류로 제출하여 등기절차를 이행한 것으로 보이며, 이러한 잘못된 업무처리가 대법원의 판단에도 영향을 미친 것으로 의심되었습니다. 그러나 대법원은 최근, 신탁사가 별도의 처분계약을 체결했던 사안에서도 위 판결의 취지를 그대로 유지하였습니다(대법원 2022. 12. 15. 선고 2022다 247750판결 참조).

※ 대법원은 더 나아가, 수익자의 채권자가 수익자가 가지는 신탁수익청구권만을 압류한 경우에도 특별한 사정이 없는 한 그 압류의 효력은 수익자가 귀속권리자로서 가지는 신탁종료에 따른 소유권이전등기청구권에 미친다고 판단하였으며, 이와 같은 전제에서, 위탁자의 분양을 원인으로 한 수탁자의 수분양자 앞 직접 소유권이전등기는 위 신탁수익청구권 압류의 효력을 위반한 불법행위로 판단하였습니다(대법원 2018다237329판결 참조).71) 유사 사안에서 업무상 주의가 필요할 것입니다.

4. 수탁자의 수분양자 앞 직접 소유권이전 특약을 근거로 해당 수분양자가 수탁자에게 직접 소유권이전절차의 이행을 청구할 수 있는지 여부

앞서 본 바와 같이, 신탁계약상 위탁자에 의한 직접분양과 함께 수탁자의 수분양자 앞 직접 소유권이전 특약이 있는 경우, 위탁자와 분양계약을 체결한 수분양자가 위 신탁계약상 특약을 근거로 직접 수탁자에게 소유권이전절차 이행을 구할 수 있을까요. 이 경우 수분양자의 수탁자에 대한 직접 소유권이전등기청구권은 인정되지 않는다는 것이 대법원의 입장입니다.

판 례	위탁자 직접 분양 후 수분양자가 수탁자에게 소유권 이전을 청구할 수 있는지 여부

• 대법원 2013.10.24. 선고 2010다90661 판결

『"분양대금이 완납된 피분양자에게 소유권을 이전하기 위하여⋯⋯피고는 신탁해지와 동시에 피분양자에게 소유권이전등기가 되도록 하거나 피고가 피분양자에게 직접 소유권이전등기할 수 있다."고 규정하고 있는 이 사건 사업약정 제25조 제2항은 신탁계약 해지 시 수탁자인 피고가 신탁자인 ㈜○○에 대하

---

71) 대법원 판결 사안에서 문제된 압류추심결정의 주문은 단지 금전채권에 관한 지급만을 금지하고 있습니다(다만, 압류추심할 채권 기재란에서는 "⋯⋯신탁계약에 기하여 채무자가 제3채무자에 대하여 가지는 신탁수익청구권"으로 기재하고 있었음). 압류추심결정문 주문상 소유권이전을 금지하지 않고 있음에도 불구하고 소유권이전등기청구권에 대한 압류의 효력까지 인정하는 것은 다소 지나친 확장해석이 아닌지 의심스럽습니다.

여 신탁재산의 소유권을 이전하고 다시 ㈜OO로 하여금 수분양자들에게 소유권을 이전하게 하거나 피고가 직접 수분양자들에게 소유권이전등기를 마쳐 줄 수 있는 선택권을 피고에게 부여한 것일 뿐, ㈜OO와 피고가 제3자인 원고들로 하여금 피고에 대한 직접적인 소유권이전등기청구권을 취득하게 하려는 제3자를 위한 계약을 체결하려는 의사를 표시한 것이라고 볼 수 없고, 원고들이 주장하는 사유만으로는 원고들의 피고에 대한 직접적인 소유권이전등기청구권을 인정하기 어렵다.[72]

5. 수탁자의 수분양자 앞 직접 소유권이전시 부가가치세 납세의무자는

신탁재산과 관련된 재화 또는 용역 공급시 부가가치세 납세의무자는 원칙적으로 수탁자입니다. 그러나 과세당국은 위탁자 분양 후 수탁자가 수분양자 앞 직접 소유권이전등기를 하는 경우에는 위탁자를 부가가치세 납세의무자로 해석한 바 있는바, 업무처리시 주의할 필요가 있습니다.

해 석   수탁자의 직접 소유권이전시 부가가치세 납세의무자

• 국세청 사전-2019-법령해석부-0203, 2019.5.24.

『위탁자가 신탁회사와 부동산담보신탁계약을 체결한 경우로서 위탁자에게 수익권 가압류 등 제한권리 사항이 존재하여 우선수익자의 요청에 따라 수탁자가 수분양자와 소유권이전을 위한 별도의 매매계약을 체결하고 수분양자에게 소유권을 이전한 경우 부가가치세 납세의무자는 위탁자가 되는 것임』[73]

---

72) 대법원 2010다19433판결, 대법원 2018다237329판결, 대법원 2009다81289판결도 같은 취지입니다.

73) 2020년 부가가치세법 개정으로 신탁재산 관련 거래시 수탁자 과세 원칙이 확립되었고, 부가가치세는 거래외형에 대하여 부과되는 거래세인 점을 고려할 때, 수탁자가 직접 소유권이전을 위해 별도의 매매계약을 체결하고 그에 따라 소유권을 이전한 경우 부가가치세 납세의무자는 수탁자로 보는 것이 타당한 것이 아닌지 의심스럽습니다.

03 | 개발 목적 토지 담보신탁에서 주의할 사항

1. 토지에 대한 담보신탁계약에 근거하여 장래의 미완성 건축물을 신탁재산으로 편입할 수 있는지 여부

토지에 대한 담보신탁계약을 체결하면서 장래에 위탁자가 건축할 건물(미완성 건물 포함)을 사전에 신탁재산으로 편입하는 것은 어려울 것으로 생각됩니다. 토지에 대한 담보신탁계약 체결시 편입대상인 장래의 미완성 건축물을 특정할 수 없기 때문입니다. 또한, 미완성 건축물의 건축주는 위탁자인 상황에서 이를 신탁재산에 속하는 재산으로 공시하기도 어려워 제3자에게 대항할 수도 없을 것으로 생각됩니다.

2. 토지에 대한 담보신탁이후 미완성 건축물을 토지와 함께 처분할 수 있는지 여부(미완성 건축물 소유권 귀속의 문제)

미완성 건축물은 "최소한의 기둥과 지붕 그리고 주벽이 이루어지면" 토지와 독립된 부동산으로 취급됩니다(대법원2000다51872판결 등 다수). 토지에 부합되는 정도를 넘어 위 단계에 이른 미완성 건축물은 특별한 사정이 없는 한 신탁재산으로 볼 수 없고, 사업주체인 위탁자의 소유라고 할 것입니다.[74]

따라서 신탁계약에 따른 환가사유 발생시 신탁재산과 위탁자 소유의 미완성 건물을 일괄처분하기 위해서는 별도의 처분 근거조항이 필요합니다.

> 예시 개발 목적 토지 담보신탁의 환가특약
>
> 제O조 (신축건물에 대한 특칙)
> ① "위탁자"는 본 신탁부동산 위에 신축되는 건물의 소유권이전등기가 가능한 시점에 즉시 이를 "수탁자"에게 추가신탁하여 신탁재산에 편입하기로 한다.

---

74) Chapter 1. N.11. "신탁이 제한되는 부동산" ③ 미완성건물 참조

② 제2항에 따른 신축건물 추가신탁 이전에 특약사항 제O조에 따라 신탁부동산 처분 사유가 발생하는 경우, "수탁자"는 신탁부동산 지상에 존재하는 미완성 건축물과 관련 인허가권을 본건 신탁부동산과 함께 일괄 처분할 수 있고(이를 위해서 "위탁자"는 본 신탁계약의 체결로써 "수탁자"에게 미완성 건축물과 관련 인허가권 매각에 필요한 일체의 권한을 부여·위임한 것으로 간주한다), 전체 처분대금은 본계약 제O조, 특약사항 제O조에서 정한 바에 따라 정산하기로 한다.

실무   담보신탁 후 위탁자가 건축한 미완성건물 처분시 주의사항

• 미완성 신축건물이 최소한의 기둥과 지붕 그리고 주벽을 갖추면 토지에 부합되는 단계를 넘어서 토지로부터 독립된 건물로 취급됩니다. 이러한 미완성 건물은 공시가 되지 않을 뿐 건축주의 소유이기 때문에, 보존등기 및 신탁등기를 경료하기 전까지는 신탁재산에 편입된 것으로 볼 수 없습니다.[75]

• 이러한 미완성 건축물을 수탁자가 매각한다면, 이는 타인권리의 매매에 해당됩니다. 수탁자는 신축건물에 대한 소유권을 이전받은 후 다시 이를 매수인에게 이전할 의무를 부담하며, 이를 이행하지 못할 경우에는 손해배상의 책임을 부담할 수 있습니다.

• 물론, 상기 특약사항 환가조항 예시안에 따라 위탁자로부터 매각권한을 위임받아 매각을 대행할 수는 있을 것이나, 이 경우 위탁자로부터 건축주명의 변경절차를 이행받거나 소유권이전을 받는 것은 매수인의 책임과 비용으로 처리할 문제라는 점을 매각공고문 등에서 분명하게 밝혀야 할 것입니다.

3. 신탁재산 환가시 인허가권 양수도의 문제

토지와 미완성 건물을 환가하는 경우라도, 위탁자가 기존 건축주 명의 등

---

75) 건물 전체에 대한 골조 및 조적 공사가 완료된 경우(지번, 구조, 면적 등이 건축허가 내용과 사회통념상 동일하다고 인정되는 경우)에는 보존등기가 가능합니다. 우선수익자는 미완성 건물에 대하여 가압류 등 신청이 가능하고, 가압류 집행법원의 촉탁에 따른 보존등기가 경료될 수 있습니다. 나아가 위탁자의 협조가 가능하다면, 신탁사 앞 소유권이전등기 및 신탁등기 경료가 가능할 것입니다. 이와 같이 미완성 건물을 신탁하면 이후 신탁재산 공매는 수월하게 진행할 수 있을 것입니다.

인허가권 양수도에 협조하지 않는다면, 이 역시 환가에 있어서 사실상 제한요인이 될 것입니다. 인허가권 양수도에 필요한 서류들을 사전에 징구하고, 필요한 경우 주기적으로 업데이트하는 것이 필요하나, 이는 가급적 우선수익자 또는 매수인에게 책임을 전가하는 것이 바람직할 것으로 생각됩니다.

4. 신탁재산인 토지에 대한 환가와 집합건물법상 분리처분 금지의 원칙 - 토지만을 처분하는 경우, 토지만을 신탁받는 경우

담보신탁을 통한 개발사업으로 집합건물을 신축 중에 위탁자의 기한의 이익이 상실된 경우 담보신탁계약상 환가처분조항에 따라 수탁자가 토지를 처분하는 것은 가능할까요.

대법원 2010다15158판결은 신탁계약 및 수탁자의 사용승낙서에 따라 위탁자가 가지는 채권적 토지사용권도 집합건물법의 대지사용권이 될 수 있으나, 담보신탁계약상 환가사유가 발생하여 토지를 처분한 경우 위 토지사용권은 소멸하고 더 이상 전유부분을 위한 대지사용권이 될 수 없다고 판단하였습니다. 나아가 위와 같은 경우 구분소유자가 아닌 신탁회사가 토지를 처분한 것이 집합건물법상 대지사용권의 분리처분에 해당한다고 볼 수 없다고 판시하였습니다.[76] 그러나 위탁자에 의한 분양계약 체결 후 담보신탁에 따른 환가사유가 발생하였다면, 수분양자 보호를 위해 특약으로 우선수익자의 환가요청권을 제한할 필요가 있다고 생각됩니다(아래 5.항 참조).

한편, 최근 대법원은 1동의 건물이 존재하고, 구분된 건물부분이 구조상·이용상 독립성을 갖추었고, 건축허가신청이나 분양계약 등을 통해 신축건물을 구분건물로 하겠다는 구분의사가 객관적으로 표시된 경우, 집합건축물대장 등록 전일지라도 미완성 건물의 전유부분에 대한 구분소유권이 성립되고 이후 대지의 처분행위는 집합건물법상 대지사용권 분리처분 금지조항에 위반되어 효력이 없다면서, 선분양 건물의 공사가 중단 상태에서 토지에 대한 신탁행위를 무효로

---

76) Chapter 7. N.6. "집합건물법상 대지권 관련 판례" 참조

판단하였습니다(대법원 2010다71578판결 참조).

5. 신탁재산 환가시 수분양자의 보호 문제

수분양자가 있는 경우 담보신탁계약에 따른 환가처분은 제한할 필요가 있습니다. 특히나 분양수입금을 통해 해당 개발사업 PF대출원리금이 상환되는 구조라면, 분양 부분을 환가하여 그 환가대금으로 다시 PF대출원리금을 우선상환하는 것은 매우 불공정한 결과를 초래합니다. 따라서 분양계약 체결 분에 대하여는 우선수익자의 환가요청권을 제한하는 것이 타당하며, 적법한 분양계약 해제절차를 거쳐 기 분양부분까지 환가한 경우에는 그 처분대금 정산시 해당 수분양자의 분양대금 반환을 선순위로 인정할 필요가 있습니다.

이와 관련하여, 미분양건물을 처분하여 정산하는 경우와 달리 이미 분양된 건물 부분을 처분하여 정산하는 경우에 있어서 수분양자에 대하여 부담하는 분양대금 반환채무는 우선수익자의 채권보다 선순위로 정산하여야 할 채무라는 것이 대법원 판례의 태도입니다(대법원 2008다19034판결 참조).[77]

예시　　토지 담보신탁 환가시 수분양자 보호 특약

제O조 (신탁부동산의 처분 등) ⑤ 우선수익자는 제1항 각 호의 사유가 발생하더라도 특약사항 O조에 따라 "위탁자"가 우선수익자의 동의를 받아 분양계약을 체결한 신탁부동산에 대하여는 본조에 따른 처분요청을 할 수 없다(단, 적법한 절차에 의하여 분양계약이 해제된 경우 해당 신탁부동산은 처분이 가능하며, 이 경우 처분대금 정산시에는 수분양자에 대한 분양대금반환금을 우선수익자의 채권보다 우선하여 반환하기로 한다).

---

77) Chapter 7. N.5. "담보신탁 공매시 분양대금반환금 정산 순서" 참조

04 분양수입금은 신탁재산인지 여부

1. 신탁사무로서 수탁자가 신탁부동산을 분양·처분한 경우

신탁사무로서 수탁자가 신탁부동산을 분양·처분한 경우(토지신탁의 경우, 담보신탁 공매의 경우) 그 분양수입금 또는 처분대금은 신탁재산입니다(신탁법 제27조 참조). 이러한 '신탁재산에 속하는 금전'의 운용방법 및 관리·집행 방법은 자본시장법과 당해 신탁계약서에서 정한 바에 따라야 합니다.

2. 위탁자가 우선수익자 등의 동의를 받아 신탁부동산을 분양·처분한 경우

담보신탁이나 처분신탁에서 위탁자가 우선수익자 등의 동의를 받아 신탁재산에 대한 분양(처분)계약을 하고, 그 분양수입금을 수탁자가 관리하는 경우가 있고,[78] 이러한 경우 분양수입금이 신탁재산인지 여부에 대하여 수많은 논쟁이 있었습니다. 이 경우 위탁자는 신탁 해지 조건부로 장래 위탁자에게 귀속될 신탁부동산에 대한 분양(처분)계약을 하는 것으로서 그 분양수입금은 위탁자에게 귀속되는 것이나, 우선수익자의 이익을 위해 수탁자가 단순 자금관리 대리사무를 수행하는 것에 지나지 않는다고 할 것입니다. 따라서 위탁자가 분양을 하는 경우 그 분양수입금은 신탁재산이 아니라고 할 것입니다.

___판례___   위탁자 분양에 따른 분양수입금이 신탁재산인지 여부

• 대법원 2014. 11. 17. 선고 2012다21621판결

『수분양자가 자신이 분양받은 오피스텔의 매매대금을 피고 계좌에 완납함과 동시에 위탁자가 이 사건 부동산담보신탁계약 중 위 오피스텔에 관한 부분을 일부 해지하여 그 앞으로 소유권을 회복한 후 다시 수분양자에게 소유권이전

---

78) Chapter 3. N.2. "담보신탁 부동산에 대한 위탁자 직접 분양의 문제" 참조

등기를 마쳐줄 의무를 부담하는 이 사건 매매계약의 각 내용과 성격에 비추어 볼 때.....이 사건 오피스텔에 관한 분양수입금은 위탁자와 피고 사이에 체결된 자금관리 대리사무계약에 의하여 피고가 관리함으로써 대주들의 대출원리금 회수가 보장되도록 하였을 뿐 신탁재산이 아니라 위탁자의 재산으로 봄이 타당하다.」[79]

이론 　　동일 재산에 대한 신탁사무와 대리사무는 양립불가

수탁사무는 수탁자에게 귀속되는 신탁재산에 대한 사무이고, 대리사무는 위임자에게 귀속되는 위탁재산에 대한 사무라는 점에서 양자의 본질적인 차이가 있습니다. 대리사무로서 보관·관리하는 재산은 신탁재산이 될 수 없는 것이고, 신탁재산에 속하는 금전에 대하여는 대리사무가 성립할 수 없는 것입니다. 따라서 담보신탁 등에서 위탁자가 분양을 하는 구조에서 그 분양수입금을 수탁자가 관리·집행하는 경우에는 별도의 대리사무계약을 체결하여야 합니다. 불가피한 사정으로 신탁계약 특약조항에서 분양수입금에 대한 관리조항을 둘 경우, 신탁재산에 속하는 환가대금에 대한 관리조항과 명확히 구별하여 혼선을 피할 필요가 있습니다.

---

79) 서울중앙법원 2012나46537판결, 서울고등법원 2008나5549판결, 부산고등법원(창원) 2010나4298판결 등도 같은 취지입니다.

05 물상보증인이 위탁자인 담보신탁에서 환가 및 정산방법

　　대법원은 동일 채권 담보 목적으로 채무자와 채무자가 아닌 자가 공동으로 자신들의 부동산을 담보신탁하였고, 이후 신탁부동산 공매절차가 진행되어 공매대금을 정산하는 경우, 우선 채무자가 신탁한 부동산 부분의 처분대금에서 대출기관에 대한 수익금을 공제하는 방식으로 대출금을 상환하여야 한다고 보았습니다. 유사 사례가 발생할 수 있으므로 유의하시기 바랍니다.

판례　　채무자와 물상보증인의 공동 담보신탁시 환가대금 정산방법

• 대법원 2014. 2. 27. 선고 2011다59797판결

『자신의 채무를 담보하기 위하여 부동산을 신탁하는 위탁자는 그 신탁부동산의 처분대금이 채무의 변제에 충당된다는 것을 당연한 전제로 하는 반면, 다른 사람의 채무를 담보하기 위하여 부동산을 신탁하는 위탁자는 채무자가 신탁한 부동산의 처분대금으로 채무가 전부 변제된다면 자신이 신탁한 부동산이나 그에 갈음하는 물건은 그대로 반환된다는 것을 전제로 하여 신탁계약을 체결하였다고 봄이 당사자의 의사에 부합하는 점.....우선 채무자가 신탁한 부동산의 처분대금에서 우선수익자에 대한 수익금을 공제하는 방식으로 대출금을 상환하여야 한다

사례　채무자와 물상보증인의 공동 담보신탁시 환가대금 정산 방법

ex) A의 갑(우선수익자)에 대한 채권(20억원)을 담보하기 위하여, A와 B가 각각의 부동산 X, Y를 담보신탁하였고, 이후 공매절차에서 X, Y가 각 15억 원, 10억 원에 매각된 경우

⇨ 전체 매각대금 (25억 원) 중 20억 원을 갑에게 배당하고, 나머지를 매각대금 비율로 안분해서 A, B에게 배당 (X)

⇨ 매각대금 정산시 먼저 X부동산 매각대금(15억 원)을 갑에게 전액 배당하고, Y부동산 매각대금 중 5억 원을 갑에게 배당하며, Y부동산 매각대금 잔액은 B에게 배당 (O)

06

공매유찰에 따른 수의계약의 문제

1. 공매유찰에 따른 수의계약 체결시 주의할 사항은

담보신탁부동산의 환가시 위탁자의 이해가 걸린 가장 예민한 문제는 환가금액의 적정성 여부입니다. 공매절차는 신탁부동산 환가금액의 적정성을 담보하기 위한 제도입니다.

통상적으로 공매유찰시에는 최종 유찰가에 따른 수의계약을 인정하는데, 공매유찰 후 지나치게 오랜기간이 도과된 후 접수된 수의계약 신청에 응하여야 하는지 여부가 문제되는 경우가 많습니다.

부동산 가격의 시장변동성을 고려할 때, 수의계약 체결이 최종 공매 유찰시점으로부터 어느 정도의 즉시성을 가지고 있지 않다면, 그 최종 유찰가에 따른 수의계약을 적정금액의 환가로 인정하기 어려울 것입니다. 물론, 수의계약의 시간적 한계에 대하여 객관적인 기준을 제시하기는 어려운 일이나, 공매유찰 후 3개월 이상 경과하였다면 시장가격의 변동 요인을 확인하고 변동성이 없다는 객관적인 자료가 있는 경우에만 수의계약에 응하고, 그렇지 않은 경우에는 원칙적으로 재공매 절차를 진행하도록 정하는 것이 타당할 것으로 생각됩니다.80)81)

2. 공매절차 없이 수의계약 진행시 주의할 사항은

---

80) 공매공고시 수의계약 체결이 가능한 시한을 명시하는 방안도 생각해 볼 수 있습니다. 매각대상 물건의 특성을 고려하여, "최종 공매 종료일로부터 O개월이 되는 날까지"와 같이 수의계약 체결 가능 시한을 명시할 수 있을 것입니다.

81) 특히 사업부지의 경우, 개발가능성 여부 및 사업성 변화에 따른 가격변동성이 크고, 적정가격에 대한 객관적인 자료 수집이 어려우며, 거래규모상 이해관계인에 미치는 영향이 큰 점을 고려하여 수의계약에 각별히 주의할 필요가 있습니다.

담보신탁계약 체결시 공매절차를 거치지 아니하고 우선수익자 요청에 따라 수의계약이 가능하도록 정하는 경우에는, 수의계약이 가능한 최소 처분금액의 기준(ex. '최초 분양가' 또는 '수의계약 체결 전 6개월 내 감정가'의 90% 이상 등)을 미리 정하여 위탁자와의 분쟁가능성을 사전에 방지하여야 합니다.

신탁계약상 수의계약이 가능한 최소 처분금액의 기준이 없는 경우 우선수익자의 수의계약 요청이 있다면 어떻게 해야할까요. 객관적인 시가자료나 감정평가서(토지의 경우에는 복수의 감정평가서로 평균가액을 산정)를 통해 처분금액의 적정성이 인정되지 않는다면 수의계약 요청을 거부하고 공매절차를 진행하는 것이 바람직합니다. 만일, 우선수익자가 자신의 피담보채권액에도 미치지 못하는 처분금액으로 수의계약을 요청하는 경우라면, 감정평가 등을 거치지 않고 수의계약이 가능할까요. 이 경우에도 처분금액이 객관적인 시장가치나 감정가액에 많이 미치지 못한다면 위탁자에 대한 선관주의의무 위반으로 볼 수밖에 없습니다(우선수익자에 대한 자신의 채무액이 어느 정도 변제되는지 여부는 위탁자에게 중요한 이익이기 때문입니다).

실무　　위탁자 수익채권 (가)압류 상태에서의 수의계약

• 위탁자의 수익채권에 대한 (가)압류가 있는 경우에도, 우선수익자 요청 및 위탁자 동의하에 신탁부동산에 대한 환가 목적의 수의계약을 추진하는 경우가 있습니다. 이 경우 위 (가)압류 채권자로부터 환가금액의 적정성에 대한 이의제기 가능성이 있습니다. 실제 위탁자와 우선수익자가 공모하여 헐값으로 수의계약을 추진할 가능성을 배제할 수도 없고, 법률적으로 위탁자는 (가)압류 결정에 의하여 수익채권에 대한 처분권한을 잃게 된다는 점에서 위와 같은 수의계약 체결에 동의할 권한이 있는지 의심스러운 부분이 있습니다. 따라서 이 경우 수의계약 요청 처분금액의 적정성이 객관적인 자료로 담보되지 않는다면, '공매방식'으로 환가를 진행하는 것이 적정한 업무처리가 될 것입니다.

07

매매계약의 해제시 주의사항

1. 매매계약 해제시 필요한 이행의 제공

쌍무계약의 당사자 일방은 상대방이 채무이행을 제공할 때까지 자기의 채무이행을 거절할 수 있습니다(동시이행의 항변권, 민법 제536조). 이에 따라 매수인의 잔금 지급 지체를 이유로 매매계약을 해제하고자 할 때에는 매도인도 자신의 채무(소유권이전의무)에 대한 이행의 제공을 해야 합니다.

확립된 대법원 판례에 의하면, 쌍무계약인 부동산 매매계약에서 매도인이 매수인에게 지체의 책임을 지워 매매계약을 해제하려면 매수인이 이행기일에 잔대금을 지급하지 아니한 사실만으로는 부족하고, 매도인이 소유권이전등기신청에 필요한 일체의 서류를 상대방이 수리할 수 있을 정도로 준비하여 그 뜻을 상대방에게 통지하여 수령을 최고함으로써 이행의 제공을 하여야 합니다(대법원 2007.06.15. 선고 2007다4196 판결 등 다수).

2. 담보신탁 부동산 매각 후 매매계약 해제시 주의사항

담보신탁 부동산에 대한 공매 진행 후 매매계약을 체결 후, 매수인의 잔금 지급 지체로 매매계약을 해제하고자 이행최고를 할 때에는, 매도인의 인감증명서 등 소유권 이전에 필요한 일체의 서류를 준비한 사실을 알리고 이를 수령할 것을 반드시 최고하여야 합니다. 이행최고시 이와 같이 단순한 구두제공의 문언을 누락하여 해제의 적법성 여부에 대한 분쟁이 발생하지 않도록 유의하기 바랍니다.82)

---

82) 신탁사가 공매절차를 거쳐 체결하는 매매계약서는 일반적인 경우와 달리 매수인의 잔금완납의무를 매도인의 소유권이전의무보다 선이행의무로 정하는 경우가 있습니다. 이러한 경우 매수인의 동시이행항변권이 인정되지 않으므로 매매계약 해제를 위한 이행최고시에도 소유권이전의무에 대한 이행의 제공이 필요치 않다는 견해가 있습니

3. 토지신탁사업에서 공급계약 해제시 주의사항

토지신탁사업을 통해 신축하는 물건에 대한 공급계약의 경우는, 일반적인 매매계약과 달리, 수분양자의 분양대금잔금 지급의무를 선이행의무로 정하는 경우가 많습니다. 그러나 실무적으로는 이러한 공급계약의 해제 목적으로 이행최고를 하는 경우에도 소유권이전의무에 대한 구두제공 및 수령 최고를 함께 하는 것이 바람직합니다.

판례   아파트공급계약상 잔금납부의무가 선이행의무인지 여부

• 대구고등법원 2010나5633 판결

『분양계약서 제6조 제2항은 '수분양자가 공급금액 및 기타 납부액을 완납하고 소유권보존등기가 완료되는 날로부터 60일 이내에 수분양자의 비용으로 소유권이전등기를 필하여야 하며, 수분양자가 이전절차를 완료하지 않음으로써 발생한 제반 피해 및 공과금은 수분양자가 전액 부담하여야 한다'고 정하고 있는바.... 위 잔금 납부의무는 특별한 사정이 없는 한 수분양자의 선이행의무로 해석되고.....위 소유권이전등기에 관한 규정은 수분양자의 등기인수의무에 관하여 규정한 것으로 볼 수밖에 없다』

다. 실제 이러한 견해를 긍정한 하급심 판결도 있었습니다(서울중앙지방법원 2018. 11. 29. 2018카합21683결정). 그러나 이러한 법리해석이 충분히 확립되기 전까지는, 매매계약 해제 업무 처리시에는 보수적으로 소유권이전의무에 대한 이행의 제공을 하기 바랍니다.

1. 신탁법 제103조에 의하면, 신탁 종료시 수탁자는 신탁사무에 관한 최종 계산을 하고 수익자 등의 승인을 받아야 합니다. 최종 계산에 대한 승인을 받으면 수익자 등에 대한 책임이 면제된다는 점에서, 최종계산에 대한 승인절차를 누락하지 않도록 주의하여야 합니다.

법령 신탁법

제103조(신탁종료에 의한 계산) ① 신탁이 종료한 경우 수탁자는 지체 없이 신탁사무에 관한 최종의 계산을 하고, 수익자 및 귀속권리자의 승인을 받아야 한다.

② 수익자와 귀속권리자가 제1항의 계산을 승인한 경우 수탁자의 수익자와 귀속권리자에 대한 책임은 면제된 것으로 본다. 다만, 수탁자의 직무수행에 부정행위가 있었던 경우에는 그러하지 아니하다.

③ 수익자와 귀속권리자가 수탁자로부터 제1항의 계산승인을 요구받은 때부터 1개월 내에 이의를 제기하지 아니한 경우 수익자와 귀속권리자는 제1항의 계산을 승인한 것으로 본다.

2. 담보신탁부동산의 공매 및 정산시, 관행적으로 공매결과 및 정산내역만을 통보하는 경우가 많습니다. 신탁법 제103조 제3항에 따라 신탁사무에 관한 최종 계산에 대한 승인을 요청하고 1개월 도과시 최종 계산에 대한 승인이 간주될 수 있도록 업무처리하시기 바랍니다.

1. ......담보신탁계약과 관련하여 신탁부동산에 대한 공매 결과 및 그에 따른 신탁수익 정산내역을 통지합니다. 아울러 본건 담보신탁은 아래 공매에 따라 신탁 목적 달성으로 종료하는바, 신탁사무 및 신탁수익에 대한 최종 계산은 아래 정산내역으로 갈음하고자 합니다.

2. 본 통지서 수령일로부터 1개월 내에 본건 신탁사무 및 신탁수익에 대한 최종 계산을 승인하여 주시기 바랍니다. 위 기한 내에 회신이 없을 경우 신탁법 제103조 제3항에 따라 본건 최종 계산을 승인한 것으로 간주하니 업무에 참고하시기 바랍니다.

- 아 래 -

1. 신탁 개요
2. 신탁부동산에 대한 공매 결과
3. 신탁수익 정산내역
4. 기타

09

건축법 위반에 따른 이행강제금

1. 담보신탁받은 토지 위에 위탁자 등이 불법 건축물을 신축하였고, 관할 구청에서 이를 원인으로 원상복구 명령 및 이행강제금을 부과한 경우

　　건축법 제79조는 위법건축물에 대한 시정명령의 대상자를'그 건물의 건축주, 공사시공자, 현장관리인, 소유자, 관리자 또는 점유자'로 정하고 있습니다. 행정청에서 위 조항의 시정명령 대상자인 '소유자'에 '토지의 소유자'가 포함되는 것으로 보고, 토지를 신탁받은 신탁회사를 상대로 시정명령을 부과하는 경우가 있습니다.

> **법령**　건축법
>
> **제79조(위반 건축물 등에 대한 조치 등)** ① 허가권자는 대지나 건축물이 이 법 또는 이 법에 따른 명령이나 처분에 위반되면 이 법에 따른 허가 또는 승인을 취소하거나 <u>그 건축물의 건축주·공사시공자·현장관리인·소유자·관리자 또는 점유자(이하 "건축주등"이라 한다)</u>에게 공사의 중지를 명하거나 상당한 기간을 정하여 그 건축물의 철거·개축·증축·수선·용도변경·사용금지·사용제한, 그 밖에 필요한 조치를 명할 수 있다.

　　건축법 제79조에서 위법건축물에 대한 시정명령 대상자로 정하고 있는'소유자'는 그 문언 기재상 객관적으로 '건축물의 소유자'를 의미하는 것인바, 여기에 토지의 소유자까지 포함되는 것으로 해석하는 것은 법률해석의 한계를 넘어서는 해석으로 보입니다.[83]

---

83) 이와 관련하여, 일부 지자체에서는 토지소유자인 신탁사에게 위법건축물에 대한 시정명령을 내리면서, "대지가 건축법상 규제에 위반되는 경우 그 대지의 소유자에게 시정명령을 부과하여야 하는 점을 고려할 때 건축법 제79조의'소유자'는'토지의 소유자'를 포함하는 개념"이라는 취지의 주장을 한 바 있습니다. 그러나 건축법 제35

- 대구고등법원 2008누1253판결

『건축법 제79조는 시정명령과 이행강제금의 부과대상을 '건축물의 건축주·공사시공자·현장관리인·소유자·관리자·점유자'라고 규정하고 있는바, (토지소유자인) 원고들이 위 대상자에 해당되지 않음은 분명하고, 이 사건 (토지) 소유자인 원고들이 건물의 소유자에게 철거를 요구할 권원을 가지고 있고, 건물로 인하여 다소 경제적인 이익을 얻고 있다 할지라도 건축물을 사실상 지배하면서 사용, 관리하는 자를 의미하는 '관리자 또는 점유자'로도 보기 어려워 이행강제금의 부과대상자가 아니다.』[84]

재결   위반 건축물에 대한 건축법상 시정명령 대상자

- 대전광역시행정심판위원회 2013-00049 , 2013.06.28.

위반건축물을 철거하라는 내용의 시정명령의 경우에는 위반건축물의 건축주·공사시공자·현장관리인·소유자·관리자 또는 점유자 중에서 그 건축물을 철거할 수 있는, 즉 그 건축물에 대한 처분권을 가진 건축주나 소유자에게만 할 수 있다고 할 것이다. 이 사건의 경우 위반건축물이 있는 토지의 소유자에 불과한 청구인은 위반 건축물의 건축주·공사시공자·현장관리인·소유자·관리자 또는 점유자에 해당하지 않고 위반건축물을 철거할 수 있는 법적 지위에 있지도 않으므로 청구인에게 이 사건 위반 건축물의 원상회복(철거)을 명하는 피청구인의 이 사건 처분은 위법하다.

조는 대지를 법률 규정(건축법 제40조 내지 제47조)에 적합하도록 유지·관리해야 할 의무부담주체를 대지의 소유자가 아니라 건축물의 소유자로 규정하고 있습니다. 즉, 건축법상 위법대지에 대한 시정명령의 상대방은 대지의 소유자가 아니라 해당 위법대지가 있는 건축물의 소유자인 것입니다. 건축법 제79조의 소유자에 대지의 소유자가 포함된다는 해석은 어느모로 보아도 근거가 없다고 할 것입니다.

84) 2017경기행심1262 이행강제금 부과처분 취소 청구사건(신탁사가 처분신탁받은 토지상에 성명불상자들이 위법건축물을 무단증축하자, 관할 구청장이 신탁사에게 시정명령 및 이행강제금을 부과한 사안)에서도 위 고등법원 판시를 그대로 원용하여 신탁사 주장대로 이행강제금 부과처분을 취소한 바 있습니다.

결국, 신탁받은 토지 위에 위탁자 등이 불법으로 건축물을 신축한 경우, 건축법상 시정명령 및 이에 기초한 이행강제금 부과 대상자는 위탁자이지 수탁자가 아니라고 할 것입니다. 신탁사를 상대로 시정명령 또는 이행강제금 부과처분이 있다면, 이에 대하여는 적극적인 이의제기로 다투어야 할 것입니다.

2. 담보신탁받은 건물에, 위탁자가 불법 증축을 하였고, 관할 구청에서 이를 원인으로 수탁자에게 시정명령 및 이행강제금을 부과한 경우

신탁으로 인하여 수탁자는 대내외적으로 완전한 소유권자이므로, 원칙적으로 위탁자가 불법 증축한 부분을 시정할 수 있는 법률적 권한이 있습니다. 이 경우 수탁자에 대한 시정명령 및 이행강제금 부과를 다투기는 쉽지 않습니다.

위의 경우 신탁사로서는, ①신탁계약상 신탁부동산의 점유 및 사용·관리는 위탁자의 권한이며, 해당 신탁조항은 등기부의 일부인 신탁원부로 공시되어 있는 점, ②위탁자 등이 점유 사용 중인 불법 건축물 부분에 대하여 신탁사가 임의로 점유를 참탈하여 원상회복을 할 수 없는 점을 고려할 때, 이 경우 원상회복을 명하는 시정명령은 사실상 불법인 행위를 명령하는 것으로서 부당한 점, ③위탁자는 행위자로서 시정명령의 대상이 되는바, 위탁자에 대한 시정명령으로써 행정목적을 충분히 달성할 수 있는 점 등을 의견 개진하여 관할 행정청을 설득할 필요가 있습니다.

10

신탁 전 설정된 근저당권에 기한 임의경매

신탁부동산에 대하여 신탁 전에 설정된 근저당권에 기한 경매절차가 진행될 경우 주의할 사항이 있습니다.

신탁법 제48조는 경매 및 국세징수법에 따른 공매절차에서 수탁자가 지출한 필요비 또는 유익비에 대한 비용상환청구권의 우선변제를 인정하고 있습니다. 만일, 신탁 전 설정된 근저당권에 기한 경매절차가 개시된다면, 배당요구 종기까지 필요비 또는 유익비에 대한 비용상환청구권에 기초한 배당요구를 하여야 합니다.

또한, 신탁 전 설정된 근저당권에 기한 경매절차가 개시되면, 위탁자의 채권자들의 배당요구 및 조세채권에 기한 교부청구가 있을 수 있는바, 이러한 배당요구 및 교부청구가 적법한 것인지 검토하고 부당한 배당요구 및 교부청구가 있는 경우 집행법원에 '배당·교부 배제 의견서'를 제출하여야 합니다.

실무 신탁 전 저당권에 기한 경매시 배당요구 또는 교부 청구가 가능한 채권

- 신탁 전 설정된 저당권에 기하여 진행된 신탁재산에 대한 경매절차에서 배당받을 수 있는 채권으로는, ①'신탁 전에 설정된 저당권·전세권으로 담보되는 채권', ②'대항력 있는 임대차의 임대차보증금 반환채권', ③'수탁자가 납세의무자인 각종 조세공과금채권', ④'신탁 전에 (가)압류 등기를 경료한 일반채권' 등이 있을 수 있습니다.

- 이에 해당하지 않는 위탁자의 일반채권(신탁 이후 수탁자 동의 없이 설정된 임대차보증금반환청구권 포함), 위탁자가 납세의무자인 조세채권 등은 신탁재산의 경매대금에서 배당받을 수 없으므로 위 채권자들의 배당요구가 있었다면 이에 대한 배당이의가 필요한 것입니다.

만일, 배당·교부 배제에 대한 의견서 제출을 하지 못했다면, 배당기일에 출석하여 이의를 진술하고, 청구이의의 소 또는 배당이의의 소를 제기하여야 합니다(배당이의의 소를 제기하면 해당 배당액은 공탁됩니다. 배당이의를 하지 않더라도 배당실시 이후에 부당이득 반환청구를 할 수 있으나, 이 경우에는 승소하더라도 집행 및 회수에 어려움이 있을 수 있습니다).

따라서 집행법원으로부터 배당기일 통지를 받을 때에는 지체없이 위탁자 및 수익자에게 그 사실을 알리고 배당에 대한 이의제기 여부를 확인받는 것이 중요하다고 할 것입니다.

판례	신탁재산 경매시 위탁자에 대한 조세채권에 기한 배당요구가 가능한지 여부

- 대법원 2012.07.12. 선고 2010다67593 판결)

『위탁자에 대한 조세채권에 기하여는 수탁자 소유의 신탁재산을 압류하거나 그 신탁재산에 대한 집행법원의 경매절차에서 배당을 받을 수 없는데도, 이와 달리 위탁자인 갑 회사에 대한 재산세 및 가산금 채권이 신탁법 제21조 제1항 단서의 '신탁사무의 처리상 발생한 권리'에 해당하여 수탁자인 을 회사 소유의 신탁재산에 대한 경매절차에서 배당받을 수 있다고 본 원심판결에 법리오해의 위법이 있다.』

11

정비사업조합과 신탁

1. 정비사업조합으로부터 재신탁을 받기 위해 필요한 절차는?

정비사업 실무상 정비사업조합은 정관 등에서 조합원의 신탁의무를 정하고 있고, 이를 근거로 조합원들로부터 그 소유 토지 등에 대한 신탁을 받고 있습니다.

그렇다면 조합원 소유의 토지 등을 신탁받은 정비사업조합으로부터, 신탁 방식 정비사업 진행을 위해서, 또는 담보신탁 등을 위해서, 신탁사가 재신탁을 받기 위해서는 어떤 절차가 필요할까요. 등기 선례상으로는 조합원 전원의 개별 동의서가 필요하다고 합니다.

| 선례 | 정비사업조합의 재신탁시 조합원 전원의 동의서가 필요한 것인지 여부 |

• 제정 2014. 3. 20. 등기선례 제201403-4호

『신탁법 제71조의 '수익자가 여럿인 신탁'이란 하나의 신탁행위에 의하여 수인이 수익자로 지정되는 신탁을 말하므로, 수인의 조합원이 스스로를 수익자로 지정하여 재건축조합에 각각 신탁을 설정하는 것은 신탁법 제71조의 '수익자가 여럿인 신탁'에 해당하지 아니한다. 수인의 조합원으로부터 각각 신탁을 설정받은 주택재건축조합이 신탁재산을 재신탁하는 경우에는 신탁행위로 달리 정한 바가 없다면 각 신탁계약의 수익자 즉, 조합원 전원의 동의서(인감증명 첨부)를 첨부정보로서 제공하여야 하고, 신탁법 제71조 에 따른 수익자집회의 결의로써 수익자의 동의를 갈음할 수 없다.』[85]

---

85) [정비사업조합에 대한 조합원들의 신탁의 성격] 사견으로는, '수익자가 여럿인 신탁'이 꼭 하나의 신탁행위로 설정되어야 하는 것은 아니라고 생각됩니다. 다수 위탁자가 동일한 사업 목적으로 순차적인 신탁행위를 통해 기존에 형성된 신탁재산에 새로운 재산을 순차적으로 편입하는 방법으로 '수익자가 여럿인 신탁'이 설정될 수 있다고 생각합니다. 정비사업조합에 대한 조합원들의 신탁은, 정비사업이라

2. 정비사업 준공인가 및 이전고시를 거쳐 정비사업조합이 취득하여 보존등기를 경료한 일반분양분에 대한 담보신탁시 필요한 절차는?

정비사업조합 앞으로 보존등기를 경료한 일반분양분에 대한 담보신탁을 하고자 하는 경우에도 조합원 전원의 동의가 필요할까요. 아직 이에 대한 유권해석이나 판례는 발견되지 않으나, 정비사업에 대한 준공인가 및 이전고시 후 정비사업조합 명의로 취득한 일반분양분의 경우는 사업비 충당을 위해 정비사업조합에게 귀속되는 체비지로 간주되는 점(도정법 제87조 제3항 참조)을 고려할 때, 이전고시 후 보존등기를 마친 일반분양분은 신탁재산이 아니라 조합의 고유재산으로 보는 것이 합당할 것 같습니다.

그렇다면, 정비사업조합이 취득하여 보존등기를 경료한 일반분양분에 대한 담보신탁시에는, 조합이 고유재산을 신탁하는 것으로 보고 조합재산 처분(신탁)에 필요한 의사결정절차(정관상 정함이 없으면 조합 총회)를 거치는 것으로 충분하지 않을까 생각됩니다.

3. 기타 – 조합원 지위 변동에 따른 문제들

우선, 조합원이 분양신청을 하지 아니하여 조합원 지위를 상실한 경우, 사업시행자는 손실보상에 관한 협의를 하여야 하며, 협의불성립시에는 매도청구소송을 통해 소유권이전을 받을 수 있습니다(도시정비법 제73조 제1항, 제2항 참조).[86]

는 하나의 동일한 사업 목적을 가지고, 조합원들이 순차적으로 해당 사업에 필요한 재산을 정비사업조합에 출연하는 것을 내용을 하는 신탁입니다. 이는 '수익자가 여럿인 신탁'으로 보는 것이 타당하다고 생각됩니다. 이런 견지에서 정비사업조합은 신탁법 제71조 내지 74조에 따라 수익자 전원의 동의 또는 수익자집회(신탁행위로 달리 정한 경우에는 해당 의사결정 방식) 등을 거쳐 재신탁을 할 수 있다고 보는 것이 타당하다고 생각됩니다.

86) 투기과열지구로 지정된 지역에서 재건축조합설립인가 후(재개발사업의 경우에는 관

조합원이 사업시행자에게 신탁을 원인으로 소유권이전등기를 마친 후 제명되거나 탈퇴한 경우는 어떻게 해야할까요.

조합원이 제명되거나 탈퇴하면 사업시행자와의 신탁계약은 신탁 목적 달성 불가능으로 종료될 것입니다. 한편, 도시정비법상 조합원에 대한 현금청산의 취지를 고려할 때 조합원이 기 출자한 현물의 반환은 인정되지 않는 것이므로, 정비사업 목적의 신탁 종료시 그 신탁재산은 사업시행자에게 귀속되므로, 사업시행자는 별도로 매도청구권을 행사할 필요가 없다는 것이 대법원의 입장입니다(대법원 2013.11.28.선고 2012다11047, 110484판결 참조)

위에서 살펴본 바와 같이, 조합원이 신탁을 원인으로 소유권이전등기를 마친 후 제명되거나 탈퇴한 경우, 매도청구권 행사가 필요없고 별도로 청산을 원인으로 하는 소유권이전등기도 필요없다면, 이미 신탁등기가 경료되어 있는 신탁재산은 어떻게 정비사업조합의 고유재산으로 전환할 수 있을까요. 대법원은 현행 신탁법 제34조 제2항에 따라 법원의 허가를 받고 정비사업조합의 고유재산으로 전환이 가능하다는 입장입니다(대법원 2013. 7. 25. 선고 2011다 19768,19775 판결 참조).

리처분계획 인가 후) 구역 내 토지등을 양수한 자는 조합원이 될 수 없습니다(도시정비법 제39조 제2항). 대법원은 이 경우에도 사업시행자는 조합원 자격제한 위반 양수인에 대하여 도시정비법 제73조 제2항을 준용하여 매도청구권을 행사할 수 있다고 판시하고 있습니다(대법원 2023. 11. 2. 선고 2022다290327, 290334판결 참조).

1. 환지예정지 지정의 효과

가. 사용·수익권의 이전

환지예정지가 지정되면, '종전의 토지 소유자'는 환지처분공고일까지 '환지예정지'에 대하여 종전과 같은 사용수익권을 취득함과 동시에 '종전의 토지'에 대한 사용수익권을 상실합니다(도시개발법 제36조 제1항 참조). 반면에 '환지예정지의 종전 소유자'는 해당 토지의 사용·수익이 정지되고, 해당 토지를 환지예정지로 지정받은 자의 권리행사를 방해할 수 없습니다(같은 법 제36조 제3항 참조).

나. 종전 토지에 대한 처분권한에 미치는 영향

환지예정지 지정은 종전 토지의 소유권을 존속시키면서 단지 사용·수익관계만 변동시키는 것입니다. 즉, 종전 토지의 소유자는 종전 토지에 대한 사용수익권을 상실하나, 환지처분공고일까지는 여전히 등기부등본상 종전 토지에 대한 소유권자로서 그 처분권한을 가집니다.

2. 환지처분의 효과

가. 권리의 이전

환지계획에서 정해진 환지는 그 환지처분이 공고된 날의 다음 날부터 '종전의 토지'로 보며, 환지계획에서 환지를 정하지 않은 종전의 토지에 있던 권리는 그 환지처분이 공고된 날이 끝나는 때에 소멸합니다(도시개발법 제42조 제1항 참조).

나. 토지공유지분의 취득

환지계획에 따라 환지처분을 받은 자는 환지계획으로 정하는 바에 따라 건축물의 일부와 해당 건축물이 있는 토지의 공유지분을 취득합니다. 이 경우 종전의 토지에 대한 저당권은 위 건축물의 일부와 토지의 공유지분에 존재하는 것으로 간주합니다(같은 법 제42조 제4항)

2. 환지예정지 지정과 환지처분이 부동산신탁에 미치는 영향

환지예정지 지정이 있어도 종전 토지의 처분권한은 변경되지 않으며, 부동산 등기부도 그대로 존속하고 있으므로, 종전 토지를 신탁받는 데에 특별한 문제는 발생하지 않습니다(다만, 신탁계약서상 신탁재산 목록에 환지예정지 지정이 있었다는 사실, 그에 따라 환지예정지에 대한 사용수익권도 신탁재산에 포함된다는 사실을 기재하는 것이 바람직할 것입니다).

환지처분은 권리이전의 효과가 있습니다. 종전 토지에 대한 신탁 이후에 환지처분이 있었다면, 그 환지처분의 공고일 다음날부터 환지계획에서 정해진 환지가 신탁재산이 될 것입니다.[87] 도시개발사업 등 시행자는 환지처분 공고 후 환지등기를 촉탁하게 됩니다.

3. 환지예정지 지정 또는 환지처분 공고일 이후 담보신탁 부동산 환가처분시 주의사항

가. 환지처분 공고일 다음날 이후에는, 환지계획에서 정해진 환지가 신탁재산이 되므로, 통상적인 절차에 따라 환지 자체를 처분하면 될 것입니다.

나. 환지예정지 지정 이후 환지처분 공고일 전에, 담보신탁계약상 환가사유가 발생하여 그 절차를 진행할 경우에는 주의할 사항이 있습니다.

---

87) 도시개발사업 시행자는 환지계획 인가 신청시 토지소유자에게 의견제출의 기회를 주어야 합니다(도시개발법 제29조 참조). 그런데 실무상 도시개발사업 시행자가 수탁자가 아닌 위탁자에게만 환지계획 내용을 알리는 경우가 있어 문제가 되는 경우가 있습니다.

이 경우, 환가대상 목적물은 실질적으로 ①종전 토지에 대한 소유권 + ②환지예정지에 대한 사용·수익권 + ③환지처분시 환지의 소유권 취득에 대한 기대권이라 할 수 있습니다.

따라서 ①공매공고문상 공매목적물을 표시함에 있어서는, 종전 토지의 지번, 지목, 지적 등을 표시하는 외에 환지예정지 지정 사실 및 해당 환지예정지의 위치 및 지적 등을 명확히 표시하여야 합니다. ②공매공고문상에 환지예정지 지정의 효과(사용수익권의 이전효과, 도시개발법 제36조 참조), 향후 환지처분의 효과(도시개발법 제42조), 청산금 징수·교부는 매수인의 권리·의무라는 점(도시개발법 제46조)을 안내해야 할 것입니다. ③감정평가시에는 가급적 환지예정지의 가치를 평가하고, 공매공고문에는 감정평가 내용이 종전 토지인지 환지예정지인지 여부를 명확히 안내하여야 할 것입니다.[88]

---

88) 법원 경매 관련 사안이나 신탁사 공매시에도 참고할 만한 판례가 있습니다.

판례   환지예정지에 대한 경매시 경매기일공고에 개재할 사항

• 대법원 1974.1.8. 선고 73마683결정

『.....경매목적토지에 대하여 ..... 환지예정지 지정이 되어 있음이 명백함으로 경매법원이 이러한 토지들에 대한 경매기일공고를 함에 있어서는 종전 토지의 지번, 지목, 지적등만을 표시할 것이 아니라 환지예정지 지정의 내용을 구체적으로 표시함으로써 경매에 응하고자 하는 사람들로 하여금 그 부동산의 실질적 가치를 알 수 있도록 하였어야 함에도 불구하고 .....종전 토지의 지번, 지목, 지적을 표시하는 외에 "이상 5필지 모두 환지예정지임"이라고만 부기하였을 뿐이고, 그 환지예정지 지정의 구체적 내용은 전혀 기재한 바가 없으니 결국 경매기일공고에 반드시 기재하게끔 되어 있는 부동산의 표시를 아니한 것이나 다름없는 위법...... 이건 부동산을 평가함에 있어 환지예정지 지정이 된 구체적 사정(위치, 지적 등)을 충분 참작 감안하여야 할 것인데, 그렇게 한 것인지 아니면 이를 무시한채 다만 종전 토지의 지번, 지목, 지적 등 추상적인 사항만을 기준으로 평가한 것인지 분명치 못하여 모호한 집달리의 평가보고서를 기초로 최저경매가격을 결정한 것 또한 위법.....』

미분양물 담보신탁 후 일부 분양을 통한 대출금 상환시 우선수익한도액 감액 여부

준공 후 미분양 집합건물에 대한 담보신탁을 한 후, 선순위 우선수익자 동의하에 위탁자가 집합건물을 분양하여 대출금을 일부 상환하거나,[89] 일부 구분건물에 대한 공매절차가 진행되어 공매대금으로 대출금 일부가 상환되는 경우가 있습니다. 이 경우 대출금 일부 상환액만큼 선순위 우선수익자의 우선수익 한도금액이 감소하는지 문제됩니다.

CASE 담보신탁 후 미분양물 분양을 통해 대출금이 상환된 경우

[담보신탁 구조]
• 신탁물건 : 준공 후 미분양 오피스텔 100호실
• 1순위 우선수익자 : ○○ 신협(대출채권 100억원, 우선수익 한도액 130억원) / 2순위 우선수익자 : ○○ 건설(공사비채권 50억원)

[일부 분양 및 공매 과정]
• 위탁자가 10호실 분양 ⇨ 분양대금으로 1순위 대출원리금 20억원 상환
• 20호실 공매진행 ⇨ 공매대금으로 1순위 대출원리금 30억원 상환
• 잔여 70호실 공매진행, 공매대금 90억원 납입, 1순위 우선수익자의 대출원리금 잔액은 지연이자 가산으로 90억원으로 증가한 상태
  1순위 우선수익자의 대출원리금(연체이자 포함) 잔액은 90억원
  (※ 편의상 제세공과금, 신탁사무처리비용, 신탁보수는 없는 것으로 가정)

[문제의 소재]
• 1순위 우선수익자는, 1순위 우선수익한도액이 130억원이라는 전제에서, 대출원리금 잔액 90억원 교부를 주장.

---

89) Chapter 3. N.2. "담보신탁 부동산에 대한 위탁자 직접 분양의 문제" 참조

- 2순위 우선수익자는, 1순위 우선수익한도액은 분양 및 선행 공매를 통한 일부상환금 50억원을 제외한 80억원이라는 전제에서, 최종 공매대금 중 80억원만 우선수익자에게 교부하여야 한다고 주장

이와 관련하여서는 아직 확립된 판례나 유권해석은 없는 것으로 보입니다. 그러나 후순위 우선수익자나 수익자의 기대이익(신탁부동산 전체의 환가대금에서 선순위 우선수익한도액을 초과하는 신탁이익 귀속에 대한 기대)은 보호할 필요가 있습니다.

① 선순위 우선수익자가 먼저 진행된 신탁사 공매절차에서 피담보채권의 일부 상환을 받았다면, 해당 상환금액은 선순위 우선수익자의 우선수익한도액에서 차감하는 것이 형평에 맞을 것으로 생각됩니다.[90]

② 담보신탁 이후 위탁자의 분양을 통한 대출금 상환은, 신탁관계 밖에서

---

90) 담보신탁 우선수익권과 근저당권은 각각 채권과 물권으로서 전혀 법적성질이 다르지만, 그럼에도 불구하고 참고할만한 판결이 있습니다.

판례 | 우선변제권의 범위는 채권최고액에서 별도 우선변제액을 제외한 금액으로 제한

- 대법원 2017. 12. 21. 선고 2013다16992 전원합의체 판결

『공동근저당권자가 스스로 근저당권을 실행하거나 타인에 의하여 개시된 경매 등의 환가절차를 통하여 공동담보의 목적 부동산 중 일부에 대한 환가대금 등으로부터 다른 권리자에 우선하여 피담보채권의 일부에 대하여 배당받은 경우에, 그와 같이 우선변제받은 금액에 관하여는 공동담보의 나머지 목적 부동산에 대한 경매 등의 환가절차에서 다시 공동근저당권자로서 우선변제권을 행사할 수 없다고 보아야하며, 공동담보의 나머지 목적 부동산에 대하여 공동근저당권자로서 행사할 수 있는 우선변제권의 범위는 피담보채권의 확정 여부와 상관없이 최초의 채권최고액에서 위와 같이 우선변제받은 금액을 공제한 나머지 채권최고액으로 제한된다고 해석함이 타당하다. 그리고 이러한 법리는 채권최고액을 넘는 피담보채권이 원금이 아니라 이자·지연손해금인 경우에도 마찬가지로 적용된다.』

의 임의변제적 성격이 있다는 점에서 해당 상환액을 무조건 우선수익한도액에서 차감해야 한다고 보기 어려운 측면이 있습니다(신탁사 입장에서는 위탁자의 분양대금 중 대출금 상환액을 조사·확인하기도 어려울 것입니다).

　③ 최초 담보신탁계약에서 위탁자의 분양을 허용하되 신탁사가 대리사무계약 등을 통해 위탁자의 분양대금을 관리하도록 정한 경우 또는 위탁자 분양 시 구분건물별 분양대금으로 상환하여야 하는 대출원리금을 미리 정해둔 경우에는, 해당 대출원리금 상환액 만큼은 우선수익한도액에서 차감하는 것이 당사자들의 진정한 의사에 부합하는 업무처리로 생각됩니다(실제 다툼이 발생한다면 채권자 불확지를 이유로 공탁을 할 수밖에 없어 보입니다).91)

---

91) 위탁자에 의한 개별 분양이 가능하고, 그 분양대금을 대리사무계약 등을 통해 신탁사가 관리하는 구조에서는, 위탁자가 분양대금으로 상환한 대출원리금 상당액은 우선수익한도에서 차감한다는 점을 신탁계약서에 명확히 기재하는 방안도 고려해볼 필요가 있어 보입니다. 참고로 위와 같이 우선수익한도 차감약정을 한 경우에는, 실제 우선수익한도가 감소된 상태에서 우선수익권 양도 등이 있는 경우, 양도 승낙시 우선수익한도가 감소한 사정을 고지하여야 된다는 점도 주의할 필요가 있습니다.

14 수익채권 등에 대한 가압류와 신탁사무의 처리

1. 가압류에 따른 처분금지의 효력의 개관 : 상대적 무효

　　채권 가압류 명령이 집행되면, 가압류된 채권을 처분하거나 그 소멸 및 감소를 가져오는 행위가 금지됩니다. 이를 가압류에 따른 처분금지의 효력이라 합니다. 그러나 가압류에 위반되는 거래나 행위가 절대적으로 무효가 되는 것은 아닙니다. 처분금지 위반의 행위는 당사자 사이에서 전적으로 유효하며 단지 가압류채권자에 대한 관계에서 '상대적으로 무효'가 되는 것입니다(대법원 86다카2570판결, 대법원97다57333판결 등). 이 때문에 가압류 위반의 처분행위가 있은 후 가압류가 취소, 해제되거나, 그 피보전권리가 소멸되는 경우 위 처분행위는 완전히 유효한 것으로 됩니다(대법원81다527판결 등).

2. (우선)수익채권이 가압류된 경우, (우선)수익권의 양도가 가능한지 여부

　　가능합니다. 채권가압류 명령의 처분금지효에도 불구하고 압류된 채권의 양도는 제한이 없다는 것이 대법원 판례의 태도입니다. 다만, 수탁자는 (우선)수익권에 대한 양도 승낙시 양수인에게 해당 (우선)수익채권에 대한 가압류 결정이 있다는 사실을 고지하여야 할 것입니다.

판례 　　가압류된 채권 양도의 효과

- 대법원 2000. 4. 11. 선고 99다23888 판결

『채권양도에 의하여 채권은 그 동일성을 잃지 않고 양도인으로부터 양수인에게 이전된다 할 것이며, 가압류된 채권도 이를 양도하는 데 아무런 제한이 없으나, 다만 가압류된 채권을 양수받은 양수인은 그러한 가압류에 의하여 권리가 제한된 상태의 채권을 양수받는다고 보아야 할 것이다.』

3. 수익채권 가압류 후 신탁계약 변경 및 신탁원부 변경이 가능한지 여부

원칙적으로 가능합니다. 가압류는 수익채권 등의 처분을 금지하는 것에 지나지 않으며, 나아가 수익채권 등의 발생원인인 신탁계약관계의 변경까지 금지하는 것은 아닙니다. 따라서 신탁조항을 일부 변경하는 내용의 신탁계약 변경은 원칙적으로 가압류의 효력에 반하지 않습니다. 다만, 신탁계약의 변경 내용이 사실상 압류된 수익채권의 소멸 및 감소를 목적으로 하는 경우에는 그 한도 내에서 상대적 무효가 될 수 있습니다(구체적인 사례는 아래 제4.항, 제5항 등 참조).

판례 　　채권 가압류 이후 채권의 발생원인인 법률관계의 합의해제

- 대법원 2001.06.01. 선고 98다17930 판결

『채권에 대한 가압류는 제3채무자에 대하여 채무자에게의 지급 금지를 명하는 것이므로 채권을 소멸 또는 감소시키는 등의 행위는 할 수 없고 그와 같은 행위로 채권자에게 대항할 수 없는 것이지만, 채권의 발생원인인 법률관계에 대한 채무자의 처분까지도 구속하는 효력은 없다할 것이므로 채무자와 제3채무자가 아무런 합리적 이유 없이 채권의 소멸만을 목적으로 계약관계를 합의해제한다는 등의 특별한 경우를 제외하고는, 제3채무자는 채권에 대한 가압류가 있은 후라고 하더라도 채권의 발생원인인 법률관계를 합의해제하고 이로 인하여 가압류채권이 소멸되었다는 사유를 들어 가압류채권자에 대항할 수 있다.』

판례 　　가압류된 채권의 소멸을 초래하는 준소비대차 약정의 효력

- 대법원 2007.01.11. 선고 2005다47175 판결

『기존채무에 대하여 채권가압류가 마쳐진 후 채무자와 제3채무자 사이에 준소비대차 약정이 체결된 경우, 준소비대차 약정은 가압류된 채권을 소멸하게 하는 것으로서 채권가압류의 효력에 반하므로, 가압류의 처분제한의 효력에 따라 채무자와 제3채무자는 준소비대차의 성립을 가압류채권자에게 주장할 수 없고, 다만 채무자와 제3채무자 사이에서는 준소비대차가 유효하다.』

4. 수익채권 가압류 후 우선수익자의 추가 또는 우선수익 한도금액 증액이 가능한지 여부

앞서 살펴본 바와 같이 수익채권 가압류 후 신탁계약의 변경은 가능합니다. 그러나 신탁계약 변경을 통해 우선수익자를 추가하거나 기존 우선수익 한도금액을 증액하는 것은, 압류된 수익채권의 소멸 또는 감소를 가져오는 행위로서 가압류의 처분금지효력에 반한다고 할 것입니다. 이 경우에도 그러한 신탁계약 변경 자체는 당사자 사이에서는 유효하나 이를 가압류 채권자에게 주장할 수는 없다고 할 것입니다(상대적 무효).

따라서 우선수익자의 추가 또는 우선수익 한도금액 증액시에는 반드시 수익채권에 대한 가압류 존재 여부를 확인하여야 합니다. 수익채권에 대한 가압류가 존재하는 경우에는 신탁계약서 또는 수익증권 발급의뢰서상에 그 가압류 현황을 기재하고 우선수익자로부터는 가압류 채권자에게 대항할 수 없다는 점을 인지하고 있다는 취지의 확인을 받아야 할 것입니다. 그리고 실제 신탁수익이 발생한 시점까지 가압류가 존재하는 경우에는, 신탁수익 중 가압류 청구금액 상당액은 신규 우선수익자에게 지급할 수 없으며, 민사집행법에 따른 집행공탁을 해야 할 것입니다.

이상은 신탁행위(신탁계약)로서 우선수익자를 추가하거나 우선수익한도금액을 증액하는 경우의 문제입니다. 수익채권 가압류 결정이 기존 우선수익자의 처분행위를 금지하는 것은 아니므로, 기존 우선수익자가 자신의 우선수익권을 양도하거나, 제3자가 기존 우선수익자의 피담보채권을 대위변제하여 우선수익권을 법정대위함으로써 우선수익자가 변경되는 경우는 가압류의 처분금지효에 반하는 문제가 발생하지 않습니다.

5. 수익채권 가압류가 있는 경우 신탁수익 정산을 보류하면 되는지 여부

신탁부동산 환가 등으로 수익금이 확정적으로 발생하였으나, 수익채권에 대한 가압류가 존재한다면 해당 수익금을 수익자에게 지급할 수 없습니다. 그러나 이 경우 지급을 보류한 채 수익금을 보관하면 수익금 지급 지연에 대한 지체책임을 부담하게 됩니다. 따라서 이 경우에는 민사집행법 제291조, 제248조 제1항에 따라 집행공탁을 하여야 합니다.

> **판례**　가압류된 채권에 대한 이행지체 책임
>
> • 대법원 1994.12.13. 선고 93다951 판결
>
> 『채권의 가압류는 제3채무자에 대하여 채무자에게 지급하는 것을 금지하는 데 그칠 뿐 채무 그 자체를 면하게 하는 것이 아니고, 가압류가 있다 하여도 그 채권의 이행기가 도래한 때에는 제3채무자는 그 지체책임을 면할 수 없다고 보아야 할 것이다.』

6. 위탁자가 가지는 소유권이전등기청구권 가압류가 있는 경우 신탁재산 처분 및 그에 따른 소유권이전등기 경료가 가능한지 여부

신탁해지 및 신탁종료시 위탁자가 가지는 신탁부동산에 대한 소유권이전등기청구권을 가압류하는 경우가 있습니다. 이 경우 수탁자는 신탁이 종료하더라도 위탁자에게 소유권이전을 할 수 없습니다. 그러나 신탁계약에 따라 신탁재산을 제3자에게 처분하고 그에 따라 소유권을 이전하는 것은 원칙적으로 가압류의 처분금지효에 반하지 않습니다.

> **판례**　소유권이전등기청구권 가압류 위배시 배상책임 등
>
> • 대법원 1998.05.29. 선고 96다11648 판결
>
> 『이전등기청구권에 대한 가압류가 있으면 그 변제금지의 효력에 의하여 제3채무자는 채무자에게 임의로 이전등기를 이행하여서는 아니되고, 제3채무자가 이를 무시하고 이전등기를 이행하여 채무자가 처분한 결과 채권자에게 손해를 입힌 때에는 불법행위를 구성하고 그에 따른 배상책임을 지게 된다.』

• 대법원 1992.11.10.선고 92다4680 전원합의체판결

『소유권이전등기청구권의 압류나 가압류는 청구권의 목적물인 부동산 자체의
처분을 금지하는 대물적 효력은 없다고 할 것이고, 제3채무자나 채무자로부
터 소유권이전등기를 넘겨받은 제3자에 대하여는 그 취득한 등기가 원인무
효라고 주장하여 그 말소를 청구할 수 없다고 보아야 할 것이다.』[92]

7. 소유권이전등기청구권 가압류 이후, 신탁계약을 변경하여 수분양자 등에 대한 직접 소유권이전조항을 추가하는 것이 가능한지 여부

집합건물 담보신탁 이후, 위탁자가 구분건물을 분양하는 경우가 있습니다.
이 경우 수분양자 보호 등을 위하여 불가피한 경우 수탁자가 수분양자에게 직
접 소유권이전을 할 수 있는 근거를 마련하는 것이 일반적입니다. 그런데 최초
신탁계약시에는 직접 소유권이전 조항이 없었는데 수탁자에 대한 소유권이전등
기청구권 가압류 이후에 이를 새롭게 추가하고, 이에 기초하여 신탁해지 및 위
탁자에 대한 소유권이전절차를 거치지 않고 직접 수분양자에게 소유권이전등기
를 경료한다면, 이는 사실상 가압류 채권자의 채권을 침해하는 불법행위로 인정
될 가능성이 높아 보입니다.

8. 소유권이전등기청구권 가압류 후, 위탁자 또는 위탁자의 채권자가 신탁 종료를 원인으로 소유권이전청구소송을 제기한다면

---

92) 위 판례는 소유권이전등기청구권 가압류는 부동산 자체의 처분을 금지하는 대물적
효력이 없으므로, 이러한 처분행위는 가압류 결정에 위배되지 않는다는 의미입니
다. 그러나 가압류채무자인 위탁자와 통모한 처분행위는 가압류 채권자의 채권을
침해하는 불법행위로 평가될 수는 있습니다. 예를 들어, 신탁 해지나 종료로 인하
여 위탁자에게 소유권 귀속 사유가 발생하였음에도 불구하고 위탁자와 통모하여
재산 은닉 등의 목적으로 제3자에게 소유권이전등기를 경료한다면, 그러한 행위는
가압류 채권자에 대한 불법행위로서 손해배상의 책임을 면할 수 없을 것입니다.

위와 같은 경우 제3채무자인 수탁자는 소송에서 해당 소유권이전등기청구권에 대한 가압류가 존재한다는 사실을 주장하고 입증할 의무가 있습니다. 이러한 의무를 해태하여 가압류 해제 전 위탁자 앞으로 소유권이전등기가 경료된 경우 가압류 채권자에 대한 손해배상책임을 면하기 어렵습니다. 위탁자 앞으로 소유권이전등기를 경료하라는 취지의 청구소송이 들어온 경우 소유권이전등기청구권에 대한 가압류 여부를 확인하여 소송대리인에게 전달하는 것이 중요하다고 할 것입니다.

판례	소유권이전등기청구소송에서, 소유권이전등기청구권 가압류 사실에 대한 주장·입증의 책임

- 대법원 1999.06.11. 선고 98다22963 판결

『소유권이전등기청구권에 대한 가압류가 있으면 ......제3채무자가 가압류결정을 무시하고 이전등기를 이행하고 채무자가 다시 제3자에게 이전등기를 경료하여 준 결과 채권자에게 손해를 입힌 때에는 불법행위를 구성하고 그에 따른 배상책임을 지게 된다고 할 것......제3채무자로서는 일반채권이 가압류된 경우와는 달리 채무자 또는 그 채무자를 대위한 자로부터 제기된 소유권이전등기 청구소송에 응소하여 그 소유권이전등기청구권이 가압류된 사실을 주장하고 자신이 송달받은 가압류결정을 제출하는 방법으로 입증하여야 할 의무가 있다고 할 것이고, 만일 제3채무자가 고의 또는 과실로 위 소유권이전등기 청구소송에 응소하지 아니한 결과 의제자백에 의한 판결이 선고되어 확정됨에 따라 채무자에게 소유권이전등기가 경료되고 다시 제3자에게 처분된 결과 채권자가 손해를 입었다면, 이러한 경우는 제3채무자가 채무자에게 임의로 소유권이전등기를 경료하여 준 것과 마찬가지로 불법행위를 구성한다고 보아야 한다.』

9. 소유권이전등기청구권 가압류에 대한 해제신청서 접수를 확인하고 신탁해지 및 소유권이전등기를 경료하는 것은 가능한지 여부

가압류 신청 취하, 집행 취소(해제) 신청 등이 있더라도, 집행법원에서 제3채무자에게 취하통지서 또는 집행취소통지서를 송달하기 전까지 가압류의 효

력은 여전히 유지되는 것입니다. 따라서 법원의 집행취소절차가 완료되기 전에 가압류 신청취하서 또는 집행취소(해제)신청서 접수증만 신뢰하여 위탁자에게 소유권이전을 해 줄 수는 없는 것입니다.

다만, 가압류의 처분금지효에 위반하는 행위가 있더라도 가압류채권자는 그 효력을 인정할 수 있습니다. 가압류 신청 취하서 또는 집행취소(해제)신청서 접수증에 추가하여, 가압류채권자로부터 신탁을 해지하고 위탁자에게 소유권을 이전하는 것에 대한 동의서가 징구된다면, 법원의 집행취소절차 완결 전에 소유권이전을 하는 것도 가능할 것으로 생각됩니다.

판례　　**채권가압류 결정 집행 이후 가압류 신청 취하의 효력 발생시기**

- 대법원 2008.01.17. 선고 2007다73826 판결

『채권가압류에 있어서 채권자가 가압류신청을 취하하면 가압류결정은 그로써 효력이 소멸되지만, 채권가압류결정정본이 제3채무자에게 이미 송달되어 가압류결정이 집행되었다면 그 취하통지서가 제3채무자에게 송달되었을 때 비로소 가압류집행의 효력이 장래를 향하여 소멸되는 것인바(대법원 2001. 10.12.선고 2000다19373판결 참조), 이러한 법리는 그 취하통지서가 제3채무자에게 송달되기 전에 제3채무자가 집행법원 법원사무관 등의 통지에 의하지 아니한 다른 방법으로 가압류신청 취하사실을 알게 된 경우에도 마찬가지라고 할 것이다.』

판례　　**가압류 위반 처분행위에 대한 가압류 채권자의 동의**

- 대법원 2007.01.11. 선고 2005다47175 판결

『가압류채무자가 가압류에 반하는 처분행위를 한 경우 그 처분의 유효를 가압류채권자에게 주장할 수 없지만, 이러한 가압류의 처분제한의 효력은 가압류채권자의 이익보호를 위하여 인정되는 것이므로 가압류채권자는 그 처분행위의 효력을 긍정할 수도 있다.』

10. 담보신탁의 수익채권 가압류 이후, 위탁자의 구분건물 분양과 그 분양대금 귀속의 문제

준공 후 미분양 집합건물에 대한 담보신탁의 경우, 위탁자로 하여금 구분건물에 대한 분양을 허용하는 경우가 많습니다.[93] 이 경우 분양대금의 대부분은 우선수익자의 대출원리금 상환재원으로 사용하게 되나, 일부 금원은 위탁자에게 귀속될 수 있습니다. 만일, 수익채권에 대한 가압류가 있는 경우, 위와 같이 위탁자에 의한 구분건물 분양을 통해 분양대금 일부가 위탁자에게 귀속되는 것이 정당화될 수 있는지 문제됩니다.

미분양 집합건물 담보신탁에서 위탁자에 의한 구분건물 분양은, 위탁자가 담보신탁 해제 조건부로 분양을 하는 것이므로, 그 분양대금은 위탁자의 재산이며 신탁재산으로 볼 수 없습니다(대법원 2013다76284판결, 대법원 2012다21621판결 등). 원칙적으로 위탁자가 이러한 분양대금 일부를 수취하는 것은, 수익채권의 가압류에 반하는 것으로 볼 수 없습니다.

그러나 담보신탁계약에서 위탁자 분양시 수탁자가 그 분양대금을 수납 및 관리하도록 정한 경우, 수탁자가 분양대금 일부를 위탁자에게 지급한다면 이는 그 실질에 있어서 신탁수익 교부와 유사한 성격을 가진다는 점을 부정하기 어렵습니다. 아직 판례 등 유권해석은 발견되지 않으나, 위와 같은 경우 위탁자에 대한 분양대금 지급은 선행하는 수익채권 가압류에 반하는 것으로 평가될 소지가 있습니다.

11. 임대차 계약이 체결된 물건을 신탁받을 때 주의할 사항

임대차 계약이 체결된 주택, 상가건물임대차보호법의 적용을 받는 상가를 신탁받는 경우에는, 위탁자에게 임대차보증금 반환채권의 (가)압류 결정 등이

---

93) 상세 논의는 Chapter 3. N.2. "담보신탁 부동산에 대한 위탁자 직접 분양의 문제" 참조.

송달된 바 있는지 여부를 조사·확인하여야 합니다. 만일, 신탁 전에 위와 같은 (가)압류가 있다면, 신탁회사는 (가)압류의 제3채무자 지위를 승계받으므로, 신탁 이후 임대차가 종료를 원인으로 임대차보증금을 반환하더라도 (가)압류 채권자에게 대항할 수 없습니다. 반대로, 신탁재산에 대한 임차인이 있는 상태에서, 신탁재산을 처분하거나 신탁이 종료되는 경우, 수탁자는 처분 상대방 또는 신탁재산 귀속권리자에게 신탁기간 동안의 (가)압류 내역을 통보해주어야 할 것입니다.

| 판례 | 임대보증권반환채권 가압류의 효력이 주택 양수인에게 이전되는지 |

- 대법원 2013.01.17.선고2011다49523 전원합의체판결

『주택임대차보호법 제3조 제3항은 …..대항요건을 갖춘 임대차의 목적이 된 임대주택의 양수인은 임대인의 지위를 승계한 것으로 본다고 규정하고 있는 바…… 임차인에 대하여 임대차보증금반환채무를 부담하는 임대인임을 당연한 전제로 하여 임대차보증금반환채무의 지급금지를 명령받은 제3채무자의 지위는 임대인의 지위와 분리될 수 있는 것이 아니므로, 임대주택의 양도로 임대인의 지위가 일체로 양수인에게 이전된다면 채권가압류의 제3채무자의 지위도 임대인의 지위와 함께 이전된다고 볼 수밖에 없다.』

12. 수익채권 가압류 이후 사업비 집행이 가능한지 여부

토지신탁의 경우 위탁자의 수익채권은 신탁종료시에 발생하는 미확정의 조건부 채권입니다. 한편, 신탁채권은 수익채권에 우선하고(신탁법 제62조), 토지신탁에서 수익채권은 신탁수입 중 신탁보수와 사업비 등 각종 신탁사무처리비용을 지출하고 남은 신탁이익에 대한 교부청구권입니다. 즉, 토지신탁 수익채권에 대한 가압류는 신탁수입에서 각종 사업비 등을 집행한 후 나머지 신탁이익에만 그 효력이 미치는 것이므로, 수익채권이 가압류되었더라도 사업비를 집행하는 것은 가압류에 위반된다고 할 수 없을 것입니다.

개발사업을 위해 담보신탁 및 대리사무약정을 체결한 경우, 위탁자가 대리사무약정에 따라 수탁자에게 가지는 금전채권이 가압류되는 경우도 있습니다. 이 경우 가압류의 효력은 대리사무약정상 정해진 자금집행순서 및 절차에 따라 최종적으로 위탁자에게 사업이익으로 귀속되는 부분에 미치는 것이므로, 선순위 사업비 집행은 가압류에 위배되지 않는다고 할 것입니다.

___판례___　대리사무 약정상 위탁자 채권 가압류의 효력

• 대법원 2008. 12. 24. 선고 2006다7426판결

『OO건영은 이 사건 대리사무계약에 기하여 피고에 대하여 그 관리자금 중 금융기관의 차입원리금, ㅁㅁ건설에 대한 공사비, 제세공과금, 차입원리금 및 수분양자에 대한 중도금대출이자 대납금액 등을 모두 공제한 나머지 일반관리비와 사업수익금에 대하여만 그 지급을 청구할 권리가 있고, 이 사건 채권압류 및 추심명령도 그러한 권리에 대하여만 효력이 미친다......』

13. 수탁자 경질시 가압류에 따른 제3채무자의 지위도 신수탁자에게 이전되는지 여부

수익채권 등에 대한 가압류가 압류된 채권의 발생원인인 법률관계의 변경까지 금지하는 것은 아니므로, 수탁자 변경 계약 자체는 가압류에 위반되지 않을 것으로 보입니다. 한편, 수탁자변경시 신수탁자는 전수탁자의 채무를 승계하고(신탁법 제53조 참조), 전수탁자가 가압류에 따른 제3채무자로서 가지는 의무는 전수탁자의 지위와 분리될 수 있는 것이 아니므로 이는 신수탁자에게 승계될 것으로 보여집니다.

따라서 신수탁자가 되는 입장에서는 기존 신탁계약상 수익채권 등에 대한 가압류 현황을 면밀히 조사하는 것이 필요하며, 반대로 신수탁자에게 수탁자 지위를 이전하는 입장에서는, 수탁자 변경계약서상에 가압류 등에 의한 제3채무자 지위가 이전된다는 점, 신수탁자가 위 가압류 등을 위반할 경우 그로 인한 책임은 신수탁자의 부담임을 명시하여야 할 것입니다.

14. 위탁자의 수탁자에 대한 소유권이전등기청구권이 압류된 경우에도, 수탁자가 수분양자에게 직접 소유권이전등기를 할 수 있는지 여부

위탁자가 신탁계약 일부 해지를 조건으로 신탁부동산을 분양한 후, 수탁자가 해당 수분양자에게 직접 이전등기를 하는 경우가 있습니다. 대법원은 이러한 수탁자의 직접 소유권이전등기를, 신탁 일부 종료에 따라 수탁자가 부담하는 위탁자 앞 소유권이전등기의무와 위탁자의 수분양자에 대한 소유권이전등기의무가 단축되어 이행되는 것으로 보고 있습니다(대법원 2018.12.27.선고 2018다237329판결 참조). 따라서 신탁종료시 위탁자가 가지는 소유권이전등기청구권이 가압류 된 상태에서 위와 같은 단축 급부 이행은 가압류에서 금지하고 있는 위탁자 앞 소유권이전행위를 포함하고 있다는 점에서 위 가압류 위반의 불법행위가 될 수 있습니다.94)

15 위탁자의 수익청구권에 대한 (가)압류가 있는 경우, 신탁종료를 원인으로 위탁자에게 소유권이전등기를 할 수 있는지 여부

앞서 소개한 대법원 판결(2018. 12. 27. 선고 2018다237329판결)은 더 나아가 신탁수익청구권에 대한 압류 및 추심명령은 신탁종료를 원인으로 하는 소유권이전등기청구권에도 그 효력이 미친다고 판시하였습니다. 이에 따르면, 위탁자의 신탁수익에 대한 (가)압류가 있는 경우, 별도로 소유권이전등기청구권에 대한 (가)압류가 없더라도, 신탁종료를 원인으로 하는 위탁자 앞 소유권이전등기는 위 (가)압류 효력에 반하는 불법행위가 될 수 있습니다.

판례	신탁수익청구권 압류의 효력이 신탁 종료를 원인으로 하는 소유권이전등기청구권에 미치는지

• 대법원 2018.12.27.선고 2018다237329판결

『신탁행위로 수익자를 신탁재산의 귀속권리자로 정한 경우 수익자의 채권자

---

94) Chapter 3. N.2. "담보신탁 부동산에 대한 위탁자 직접 분양의 문제" 참조

가 .....신탁수익권의 내용인 급부청구권을 압류하였다면, 특별한 사정이 없는 한 그 압류의 효력은 수익자가 귀속권리자로서 가지는 신탁원본의 급부청구권에 미친다......원고는 이 사건 오피스텔에 관하여 소외인이 피고에 대하여 가지는 신탁수익청구권에 대하여 압류 및 추심명령을 받았고......이 사건 소유권이전등기는 특약사항 제6조 제1항에 의하여 신탁계약의 종료에 따른 피고의 소외인에 대한 소유권이전등기의무와 이 사건 매매계약에 따른 소외인의 매수인들에 대한 소유권이전등기의무가 단축되어 이행된 것에 불과하고.....그런데 이 사건 압류 및 추심명령의 효력은 소외인의 이 사건 오피스텔에 관한 소유권이전등기청구권에 대하여 미치므로, 결국 압류 및 추심명령이 피고에게 송달된 후 피고가 매수인들에게 이 사건 소유권이전등기를 마쳐준 것은 압류 및 추심명령의 효력을 위반한 불법행위에 해당한다.』[95]

16. 기타 사례 1

　　시행법인이 개발사업을 진행하며 준공 전 상가를 일괄매각하였으나, 시행법인의 채권자가 그 매매대금 채권을 압류하였습니다(제3채무자는 상가 매수인). 이후, 해당 사업은 토지신탁사업으로 전환되었고, 기존 상가매매계약상 매도인 지위는 수탁자가 인수하였습니다. 수탁자는 상가 매수인으로부터 매매대금 잔금을 수령하였습니다. 상가 매수인의 잔금지급행위는 위 압류결정에 위배되는 것일까요.

<u>판례　　채권가압류 이후 기초계약에 대한 계약인수시 법률관계</u>

• 대법원 2015.05.14. 선고 2012다41359 판결

『채권의 압류는 제3채무자에 대하여 채무자에게 지급 금지를 명하는 것이므로 채무자는 채권을 소멸 또는 감소시키는 등의 행위를 할 수 없고 그와 같은 행위로 채권자에게 대항할 수 없는 것이지만, 채권의 발생원인인 법률관계에 대한 채무자의 처분까지도 구속하는 효력은 없다. 그런데 ..... 계약인수

---

95) 판결 사안은 담보신탁 특약사항에서 정한 바에 따라 위탁자가 신탁부동산을 분양한 이후 위탁자의 신탁수익청구권이 압류되었고, 이후 담보신탁 특약사항에 따라 신탁사가 수분양자에게 직접 소유권이전등기를 경료한 사안임.

의 경우에는 양도인이 계약관계에서 탈퇴하는 까닭에 양도인과 상대방 당사자 사이의 계약관계가 소멸하지만, 양도인이 계약관계에 기하여 가지던 권리의무가 동일성을 유지한 채 양수인에게 그대로 승계된다. 따라서 양도인의 제3채무자에 대한 채권이 압류된 후 채권의 발생원인인 계약의 당사자 지위를 이전하는 계약인수가 이루어진 경우 양수인(OO부동산 신탁)은 압류에 의하여 권리가 제한된 상태의 채권을 이전받게 되므로, 제3채무자는 계약인수에 의하여 그와 양도인 사이의 계약관계가 소멸하였음을 내세워 압류채권자에 대항할 수 없다.』

17. 기타 사례 2

신탁 종료에 따른 소유권 귀속에 필요한 서류를 위탁자에게 제공하였는데, 위탁자 앞 소유권이전등기가 경료되기 전에 위탁자가 가지는 소유권이전등기청구권에 대한 가압류 결정문을 송달받았다면 어떤 조치가 필요할까요.

판례	소유권이전에 필요한 서류 제공 후, 소유권이전등기청구권 가압류 결정문이 송달된 경우

• 대법원 1998.05.26. 선고 98다8172 판결

『부동산의 매매계약에 있어서 매도인이 목적 부동산의 소유권 이전에 필요한 서류들 일체를 매수인에게 교부하여 주었다면 특별한 사정이 없는 한 그로써 소유권이전의무의 이행은 완료되었다고 보아야 할 것이므로 제3채무자가 소유권이전등기서류를 모두 교부한 후 그에게 송달된 소유권이전등기청구권 가압류결정은 효력이 없고, 위 가압류결정 송달 후 제3채무자가 소유권이전등기 의사를 철회하고 이미 교부한 등기서류를 반환받는 등 소유권이전등기를 하지 못하도록 하는 조치를 취하지 아니하였다 하더라도 가압류결정에 위배된다고 할 수 없다.』

1. 담보신탁 상태에서 위탁자의 사업계획 승인 가능 여부

담보신탁 상태에서도 위탁자가 사업계획승인을 받는 것은 가능합니다. 주택법은 사업계획승인시 주택건설대지의 소유권확보를 그 요건으로 하고 있으나, "사업주체가 주택건설대지의 소유권을 확보하지 못하였으나 그 대지를 사용할 수 있는 권원을 확보한 경우"에는 그 예외를 인정하고 있습니다(주택법 제21조 제1항 제2호 참조).

따라서 사업시행자(위탁자)는 주택건설대지를 담보신탁한 상태에서도 사업계획승인을 받을 수 있습니다(통상 담보신탁계약서상으로도 위탁자에게 사용권한이 인정되며, 필요한 경우에는 수탁자로부터 사용승낙서를 받을 수 있을 것입니다).

2. 담보신탁 상태에서 위탁자의 입주자모집이 가능한지 여부

사업시행자(위탁자)가 주택건설부지를 담보신탁한 상태에서 입주자 모집 승인을 받을 수는 없습니다. 주택공급에 관한 규칙상 착공과 동시에 입주자를 모집하기 위해서는 ①주택이 건설되는 대지의 소유권 확보, ② 분양보증이 요구되며, 후분양의 경우에도 위 소유권 확보 요건의 충족이 요구됩니다(주택공급에 관한 규칙 제15조, 제16조 참조).

사업시행자가 주택건설부지에 대한 담보신탁을 하면, 그 소유권은 대내외적으로 수탁자에게 이전하므로, 사업시행자는 위 규칙상 입주자모집을 위해 요구되는 주택건설부지 소유권 확보의 요건을 충족시킬 수 없게 되는 것입니다(법제처 13-0284, 2013. 8. 21. 참조).

3. 입주자모집 승인 이후 담보신탁을 하고 사업진행을 할 수 있는지

주택건설 사업주체는 입주자모집공고 승인신청과 동시에 주택건설대지에 대하여 저당권설정 등 처분 제한 취지의 부기등기를 신청하여야 하며, 부기등기 경료 이후 입주예정자의 동의없는 처분 효력은 무효입니다(주택법 제61조 제5항 참조).

등기예규상 부기등기 이후 소유권이전 및 신탁등기 신청은 각하 사유인바("주택법 제61조제3항에 따른 금지사항의 부기등기에 관한 업무처리지침" 제2조 참조), 입주자모집 승인 이후 담보신탁을 하는 것 역시 가능하지 않습니다.

4. 관리형토지신탁사업으로 공동주택을 신축하고 사용검사를 받은 이후에 담보신탁으로 전환하여 위탁자가 분양을 하는 것은 가능한지 여부

주택법상 사업계획승인 대상이 아닌 30세대 미만 소규모 공동주택의 경우, 관리형토지신탁사업으로 진행하여 사용검사를 받은 이후에 담보신탁으로 전환하여 위탁자가 분양을 하는 경우가 있습니다.

그러나 주택법상 사업계획승인대상인 사업이라면 후분양의 경우라도 주택법상 공급 관련 규정과 『주택공급에 관한 규정』이 적용되므로, 주택법상의 사업주체만이 입주자를 모집할 수 있습니다. 그런데 사용검사를 받은 후에는 주택사업계획은 완료된 것으로 보아 사업주체의 변경이 허용되지 않기 때문에, 이후에 사업주체 외 제3자의 입주자모집이 불가능합니다.[96)]

만일, 관리형토지신탁사업을 진행하여 사용검사를 받은 이후에, 담보신탁

---

96) 다만, 2012. 7.27. 법률 제11243호로 개정된 주택법은 입주자를 모집할 수 있는 사업주체의 범위를 확대하여 자금력이 있는 제3자가 자금난에 처한 사업주체로부터 사용검사를 받은 주택을 일괄하여 양수한 자도 사업주체 범위에 포함하도록 하였습니다(현행 주택법 제54조 제1항).

으로 전환한다면, 위탁자는 주택법상 사업주체가 아니고 사업주체 변경절차를 밟을 수도 없기 때문에 입주자 모집이 불가능한 것으로 보입니다.

이와 관련 관리형토지신탁 종료 후 소유권 귀속을 받은 위탁자는 주택법 제54조에서 사업주체로 포함시키고 있는 "사용검사를 받은 주택을 일괄하여 양수한 자"로 볼 수 있다는 시각도 있고, 실제 일부 지역에서는 분양승인이 나는 경우도 있습니다. 그러나 이러한 해석은 위 조항의 입법취지에 맞지 않는 것으로 보이며, 설사 그러한 해석이 가능할지라도 담보신탁의 위탁자는 소유권확보 요건을 충족할 수 없기 때문에 원칙적으로 입주자모집공고승인이 불가한 것으로 생각됩니다.

1. 자금관리 업무의 분류

신탁사의 자금관리업무를 도식적으로 분류하면, "단순자금관리", "분양대금 등 관리", "신탁재산에 속하는 금전의 관리"로 분류할 수 있겠습니다.

표 자금관리 업무 비교

	관리 대상	관리 목적	집행 범위 /적정성 심사	집행 통제	주의사항
단순 자금 관리	위임자 사업에 대한 투자금, 위임자에 대한 대여금 등	자금유용 방지	• 투자 및 대여 목적에 따른 집행 • 자금집행요청시 및 동의서 확인	투자자 또는 대여자(자금출연자)	• 위임자 단독으로 자금집행을 통제하는 것은 부적절함
분양 대금 등 관리	분양수입금, 예약금, 청약금, 조합원 분담금 등	자금유용 방지 + 수분양자 등 보호	• 토지비, 사업비 등 집행 • 집행내역에 대한 증빙 확인 + 사업 수지 계획을 기준으로 형식적 적정성 심사	• 시공사, 대주, 조합(조합 총회 결의를 통해 포괄적으로 통제) • 통상 자금출연자들은 통제권을 가지지 못함	• 위임자와 이해관계를 같이하는 대행사가 단독으로 자금집행통제를 하는 것은 부적절 • 입금계좌와 집행계좌의 분리 필요
신탁 재산 에 속 하는 금전 관리	토지신탁의 분양수입금, 신탁재산에 편입된 PF 대출금과 고유계정차입금	신탁사무의 처리	• 신탁사무처리비용(제세공과금 포함), 신탁보수, 신탁수익 • 신탁사무처리비용 여부 확인	시공사, 우선 수익자 등(관리형토지신탁의 경우)	• 신탁사무처리비용은 수탁자가 부담하는 채무로 한정. • 신탁수익 지급은 선지급 제한 규정에서 제한

2. 단순자금관리사무

단순 자금관리는, 위임자 또는 위임자의 사업에 대한 투자금 또는 대여금의 관리 및 집행 업무를 주된 내용으로 합니다. 위임자의 사적 자금 유용을 방지하는 것이 주된 목적이고, 관리 대상 자금의 출연자가 특정되는 특징이 있습니다.

관리 대상 자금을 출연한 투자자 또는 대여자가 직접 자금집행을 통제한다는 점에서,[97] 자금집행의 적정성에 대한 논란이 발생할 소지가 적다고 할 것입니다. 수탁자는 형식적 심사(자금집행 요청서 및 동의서의 진정성립 여부)를 거쳐 자금집행을 처리하면 될 것입니다.

3. 분양대금 관리사무

분양대금(청약금, 예약금, 조합원 분담금 포함, 이하 같음)의 자금관리는, 위임자의 사적 자금 유용 방지와 함께 해당 수분양자(청약자, 예약자, 조합원 포함, 이하 같음)에 대한 보호를 목적으로 합니다.

일반적으로 분양대금 자금관리대리사무계약상 자금집행의 적정성 검토는 수탁자의 법적의무라 보기는 어렵습니다(다만, 건분법 대리사무계약은 신탁사가 자금집행의 적정성을 검토하도록 하고 있음). 그러나 분양대금에 대한 자금관리사무의 경우, 수분양자 보호의 필요성과 신탁사에 대한 외부의 신뢰를 고려할 때, 자금집행 요청서 및 동의서의 확인은 물론, 자금집행 내역에 대한 증빙서류 확인이 필요하며, 더 나아가 사업수지계획 상 지출항목 및 그 예산범위 내에서의 자금집행인지 여부를 검토하는 것이 필요합니다.[98][99]

---

97) 간혹, 위임자의 단독 요청만으로 자금집행이 가능한 구조의 대리사무계약을 요구하는 경우가 있는데, 이 경우 신탁사는 자금흐름의 도관 역할만 수행하게 됩니다. 이러한 자금관리대리사무의 수임은 부적절하다고 할 것입니다.

98) 자금 출연자인 수분양자가 자금집행을 전혀 통제하지 못하는 구조에서, 수분양자는

또한, 분양대금 관리사무의 경우, (건분법상 대리사무가 아닌 이상) 분양계약 관리업무를 수행하지는 않지만 분양대금을 입금한 분양계약자 확인 및 점검업무가 사실상 추가되며,[100][101] 이를 위해 해당 대리사무계약서에서는 주기적으로 분양계약서, 청약서, 조합원 가입계약서 등 사본을 징구하도록 하고 있습니다. 실무적으로 분양대금 관리시 분양계약서 등 사본 징구 및 분양대금 입금자 확인 등의 업무를 간과하지 않도록 주의하여야 합니다.

실무   지역주택조합 자금관리 대리사무의 어려움

• 지역주택조합(추진위원회)의 조합원 신청금, 분담금, 업무대행비 등에 대한 자금관리 대리사무의 경우, 시공사나 대출금융기관이 정해지기 전까지는 조합과 업무대행사의 요청만으로 자금집행을 하는 경우가 일반적입니다. 이때 조합집행부와 업무대행사의 유착으로 자금집행의 적정성이 문제되는 경우가 많습니다(용역비 이중 청구, 이중 계약을 통한 과다 용역비 청구 등).[102]

• 신탁사로서는 조합원 가입신청서와 함께 사업수지(안) 및 자금집행동의서(최대한 구체적인 사업수지계획을 전제로 그 지출항목 및 예산 범위 내에서의 자금집행에 대한 동의가 필요함)를 사전에 징구할 필요가 있고, 건별 자금집행시에도 그 내역에 대하여 보다 정밀한 심사를 거칠 필요가 있습니다.

공신력 있는 신탁회사가 자금집행의 적정성을 검토하여 자금 출연자인 수분양자의 이익을 보호해 줄 것이라 믿게 됩니다. 이러한 구조에서는 사업시행자와 이해관계를 같이하는 시행대행사 또는 사업시행자의 계열사인 시공사 등이 단독으로 자금집행을 통제하는 것은 적절치 않습니다.

99) 분양대금에 대한 자금관리 대리사무계약 체결시에는 가급적 사업수지표를 첨부토록 하고, 원칙적으로 해당 사업수지표상 지출 항목 및 그 예산범위 내에서 자금집행이 이루어질 수 있도록 주의할 필요가 있습니다.

100) 분양대금 관리사무에서는, 분양대금의 입금자 내역 관리를 원활히 하고, 외부에 노출된 입금계좌에 대한 가압류 등으로 자금집행이 금지되는 경우를 예방하기 위해서, 입금계좌와 집행계좌를 분리하여 개설하는 것이 바람직합니다.

101) 분양대금 관리사무의 경우 분양계약서 사본 등을 징구하고 관리하기 위해서,위임자로 하여금 수분양자들의 개인정보를 자금관리 수탁자에게 제공하는 것에 대한 동의서를 징구하도록 하여야합니다.

102) 창원지방검찰청 2019.1.23.자 보도자료 『다중·서민 피해 '김해 율하이엘 지역주

4. 신탁재산에 속하는 금전에 대한 관리·집행

토지신탁사업의 경우, 신탁재산에 속하는 금전은 자본시장법상 정해진 방법(금융기관 예치 등)으로만 운용해야하며, 그 자금집행은 신탁법 및 신탁계약상 신탁목적에 따른 신탁사무 처리비용(제세공과금, 고유계정차입금 상환 포함), 신탁보수, 신탁수익금 교부를 위한 집행만이 가능합니다.

신탁재산(관리형토지신탁 포함)에 속하는 자금의 관리 및 집행은, 단순 자금관리사무와 전혀 다릅니다. 단순히 자금집행요청권자의 요청 및 동의권자의 동의만으로 자금을 집행할 수 있는 것이 아니라, 해당 자금집행이 신탁사무 처리비용에 해당되는지 여부를 수탁자가 검토·확인해야 하는 것입니다. 특히, 위탁자 또는 수익자에 대한 금전지급 또는 위탁자 또는 수익자가 부담하는 채무에 대한 변제 목적의 자금집행은 특별한 사정이 없는 한 신탁사무처리비용의 집행으로 볼 수 없다는 점을 주의하여야 합니다.

실무	**관토사업에서 위탁자가 발주한 용역에 대한 용역비를 지급하는 것은 문제가 없는지 여부**

• 본문에서 살펴본 바와 같이, 관리형 토지신탁 사업의 경우에도, 신탁재산 관리계좌에서는 기본적으로 신탁사무처리비용에 대한 자금집행만이 가능한 것입니다. 그런데 관리형토지신탁 실무를 살펴보면, 공사도급계약/설계계약/감리계약 등 인허가청에 계약서 제출이 필요한 용역계약을 제외한 기타 용역은 위탁자가 직접 발주 후 별다른 승계계약없이 위탁자 요청에 따라 자금을 집행하는 경우가 많습니다. 이러한 자금집행이 정당성을 인정받을 수 있는지 문제됩니다.

• 신탁사무처리비용은 신탁사무 처리과정에서 수탁자가 채무자로서 부담하는 비용에 한정되는 것이며(대법원 2012. 4. 13. 선고 2011두11006판결 참조), 위탁자의 선투입 비용, 위탁자 부담의 용역비 등은 원칙적으로 신탁사무처리비용이 될 수 없습니다(대법원 2005. 7. 29. 선고 2004다61327판

택조합 부동산개발 사업 비리 사건』 수사결과』 참조.

결 참조).[103)]

- 따라서 관리형토지신탁사업의 경우라도, 사업수행을 위해서 필요한 용역이라면 수탁자가 직접 발주하거나, 이미 위탁자가 발주한 용역이라면 신탁사가 승계계약을 체결하고 당해 계약에 따라 용역비를 집행하는 것이 원칙이라 할 것입니다. 다만, 실무관행 고려시 모든 용역계약에 대한 수탁자 직접 발주 내지 수탁자 승계계약 체결의 원칙이 쉽게 정착하지는 않을 것 같습니다. 실무적으로 위탁자가 직접 발주한 용역계약비에 대한 자금집행시에는, 최초 사업수지 예산에 해당 용역비가 반영되어 있는지 여부, 실제 적정한 용역제공이 있었고 이에 대한 증빙이 있는지 여부, 해당 용역비 집행에 대하여 우선수익자 등 신탁관계인의 명확한 동의가 있는지 여부를 확인하고 자금집행을 하여야 할 것입니다.

---

103) 위탁자의 선투입 사업비를 신탁재산에서 사후정산해주는 것은 위탁자에 대한 신탁수익 지급으로 취급될 수 있고, 이는 신탁수익 선지급 규정에 대한 위반으로 볼 소지가 있습니다.

17 자금관리사무와 수분양자의 분양대금반환청구권

1. 문제의 소재

신탁회사가 분양대금에 대한 자금관리 대리사무를 수행한 경우, 분양계약이 해제·취소·무효가 되었을 때, 수분양자가 신탁회사에 대하여 직접 분양대금 반환을 청구할 수 있는지 여부가 문제됩니다. 신탁사들마다 이러한 문제로 수많은 수분양자들의 분양대금 반환 소송이 발생하곤 합니다.

2. 판례의 태도 : 삼각관계에서의 급부이행

대법원은, 신탁사가 분양대금 자금관리를 수행한 사안에서, 수분양자가 분양대금을 신탁회사 계좌로 입금하는 것을 소위 "삼각관계에서의 급부 이행"으로 보고 있습니다.

이론 — 삼각관계에서의 급부(또는 단축급부)

• 삼각관계에서의 급부란, 계약의 일방당사자(A)가 계약상대방(B)의 지시 등으로 급부과정을 단축하여 계약상대방(B)과 또 다른 계약관계를 맺고 있는 제3자(C)에게 직접 급부하는 것을 말합니다. 일상에서 흔히 발생하는 법률관계입니다. 삼각관계에서의 급부(A→C)가 이루어진 경우, A는 B와의 계약이 무효가 되었다는 이유로, C에게 직접 부당이득 반환청구를 할 수 없다는 것이 확립된 법리입니다(C는 A로부터 급부제공을 받기는 하였으나, 그 원인은 C와 B간의 계약입니다. C와 B간에 체결한 계약이 유효한 이상, C가 A로부터 제공받은 급부를 부당이득으로 볼 수는 없는 것입니다).

즉, 대법원은, 수분양자가 분양대금을 수탁자 계좌에 입금한 것은 삼각관계에서의 급부이행이라는 전제에서, 계약의 일방당사자(수분양자)가 계약상대방

(시행사)에 대하여 급부를 한 원인관계인 법률관계(분양계약)에 무효 등의 흠이 있거나 그 계약이 해제되었다는 이유로 제3자(수탁자)를 상대로 하여 직접 부당이득반환청구를 할 수 없다는 이유로, 수분양자의 신탁회사에 대한 분양대금 반환청구권을 부정하고 있습니다(대법원 2018.7.12.선고 2018다204992판결 등).

> ※ 일반적인 대리사무 구조에서, 수분양자가 수탁자를 상대로 분양대금 반환을 구한다면, 이는 소송 형식을 잘못 선택한 것입니다. 수분양자 입장에서는 대리사무계약상 자금집행 통제권자를 상대로, 즉, 자금집행 요청권자에게는 수탁자에게 자금집행 요청의 의사표시를 하라는 취지로, 자금집행 동의권자에게는 수탁자에게 자금집행 동의의 의사표시를 하라는 취지의 소송을 하여야 합니다. 이 경우 분양계약 해제가 적법하다면 최소한 자금관리계좌 잔액 범위 내에서는 분양대금을 반환받을 수 있을 것입니다.

3. 분양관리신탁에 따른 대리사무의 경우

위와 같은 삼각관계에서의 급부에 대한 부당이득 반환 불가의 법리가 분양관리신탁에 따른 대리사무에서도 똑같이 적용될까요.

분양관리신탁 관련 대리사무는 건분법에 따라 수분양자 보호를 목적으로 하며, 시행사로 하여금 분양대금채권을 수탁자에게 양도하도록 하고 있습니다(건분법 시행령 제3조 제2항 참조). 즉, 수분양자는 단순히 자신과 계약관계가 없는 수탁자에게 단축급부로서 급부제공을 한 것이 아니라, 분양대금채권 양도를 통하여 자신과 직접 법률관계가 형성된 수탁자에게 분양대금을 지급한 것으로 볼 수 있다는 점에서, 양도 대상 채권의 발생 원인이 된 분양계약이 해제된 이상 직접 수탁자에 대하여 분양대금 반환청구권을 가진다고 볼 소지가 있습니다.[104][105]

---

104) K신탁사가 분양관리신탁 관련 대리사무를 수행한 죽전수산물유통센터 사건에서, 1심법원(서울중앙지방법원 2011가합39057판결)은, 계약이 해제되는 경우 계약해제 이전에 해제로 인하여 소멸되는 채권을 양수한 자는 채무자로부터 이행받은

실제 하급심에서는 위와 같은 이유로 수분양자의 분양대금 반환청구를 인정한 바가 있습니다. 그러나 대법원은 분양관리신탁 관련 대리사무 사안에서도, 일반적인 대리사무와 같이 "삼각관계에서의 급부에 대한 부당이득 반환 불가의 법리"만으로 수분양자의 수탁자에 대한 분양대금 반환청구를 부정하였습니다(대법원2017. 7. 11. 선고 2013다55447판결,[106] 대법원 2015 .04.23. 선고 2014다77956판결 참조).

급부를 원상회복할 의무가 있다는 전제에서, 수분양자의 분양대금 반환청구를 인정한 바 있습니다. 2심법원은 1심과 동일하게 판단하되, 특별한 이유 설시 없이 수탁자의 책임범위를 신탁재산 한도로 제한하였고, 해당 판결은 그대로 확정되었습니다. 그러나 동일한 사업장에서 다른 수분양자가 분양대금 반환을 청구한 사건이 대법원까지 올라갔고, 해당 사안에서 대법원은 "단축급부에서의 부당이득 법리"에 기초하여 수분양자들은 수탁자에게 분양대금 반환을 구할 수 없다고 판단하였습니다(대법원2017.7.11.선고 2013다55447판결 참조).

105) 사견으로는, 최소한 분양관리신탁 관련 대리사무에서 분양대금 반환청구권에 대하여는 소위 "제3자를 위한 계약의 법리"가 적용될 소지도 있는 것으로 생각됩니다 (다만, 일반적인 자금관리 대리사무계약의 경우에는 "제3자를 위한 계약의 법리"가 적용되기 어렵고, 대법원도 적용 불가의 입장입니다. 대법원 2018.7.12.선고 2018다204992판결 등 참조).

106) **판례** 건분법상 대리사무에서 수분양자의 수탁자에 대한 부당이득 청구

• 대법원 2017. 7. 11. 선고 2013다55447 판결
『갑 주식회사가 을 등과 상가 분양계약을 체결할 당시 병 주식회사와 체결한 분양관리신탁계약 및 대리사무계약에 따라 분양대금채권을 병 회사에 양도하였고, 을 등이 이를 승낙하여 분양대금을 전부 병 회사의 계좌로 납입하였는데, 그 후 을 등이 갑 회사와 병 회사를 상대로 분양계약 해제로 인한 원상회복 또는 분양계약 취소로 인한 부당이득반환으로 을 등이 납부한 분양대금 등의 지급을 구한 사안에서, 을 등이 분양계약에 따라 병 회사 명의의 계좌에 분양대금을 입금한 것은 이른바 '단축급부'에 해당하고, 이러한 경우 병 회사는 갑 회사와의 분양관리신탁계약 및 대리사무계약에 따른 변제로서 정당하게 분양대금을 수령한 것이므로, 을 등이 병 회사를 상대로 법률상 원인 없이 급부를 수령하였다는 이유로 원상회복청구나 부당이득반환청구를 할 수 없다고 한 사례』

주택법과 주택공급에 관한 규칙상 사업주체는 입주자모집 승인을 받아 입주자를 공개모집하여야 하고,[107] 건축물의 분양에 관한 법률상 분양사업자는 분양신고 후 수분양자를 공개모집하여야 합니다.[108]

부동산 PF개발사업에서 PF대주 등은 분양 목적물에 대한 잠재 수요자 파악을 통해 분양위험을 측정하기 위해서 일정 수준의 사전 청약 내지 사전 예약 및 그에 따른 청약금 내지 증거금의 관리를 요구하는 경우가 있습니다.

그런데 주택법령과 건축물 분양 관련 법령에서는 '사전 분양'만을 금지하는 것이 아니라 분양신고 또는 입주자모집 승인 전 '사전 모집'을 금지하고 있습니다(건분법 제6조, 주택공급에관한규칙 제20조 등). 그리고 조건부라도 청약을 받는 것은 '모집'행위로 볼 수 있으므로, 이러한 조건부 사전 청약은 건분법 및 주택법에 위반될 소지가 많다고 할 것입니다. 따라서 관련법에 따라 사전모집이 금지되는 주택 또는 건물에 대한 청약금 관리 대리사무를 수행하는 것은 자제해야 할 것입니다.

---

107) **법령**　**주택공급에 관한 규칙**

제19조(입주자모집 방법) ① 사업주체는 공개모집의 방법으로 입주자를 모집하여야 한다.
제20조(입주자모집 승인 및 통보) ① 사업주체(제18조 각 호의 사업주체는 제외한다)는 입주자를 모집하려면 다음 각 호의 서류를 갖추어 시장·군수·구청장의 승인을 받아야 한다.

108) **법령**　**건축물의 분양에 관한 법률**

제6조(분양방법 등) ① 분양사업자는 제5조제3항에 따른 분양신고의 수리 사실을 통보받은 후에 분양 광고에 따라 분양받을 자를 공개모집하여야 한다.

해석 　사전청약 및 사전광고의 건분법 위반여부

1. 분양신고 수리사실 통보 전 분양광고(건축기획팀-388. '05.09.23)

(회신내용) ㅇ 건축물의 분양에 관한 법률 제3조에 따라서 이 법의 적용을 받는 건축물을 분양 하고자 하는 경우에는 동법 제5조에 따라서 건축허가권 자에게 신고를 하여야 하며 법 제6조제1항을 위반하여 분양신고의 수리사실을 통보 받지 아니하고 분양광고를 한 경우에는 동법 제10조제2항제1호에 따른 처벌을 받게 되는 것임.

2. 건축물 사용승인 전에 예약을 하고 사용승인 후 계약을 해도 되는지, 또한 분양신고 전에 미분양을 대비해 동 호수를 지정하여 사전예약이 가능한지 (건축물분양제도 업무편람, 국토부, 2020, 제78쪽)

〈회신내용〉 : 분양신고대상 건축물을 공개모집 이전에 미리 예약금을 받고 예약을 한다는 것은, 어떠한 경우라도 이 법의 도입 취지에 맞지 않을뿐더러 같은 법 제5조 제1항 및 제6조 제1항에 위반되어 같은 법 제10조에 따른 처벌대상이라고 봄

　한편, "청약"은 그에 대한 승낙에 의하여 곧바로 계약의 성립에 필요한 의사합치에 이를 수 있을 정도로 내용적으로 확정되어 있거나 해석에 의하여 확정될 수 있어야 합니다(대법원 2000다45273판결 등). 따라서 계약목적물이나 계약조건에 대한 명확한 특정 없이 건분법 및 주택법에 따른 공개모집 후 미분양물건에 대한 수의계약 진행시 매수할 의향이 있음을 밝히고 증거금을 지급하는 행위를 청약으로 보거나, 그러한 매수의향서 징구 및 증거금 수령 행위를 '사전모집'으로 보기는 어려울 것입니다.[109]

---

[109] 이 경우에도 시행사들이 매수의향자 모집을 위해 분양신고전 분양광고를 실시하는 경우 그러한 광고행위는 건분법 10조 등에 위반될 수 있다는 점에 유의하기 바랍니다.

장래 미분양 물건에 대한 의향서 제출에 수반되는 증거금 자금관리 대리사무를 수주하는 경우에는, 사전에 의향서 양식을 정하여 대리사무계약서에 첨부하고, 의향서에는 ① 해당 구분건물은 건분법 등 관련 법령에 따라 공개모집의 방법으로 분양된다는 점, ② 사업주체는 의향서 제출자들에 대하여 의향서 기재 특정 호실(세대)에 대한 수분양권을 보장하지 않는다는 점(공개모집 절차에서 제3자가 수분양자로 선정될 경우 의향서 제출자는 분양을 받을 수 없다는 점), ③ 건분법 등 관련 법령에 따른 공개모집 후 미분양물에 대한 수의계약이 가능할 경우 의향서 제출자들의 희망에 따라 공급계약 체결이 가능한 점, ④ 의향서 제출자들은 언제든지 매수의향을 철회할 수 있고, 이 경우 증거금은 원금 전액이 반환된다는 점을 명확히 기재하여야 할 것입니다.

불기소　　예약신청금 대리사무와 건분법 위반여부

• 의정부지방검찰청 고양지청 2016년 형제14975호 불기소 결정서 중

『.....사전예약한 상가가 공개분양 절차를 통해 분양되는 경우 등 예약신청자는 정당한 사유가 있으면 정식계약으로 전환하지 않고 예약신청금을 조건 없이 반환받을 수 있는 것으로 보이는 점 등에 비추어 보면 이 사건의 경우와 같이 매매계약으로서의 효력이 발생하기 전의 조건부 법률행위까지 건분법 제2조 제2호의 "분양"개념에 포함된다고 보기 어렵고.....사전예약신청 계약시 예약신청금을 부동산신탁에 입금하고 정식계약 미전환시 이를 부동산신탁에서 사전예약신청자로 직접 반환함으로써 사전예약신청자의 권리를 보호하고 있는 점, 공개분양절차가 형식화되고 실질적으로 사전예약신청이 분양행위로 대체되는 문제점은 공개분양 절차에 대한 구체적 규정의 미비에서 기인한 측면도 있는 점......증거 불충분하여 혐의 없다』

04

이론과 쟁점
- 토지신탁

신탁계정대여금

1. 신탁계정대여금

신탁계정 대여는, '수탁자의 고유계정'과 '수탁자의 신탁계정' 사이 **계정간 자금대여**를 말합니다(회계적으로 고유계정에서는 자산항목 중 '신탁계정대여금'으로, 신탁계정에서는 부채항목 중 '고유계정차입금'으로 처리합니다).[110][111]

수탁자가 신탁 목적에 따라 신탁재산을 관리·처분·개발하기 위해서는 여러 가지 신탁사무처리비용이 발생합니다. 신탁재산에 금전이 있다면 이로써 비용을 지출할 수 있을 것이나, 일시적으로 금전이 부족하다면, 고유재산에서 이를 선지출한 후에 신탁재산으로부터 상환받거나(비용상환청구권), 고유재산에서 신탁계정에 자금을 대여하고 이를 재원으로 신탁사무처리비용을 지출하는 것이 필요한 것입니다.

2. 신탁계정 대여의 법률관계

신탁계정 대여는 분별관리되는 계정간 자금이체에 독립 당사자간 금전대여의 법률관계를 차용한 것에 지나지 않는다는 점에서, 신탁계정 대여시 대주와 차주를 가리는 것은 큰 의미가 없으나, 굳이 구분하자면 '고유계정 귀속주체로서 신탁사'가 대주이고, '신탁계정 귀속주체로서 신탁사'가 차주일 것입니다.

---

110) 계정간 거래는, 법률 등에 따라 분별관리 대상이 되는 계정간에 발생할 수 있는 거래입니다. 예를 들어, 예금보험공사는 업권별로 예금보험료를 징수하여 각각의 예금보험기금계정을 분별관리합니다. 이 때 특정 계정의 자금이 부족한 경우 계정간 자금대여를 실행합니다(은행계정에서 상호저축은행계정으로 자금 대여 등).

111) 과거 고유계정과 신탁계정간 소비대차거래는 구 신탁법 제31조에 위반하여 무효라는 대법원 판결이 있었습니다(Chapter 7. N.11. "신탁계정대여금 관련 판결" 참조). 그러나 자본시장법 시행 이후에는 부동산 신탁의 경우 신탁계정 대여에 대한 법률적 근거가 마련되었습니다(자본시장법 제105조 제2항 참조).

고유계정차입금은 신탁재산에 속하는 (후순위)채무인 것이고, 이를 상환하는 것도 신탁사무에 속하는 것이므로, 그 변제 비용 역시 신탁사무처리비용에 해당된다고 볼 수 있습니다. 수익자는 비용상환의무를 부담하므로, 그 범위에서 고유계정차입금의 변제비용에 대한 상환책임을 부담한다고 할 수 있으나, 법률적으로 신탁계정대여금에 대한 차주는 아닙니다.

참고로, 신탁계정대여는 신탁사무처리비용을 지출하기 위한 목적으로 한정하여 허용되는 고유계정과 신탁계정간 거래입니다. 토지신탁에서, 신탁 대상이 되는 토지(신탁원본) 확보는 당해 토지신탁의 신탁사무라고 볼 수 없고, 신탁사는 신탁원본을 보전할 수 없는바, 토지비 지출 목적의 신탁계정 대여는 불가한 것입니다.

02 신탁이익 선지급 기준

1. 선지급 기준의 기본 내용은

개발 목적의 토지신탁에서 신탁의 이익은 개발사업 종료시 확정됩니다. 개발사업 기간 중 일시적으로 현금 흐름이 양호하게 발생한다는 이유로 아무 제한 없이 장래 신탁 이익을 가배당한다면, 이후 예측할 수 없었던 사정으로 해당 사업이 부실화되는 경우 신탁사까지 부실해질 수 있습니다.

『금융투자회사의 영업 및 업무에 관한 규정』 별표15 "토지신탁수익의 신탁 종료 전 지급 기준(이하 "선지급기준"이라 함)은, 토지신탁에서 신탁의 이익이 확정되기 전에 이를 선지급하는 것을 원칙적으로 금지하는 것을 목적으로 합니다. 이를 위해 선지급기준은, 신탁사업에서 발생한 수입(분양수입금)은 신탁사업의 사업비(수탁자가 부담하는 신탁사무처리비용) 지출에만 사용하고 토지비 또는 사업이익으로 지출하지 못하도록 하되, 토지비 대출원리금 상환 목적 또는 법인세 등 납부 목적인 경우에 한하여 기 수납 분양수입금 중 토지비 비율 상당의 금원 또는 분양매출 총액에서 전체 사업비를 공제한 금원의 범위 내에서 제한적으로 선지급을 허용하고 있습니다.

2. 선지급 기준 위반은 단순 협회 규정 위반에 지나지 않는 것인지 여부

자본시장법 위반에 해당됩니다. 자본시장법 제108조 제9호, 동법 시행령 제109조 제3항 제4호, 금융투자업규정 4-92조 제4항은, 재산상 이익 제공을 신탁업자의 불건전영업행위 중 하나로 정하면서, 그 구체적인 기준을 협회에서 정할 수 있도록 하였습니다.

『금융투자회사의 영업 및 업무에 관한 규정』 제2-65조 및 별표 15는 위

법령의 위임을 받아 재산상 이익 제공의 한도를 정하면서 신탁이익에 대한 선지급 기준을 마련한 것입니다. 따라서 선지급 기준 위반은 자본시장법 제108조에 위반되는 불건전영업행위가 되는 것입니다.

3. 예외적으로 허용되는 선지급 용도·목적에 대하여

현행 선지급 기준은 토지지 대출원리금 상환 목적의 선지급과 위탁자의 법인세·법인지방소득세·종합소득세·개인지방소득세 납부 목적의 선지급만을 허용하고 있습니다. 따라서 위탁자가 신탁 전에 선투입한 사업비 회수 목적의 신탁이익 선지급은 불가능합니다.

※ 토지대 원리금 상환 목적의 선지급만을 허용하는 것은, 결과적으로 자기자본으로 토지를 매입한 위탁자와 타인자본으로 토지를 매입한 위탁자에 대한 비합리적 차별의 문제를 가지고 있습니다. 사견으로는 선지급기준은 선지급 가능 조건과 그 범위만을 정하면 될 것으로 보이며, 현행과 같이 선지급의 용도까지 제한할 필요성은 없는 것으로 보입니다.

※ 위탁자 명의 재산세와 부가가치세 집행시에는 선지급기준이 적용되지 않는 것일까요.[112] 법률적으로 수탁자가 아닌 위탁자가 납세의무를 부담하는 제세공과금을 신탁사업의 수입으로 지출하는 것은 선지급기준 위반 소지가 있습니다. 실무적으로는 재산세와 부가가치세의 경우에는 그 성격상 신탁사업의 사업비로 간주하고 신탁재산에서 이를 집행하고 있습니다. 그러나 선지급기준을 개정하여 선지급이 가능한 예외사유로 명시하는 것이 바람직할 것입니다.

※ 상당수 신탁사업에서는 시행사 운영비를 사업비에 반영하고 있습니다. 원칙적으로 분양수입금 등으로 시행사 운영비를 지급하는 것은 사실상 신

---

112) 관리형토지신탁사업, 재개발사업·재건축사업 또는 가로주택정비사업·소규모재건축사업에서 수탁자가 사업대행인 경우는 위탁자가 부가가치세 납세의무자입니다 (부가가치세법 시행령 제5조의2 제2항 참조)

탁 이익의 선지급이라 할 것입니다. 그러나 감독기구에서는 적정 수준의 시행사 운영비 지급은 문제삼지 않겠다는 입장입니다(다만, 과도한 운영비, 분양률에 연동하여 운영비를 증액하는 행위는 신탁수익의 선지급에 해당된다는 입장임, 2016. 11. 21. 부동산신탁사 준법감시인 간담회).

4. 실무상 선지급 가부 관련 중요 이슈들

가. 관리형토지신탁의 선지급 조건과 관련하여 신용평가업자 외 신용정보업자들의 평가등급을 기준으로 선지급 조건 충족여부를 판단할 수 있는지 여부

금융투자협회는 선지급 조건 충족 여부 판단시 자본시장법 제335조의3에 따라 금융위원회로부터 인가를 받은 신용평가업자의 신용평가만을 인정하고 있습니다(현재 신용평가업 인가를 받은 신용평가회사는 한국신용평가, 한국기업평가, NICE신용평가, 서울신용평가 4개사입니다). 신용평가업자가 아닌 신용정보법상의 신용조회업자들도 신용조회업무의 일환으로 기업신용평가 등을 수행하고 있으나(주로 조달청 등 공공기관 입찰시 이용됨), 이는 선지급 기준상 선지급 조건을 충족하는 신용평가가 아니라는 점에 주의하기 바랍니다.

나. 위탁자 조달 자금(신탁사업 예수금)으로 토지비 대출금 원리금을 상환하는 경우에도 선지급 기준에 위반되는 것인지 여부

선지급기준은 기본적으로 신탁사업에서 발생하는 수입(분양수입금)을 준공전에 신탁이익으로 선지급하는 것을 제한하고 있습니다.

선지급기준은 그 취지상, 당해 개발사업의 수입(분양수입금)을 재원으로 신탁이익을 선지급하는 경우에 적용되는 것이고,[113] PF 대출금을 포함한 위탁

---

113) 차입형 토지신탁에서, 고유계정 차입금을 재원으로 신탁이익을 선지급하는 것도 금지되는 것으로 해석됩니다. 고유계정 차입금은 분양수입금을 통해 상환되는

자 조달 자금(신탁사업예수금)을 신탁관계인의 동의하에 토지비 PF 대출금 상환 목적으로 집행하는 것은 선지급기준에 저촉되지 않는 것으로 판단됩니다(다만, 이 경우 위탁자 조달 자금은 별도의 신탁사업 예수금 계좌에서 분양수입금과는 구분관리하여야 할 것입니다).

다. 분양수입금으로 사업비 대출 원리금을 상환하는 경우에도 선지급 기준이 적용되는 것인지 여부

토지비가 아닌 사업비 대출원리금 상환 자체는 선지급 기준이 적용되지 않습니다. 즉, 신탁계약서상 사업비 집행 순서 및 집행 방법을 준수하여 사업비 대출원리금을 상환하는 것은 가능합니다. 문제는 토지비대출과 사업비대출을 구분하지 않고 하나의 대출이 실행된 경우입니다. 이 경우 상환금의 일정액이 토지비 대출원리금 채권 부분에 충당된다면 이는 선지급기준 위반에 해당될 것입니다.

라. 사업부지를 분양수입금 또는 신탁계정대여금으로 매입하는 것이 가능한지 여부

토지신탁의 사업부지(도시계획시설부지 포함)는 신탁원본에 해당하는바, 이를 분양수입금 또는 신탁계정대여금으로 매입하는 것은 선지급기준의 해석상 허용되지 않습니다.

물론, 선지급기준은 그 문언상 위탁자가 투입한 토지비를 신탁종료 전 신탁이익으로 선회수하는 것을 제한하는 것이지 위탁자가 미매입한 사업부지를 분양수입금 등으로 매입하는 것까지 명시적으로 금지하고 있지는 않습니다. 그러나 위탁자 조달 자금이 아닌 분양수입금 등을 통한 사업부지 매입을 허용한

것이 예정되어 있기 때문입니다.

다면, 선지급 기준의 취지가 몰각되는 것은 분명할 것입니다.

선지급기준은 신탁원본이 될 전체 사업부지는 위탁자의 비용으로 확보하여 신탁하고, 그 비용은 신탁종료 후 신탁이익으로써 회수하는 것을 전제하고 있습니다. 분양수입금으로 사업부지를 매입하는 것은 선지급기준에 반한다고 할 것입니다.

※ 정비사업을 토지신탁사업으로 진행하는 경우, 매도청구권 행사에 따른 매매대금 지급은 사실상 신탁재산으로 사업부지를 매입하는 것과 같고, 조합원 분양분에 대하여는 사실상 권리가액 만큼 신탁이익 선지급이 되고 있다고 볼 수 있습니다. 사견으로는 선지급 기준에서 정비사업에 대한 예외를 명확하게 규정하는 것이 타당할 것으로 보입니다.

마. 신탁 전에 위탁자가 기투입한 사업비를 신탁 후에 신탁재산에서 정산해주는 것이 선지급기준에 반하는 것인지 여부

실무자들의 오해 중 하나가 선지급기준이 토지비 지급만을 제한하는 규정으로 이해하는 것입니다. 이러한 오해로 인하여, 기투입한 사업비를 정산해주는 것은 토지비를 지급하는 것이 아니므로 선지급기준에 반하지 않는다는 잘못된 결론에 이르곤 합니다.

그러나 선지급기준은 신탁종료시 확정되는 신탁수익(토지비 + 사업이익)을 신탁종료 전에 선지급하는 것을 금지하되, 예외적으로 토지비 대출원리금 상환 등만을 제한적으로 허용하는 것입니다. 신탁 전에 위탁자가 기투입한 사업비는 신탁사업의 사업비가 아니며, 이는 신탁사업 종료 후 확정된 사업이익을 통해 회수해야 하는 것이지, 신탁사업 종료 전에 이를 교부하는 것은 확정되지 않은 신탁이익을 지급하는 것으로서 선지급기준에 반하는 것입니다.

바. PF대출 한도차감의 경우 차감 금액 상당은 위탁자 조달 자금으로 보아 선지급기준 적용이 없는 것인지 여부

최근 PF약정 및 신탁계약서를 살펴보면, 분양수입금의 상당 부분은 장래 대출금 상환 목적으로 별도의 대출금상환계좌에 적립하되, 분양이 양호한 경우에는 선순위 PF대출한도를 차감하면서 해당 금액을 대출금상환계좌에서 운영계좌로 이체하여 사업비 등으로 집행할 수 있도록 하고 있습니다. 이때 한도차감 금액은 추가적인 대출금에 준하여 선지급기준 적용이 없는 것인지 문제될 수 있습니다(예를 들어, 위 금원으로 미매입 사업부지를 매입하는 경우).

PF대출 한도차감이 있었다하여 차감 금원 상당의 분양수입금의 성격이 대출금으로 바뀌는 것은 아니겠으나, 선지급기준만을 고집하여 별도의 한도대출을 인출하여 집행하라고 요구하는 것은 과도한 형식논리로 생각됩니다.

사. LH매입약정에 따른 약정금으로 기존 PF대출금을 상환하는 경우에도 선지급기준이 적용되는지 여부

LH매입약정사업은 위탁자가 매도인이 되는 방식(장래 신탁해지를 정지조건으로 위탁자가 소유권이전을 약정하는 방식)과 수탁자가 매도인이 되는 방식이 있는데, 통상적으로는 전자의 방식을 취합니다. 그런데 수탁자가 신탁재산을 처분하여 수납하는 처분대금과 달리, 위탁자가 장래 매도인으로서 조달한 매입약정금은 신탁수익이 아니며 신탁재산이 아닙니다(다만, 위탁자 조달자금으로서 신탁사업예수금 형식으로 신탁재산에 편입될 수는 있습니다). 이 경우 매입약정금은 수탁자가 위탁자를 대리하여 수납·관리하는 자금 또는 위탁자 조달자금으로서 신탁사업예수금에 해당하는바, 이를 통한 토지비 대출 상환 등의 경우에는 선지급기준이 적용되지 않는 것으로 보아야 할 것입니다.

03 관리형토지신탁사업에서 수탁자의 책임재산 한정특약

1. 관리형토지신탁과 수탁자의 책임재산 한정 특약

수탁자가 신탁사무를 처리하면서 제3자에 대하여 신탁채무를 부담하는 경우, 그 이행책임은 신탁재산의 한도 내로 제한되지 않고 수탁자의 고유재산에 대하여도 미치는 것이 원칙입니다(대법원 2004다31883판결 참조).

그러나 관리형토지신탁의 경우 수탁자가 사업주체로서 도급계약 및 각종 용역계약 승계계약을 체결할 때, 해당 계약으로 인해 발생하는 신탁채무에 대한 책임을 신탁재산으로 한정하는 '책임재산한정특약'을 체결하는 경우가 많습니다. 특별한 사정이 없는 한, 이러한 특약은 유효한 것으로 보입니다.

2. 공급계약에서의 책임재산 한정특약

불특정 다수와 체결하는 공급계약은 어떨까요. 종래에는 관리형토지신탁의 경우라도 공급계약만큼은 별도의 책임재산한정특약을 하지 않았으나, 최근에는 대부분 신탁사가 공급계약서에 아래와 같은 책임제한문구를 반영하고 있습니다. 다만, 이러한 특약의 효력이나 실효성에 대해서는 좀 더 고민의 필요가 있어 보입니다. 114)

---

114) [관토사업에서 **공급계약상 수탁자의 책임을 제한하는 것이 적정한지**] 사견으로는, 관리형 토지신탁에서도 수탁자는 사업주체의 지위를 가지는바, 수분양자에 대한 책임마저도 신탁재산을 한도로 한정하는 것은 바람직하지 않은 것으로 보입니다. 나아가 위 예시와 같은 취지의 공급계약상 공급자의 책임한정특약은 불공정 약관에 해당될 소지도 있어 보입니다.

한편, HUG의 분양보증부 분양상품의 경우, 신탁회사가 분양계약을 불이행할 경우 종국적으로 보증기관 HUG에 대하여 구상채무를 면할 수 없는바, 사업주체로서 분양보증을 받았다면 영속적인 기업활동을 위해서는 분양계약상 채무만큼은 고유재산의 부담으로라도 이행하는 것이 불가피하다는 점에서 위와 같은 책임한

예시	관리형토지신탁사업 공급계약상 관리형토지신탁 사업에 따른 수탁자 책임제한 약정

1. 「본 사업은 위탁자 OO, 시공사 OO, 수탁자 OO신탁(주)이 체결한 관리형토지신탁계약에 따라 실질적 사업주체인 위탁자의 사업비 조달, 시공사의 책임준공, 수탁자의 신탁사무처리를 통해 진행되는 관리형토지신탁사업입니다.」

2. 「본건 공급계약과 관련하여, 수탁자는 공급 대상 목적물인 신탁재산을 보전하고, 준공 후 공급금액 완납자에 대하여 소유권이전 절차를 이행할 의무를 부담합니다. 그러나 수탁자가 공급계약상 공급자로서 부담하는 모든 의무는, 관리형토지신탁계약상 신탁재산에 속하는 금전 범위로 그 책임이 한정되며, 이를 초과하는 부분은 위탁자가 그 책임을 부담합니다.」

3. 신탁해지, 신탁목적 달성 등의 사유로 분양형토지신탁계약이 종료된 경우에는 그 즉시 모든 공급계약에 대하여, 개별 공급계약에 따라 공급 대상 목적물의 소유권을 매수인에게 이전한 경우에는 그 즉시 해당 공급계약에 대하여, 공급자이자 매도인으로서 대한토지신탁(주)이 가지는 일체의 권리·의무(손해배상의무 포함)는 위탁자 겸 수익자에게 면책적·포괄적으로 이전(승계)됩니다.

정특약의 실익은 크지 않을 것으로 생각됩니다.

토지신탁의 경우, 신탁 기간 종료 후에도 장기간 수탁자가 공급계약 관련 하자담보책임을 부담할 수 있다는 점에서 수탁자의 책임제한이 필요하다는 주장도 있으나, 이는 위 예시문 제3항과 같이 신탁종료 후 위탁자 앞 포괄적·면책적 지위 이전 조항으로 해결할 문제인 것 같습니다.

개정 신탁법은 유한책임신탁제도를 도입하였으나, 아직 이를 이용한 상품은 나오지 않고 있습니다. 사실, 대부분의 신탁상품은 개별적인 책임한정특약을 통해 수탁자의 책임을 제한하고 있습니다. 그러나 개발 목적의 토지신탁은 불특정 다수의 수분양자와의 법률관계가 예정된다는 점에서, 향후에는 신탁법상 유한책임신탁을 이용한 토지신탁상품을 개발하여 수탁자의 책임을 제한하는 것이 바람직한 방향일 것입니다.

1. (우선)수익권의 내용과 한계는 어떻게 정해지는지

수익권은 신탁이익을 향수할 수 있는 권리이고, 우선수익권은 수익권에 우선하여 신탁이익을 향수할 수 있는 권리입니다. 수익권 또는 우선수익권의 구체적인 내용과 한계는 신탁 목적에 따라 신탁행위(신탁계약)로써 정할 수 있습니다.

관리·처분·개발신탁에서 수익권(협의의 수익권으로서 자익권을 말함. 이하 같음)의 기본 내용은 수탁자가 신탁의 목적(관리·처분·개발)에 따라 신탁사무를 처리하여 발생한 신탁의 이익(관리·처분·개발의 수익 – 신탁사무처리비용 - 신탁보수)을 교부받을 수 있는 권리라고 할 것입니다.

담보신탁은 근저당제도의 기능을 벤치마킹한 상품으로서 우선수익권의 내용도 다소 기교적·기술적으로 창안되었습니다. 담보신탁에서 우선수익권은 피담보채권의 기한의 이익 상실시 신탁재산에 대하여 환가를 요청하고 그 환가대금(잔여신탁재산)을 교부받아 피담보채권의 만족을 구할 수 있는 권리를 기본 내용으로 한다고 할 수 있습니다.[115]

---

115) **판례** 우선수익권의 법적 성격

- 대법원 2018. 4. 12. 선고 2016다223357 판결

『수익권의 구체적인 내용은 특별한 사정이 없는 한 계약자유의 원칙에 따라 신탁계약에서 다양한 내용으로 정할 수 있다. 우선수익권은......우선수익자로 지정된 채권자가 채무자의 채무불이행 시에 신탁재산 처분을 요청하고 그 처분대금에서 자신의 채권을 위탁자인 채무자나 그 밖의 다른 채권자들에 우선하여 변제받을 수 있는 권리를 말한다. 우선수익권은 수익급부의 순위가 다른 수익자에 앞선다는 점을 제외하면 그 법적 성질은 일반적인 수익권과 다르지 않다......우선수익권은 우선 변제적 효과를 채권자에게 귀속시킬 수 있는 신탁계약상 권리이다』

2. 차입형 토지신탁에서도 우선수익권 설정이 가능한지

　　모든 신탁에서 우선수익권 설정이 가능하며, 그 내용은 신탁의 목적에 따라 신탁행위로써 정할 수 있습니다. 토지신탁에서도 개발사업 종료시 수익권에 우선하여 개발사업으로 발생한 신탁이익을 교부받을 수 있는 권리(우선수익권)을 설정할 수 있습니다.[116] 다만, 담보 목적으로 우선수익권을 설정할 경우, 그 우선수익권의 내용은 피담보채권의 변제에 필요한 범위 내에서만 신탁이익을 교부받을 수 있는 권리로 해석하는 것이 당사자들의 의사에 부합되는 것입니다.

　　그리고 토지신탁에서도 이와 같은 담보 목적의 우선수익권은 담보신탁에서의 우선수익권과 마찬가지로, 비록 담보물권은 아니지만, 해석상 피담보채권과 분리처분이 불가능한 것으로 보아야 할 것입니다(우선수익권 내용 자체가 피담보채권액만큼의 신탁이익을 지급받는 것인데, 피담보채권과 분리하여 우선수익권만 양도하는 것은 무의미한 것이라 할 것임).[117]

3. 토지신탁에서 우선수익권 설정방식과 수익권에 대한 질권 설정방식의 차이는?

　　우선수익권을 설정하는 경우, 대주 입장에서는 도산격리 효과를 누릴 수 있다는 점, 특약 등을 통해 후순위 우선수익자의 추가를 통제할 수 있다는 점, 기타 신탁사무처리과정에 관여할 수 있다는 점 등의 이점이 있을 수 있으나, 신탁법상 비용상환의무를 부담할 수 있다는 점에서는 불리할 수 있을 것입니다.

---

116) 위탁자에 대하여 대출채권 등 금전채권을 가지고 있는 자들은 담보 목적의 우선수익권을 설정하는 것이 일반적입니다. 반면에 위탁자 시행법인에 지분 투자를 한 투자자가 있다면, 수익자에 우선하여 일정 금액의 신탁이익을 교부받을 수 있는 내용의 우선수익권을 설정할 수 있습니다.

117) 다만, 우리 대법원은 우선수익권과 피담보채권의 부종성과 수반성을 부정하고 있습니다(대법원 2022. 3. 31. 선고 2020다245408판결, 대법원 2017. 6. 22. 선고 2014다225809 전원합의체 판결 참조. 상세내용은 Chapter 7. N.22. "우선수익권과 피담보채권의 부종성" 참조).

다만, 신탁사무처리과정에 대한 관여 정도나 비용상환의무의 부담 정도 등은 신탁계약을 통해 정할 수 있다는 점에서 양자의 차이는 그리 크지 않아 보입니다.

실무 시공사의 공사비 채권에 대한 우선수익권 설정시 주의사항

• 차입형 토지신탁에서, 시공사의 공사비는 신탁사무처리비용이고, 시공사의 공사비채권은 신탁채권으로서 우선수익채권에 우선하므로, 단순히 채권 만족 목적으로 시공사에게 우선수익권을 부여하는 것은 큰 의미가 없어 보입니다.

• 그러나 관리형 토지신탁(이를 기반으로 하는 책임준공형 토지신탁 등 포함)에서, 수탁자는 공사도급계약을 승계하지만 일정한 범위 내에서만 공사비 지급의무를 부담하고 이를 초과하는 부분은 위탁자의 의무로 정하는 경우가 많습니다. 또한, 수탁자 동의 없는 증액 공사비 등도 위탁자에 대한 채권인바, 이를 보전하기 위해서는 우선수익자 지위를 인정받거나 위탁자 수익권에 대한 질권을 설정받는 것이 필요할 것입니다.

• 위와 같은 이유로 시공사를 우선수익자로 정하는 경우, 그 피담보채권에 위탁자가 장래 부담하는 증액공사비 등이 포함되도록 정하여야 한다는 점에 주의하여야 합니다.

• 한편, 건설산업기본법상 공사도급계약에 대한 계약이행보증을 받을 때에는 이에 상응하여 공사대금지급보증 또는 담보제공이 필요한 바(건산법 제22조의2 참조), 공사비채권에 대한 우선수익권 부여로써 위 공사대금지급보증을 갈음할 수 있다는 해석이 일반적이라는 것도 알아두시기 바랍니다.

05

각종 개발사업에서 신탁사의 사업시행 자격

1. 주택건설사업과 일반적인 부동산개발사업

가. 사업시행자격 관련

공동주택 기준 연간 20세대 이상의 주택건설사업 또는 연간 10,000㎡ 이상의 대지조성사업을 시행하기 위해서는 주택건설사업 등록이 필요합니다(주택법 제4조 참조). 분양 또는 임대 목적 건축물 중 주거용 외의 용도로 사용되는 부분 합계가 3,000㎡ 또는 연간 5,000㎡ 이상(토지 기준 연면적 5,000㎡ 또는 연간 10,000㎡ 이상)의 부동산개발을 영위하기 위해서는 부동산개발업 등록이 필요합니다(부동산개발업법 제4조). 전업 부동산 신탁사들은 주택건설사업 등록 및 부동산개발업 등록을 하여 각 개발사업에 대한 시행자격을 갖추고 있습니다.

나. 인허가 요건 관련

건축법상 건축허가를 받기 위해서는 대지의 소유권을 확보하거나 대지에 대한 사용권원을 확보하여야 합니다. 다만, 분양 목적의 공동주택의 건축허가를 위해서는 사용권원으로는 부족하고 소유권 확보가 필요합니다(건축법 제11조 제11항 참조).[118]

주택법상 사업계획승인을 받기 위해서도 해당 주택건설대지 전부의 소유권 또는 사용권원의 확보가 요구됩니다. 다만, '지구단위계획결정이 필요한 주택건설사업'의 경우 ① 대지면적 80% 이상에 대한 사용권원을 확보하고(다만, 등록사업자와 공동으로 사업을 시행하는 주택조합은 대지면적 95% 이상의 소유권 확보 필요), ② 나머지 미확보대지가 매도청구 대상이 되는 경우,[119] 사업계

---

[118] Chapter 8. N.2. "건축허가의 요건인 '해당 대지의 소유권을 확보'하는 것의 의미" 참조

획승인이 가능합니다(주택법 제21조 제1항 참조).

이와 관련하여, 신탁재산에 대한 대내외적 완전한 소유권자는 수탁자이므로, 사업부지가 신탁되어 있는 경우 건축법 및 주택법상 인허가에 필요한 토지소유권 확보 여부는 수탁자를 기준으로 판단하게 됩니다.[120][121]

2. 도시정비사업(재건축 · 재개발 사업)

가. 토지등소유자로서 재개발사업 시행 가부

도시정비법상 재건축·재개발사업은 토지등소유자가 20인 미만인 경우, 토지등소유자는 직접시행 또는 등록사업자 등과의 공동 시행을 할 수 있습니다(도시정비법 제25조 제1항 제2호 참조). 그렇다면 토지등소유자로부터 토지 등을 신탁받은 신탁사가 토지등소유자 지위로서 위 조항에 따라 재개발사업을 직접 시행하는 것은 가능할까요.

대법원은 토지등소유자의 자격 및 동의자 수를 산정할 때에는 위탁자를 기준으로 하여야 한다고 판시하였고,[122] 이후 도시정비법은 정비사업 목적으로

---

119) 지구단위계획구역 결정고시일 10년 이전의 원주민에 대한 매도청구권 인정을 위해서는 95%이상의 사용권원 확보가 필요합니다(주택법 제22조 참조).

120) 물론, 사업부지의 소유권을 확보하여 신탁한 위탁자는 신탁계약상 신탁부동산에 대한 사용권한에 기초하여(또는 수탁자로부터 별도의 사용승낙서를 제공받는 방법으로) 직접 인허가를 받을 수 있습니다(담보신탁 등에서 이용).

121) Chapter 8. N.3. "주택건설사업계획 승인을 위한 주택건설대지 소유권 확보의 의미" 참조

122) 판례 재개발사업에서 토지등소유자는 위탁자 기준으로 판단

• 대법원 2015.6.11.선고 2013두15262판결
『도시환경정비사업에서 사업시행인가 처분의 요건인 사업시행자로서의 토지등소유자의 자격 및 사업시행계획에 대한 토지등소유자의 동의를 일반적인 사법(私法)관계와 동일하게 볼 수 없다..... 사업시행자로서 사업시행인가를 신청하는 토지등소유자

신탁업자에게 신탁한 토지등에 대하여는 위탁자를 토지등소유자로 본다는 점을 명문화하였습니다(도시정비법 제2조 제9호 참조[123]). 위 규정 취지 등을 고려할 때 신탁사가 토지등소유자 지위에서 직접 정비사업을 시행할 수는 없는 것으로 판단됩니다.

나. 지정개발자 사업시행 방식

도시정비법상 주택재개발사업, 주택재건축사업의 경우, 신탁업자가 지정개발자 요건을 갖춘 경우, 정비사업 조합설립을 위한 동의요건 이상에 해당하는 자의 동의를 받아 해당 정비사업의 사업시행자로 지정받을 수 있습니다(도시정비법 제27조 제1항 참조[124]).

여기서 토지등소유자 일부가 토지를 신탁한 상황에서, 토지등소유자의 동

및 그 신청에 필요한 동의를 얻어야 하는 토지등소유자는 모두 수탁자가 아니라 도시환경정비사업에 따른 이익과 비용이 최종적으로 귀속되는 위탁자로 해석함이 타당하며, 토지등소유자의 자격 및 동의자 수를 산정할 때에는 위탁자를 기준으로 하여야 할 것이다.』

[123] **법령** 도시정비법

도시정비법 제2조(정의)
9. "토지등소유자"란 다음 각 목의 어느 하나에 해당하는 자를 말한다. 다만, ……본시장과 금융투자업에 관한 법률」 제8조제7항에 따른 신탁업자(이하 "신탁업자"라 한다)가 사업시행자로 지정된 경우 토지등소유자가 정비사업을 목적으로 신탁업자에게 신탁한 토지 또는 건축물에 대하여는 위탁자를 토지등소유자로 본다.

[124] **법령** 도시정비법

제27조(재개발사업·재건축사업의 지정개발자) ① 시장·군수등은 재개발사업 및 재건축사업이 다음 각 호의 어느 하나에 해당하는 때에는 ····· 신탁업자로서 대통령령으로 정하는 요건을 갖춘 자(이하 "지정개발자"라 한다)를 사업시행자로 지정하여 정비사업을 시행하게 할 수 있다.
3. ·····재개발사업 및 재건축사업의 조합설립을 위한 동의요건 이상에 해당하는 자가 신탁업자를 사업시행자로 지정하는 것에 동의하는 때

의자 수를 어떻게 산정해야 할 것인가의 문제가 있습니다. 앞서 서술한 대법원 2013두15262 판결의 취지, 현행 도시정비법 제2조 제9호의 해석상 이 경우에도 위탁자를 기준으로 동의자 수를 산정해야 할 것으로 보입니다.

다. 사업대행방식

도시정비법상 토지등소유자(조합을 설립한 경우에는 조합원)의 과반수 동의로 요청이 있는 경우 사업대행자로 하여금 토지등소유자를 대신하여 정비사업을 시행하게 할 수 있습니다(도시정비법 제28조 참조). 신탁사는 위 규정에 따라 사업대행자로서 정비사업을 대행할 수 있습니다.

3. 도시개발사업

가. 사업시행자격 관련

(1) 토지소유자로서 사업시행자 지정 가부

도시개발구역의 토지소유자도 도시개발구역 토지의 일정 면적이상을 소유한 경우 직접 도시개발사업을 시행할 수 있습니다(도시개발법 제11조 제1항 제5호 참조[125]). 신탁사가 일정 면적의 도시개발구역 토지를 신탁받는다면, 신탁의 효과(대내외적 소유권이전)에 따라 도시개발구역의 토지소유자로서 도시개발사업시행이 가능할까요.

법제처는 도시개발사업의 시행자격은 사법적 법률관계와 같은 선상에서 판단할 수 없다는 점, 도시개발법 제11조 제1항 9호 및 같은 법 시행령 제18

---

[125] **법령** 도시개발법

제11조(시행자 등) ① 도시개발사업의 시행자(이하 "시행자"라 한다)는 다음 각 호의 자 중에서 지정권자가 지정한다.....

5. 도시개발구역의 토지 소유자(.....수용 또는 사용 방식의 경우에는 도시개발구역의 국공유지를 제외한 토지면적의 3분의 2 이상을 소유한 자.....)

조 제5항 제2호에 따라 일정한 요건을 갖춘 신탁업자만이 시행자격이 인정된다는 점 등을 근거로 신탁사가 신탁으로 소유권을 이전받더라도 법 제11조 제1항 제5호의 토지소유자에는 해당되지 않는다고 보고 있습니다(법제처 09-329, 2009. 11. 9. 참조).[126][127]

(2) 주택건설사업자 또는 부동산개발업자로서 사업시행자 지정 가부

신탁업자가 주택건설사업 등록자로서 영업실적 등의 기준(연평균 영업실적이 해당 도시개발사업의 연평균 사업비 이상 등)을 충족하거나, 부동산개발업 등록자로서 사업실적 등의 기준(연평균 사업실적이 해당 도시개발사업의 연평균 사업비 이상 등)을 충족하는 경우 도시개발법 제11조 제1항 제8호 또는 제9의 2호에 따라 해당 도시개발사업의 시행자가 될 수 있습니다.

(3) 외부감사 대상이 되는 신탁업자로서 사업시행자 지정 가부

신탁업자로서 외부감사의 대상인 경우, 도시개발법 제11조 제1항 제9호, 같은 법 시행령 제18조 제5항 제2호[128]에 따라 시행자가 될 수 있습니다.

---

126) Chapter 8. N.5. "도시개발법상 토지소유자의 의미" 참조

127) 사견으로는, 공익사업의 성격을 가지는 개발사업 관련 법률관계에서의 소유권이라 하여 그 의미가 순수한 사법적 법률관계의 소유권과 달라질 이유는 전혀 없으며, 그러한 해석은 법리적인 근거도 찾기 어렵다는 생각입니다. 도시개발법에 의하여 시행자격을 가지는 소유자들이 신탁방식 개발을 목적으로 토지신탁계약을 체결하고 신탁사는 이들로부터 대내외적으로 완전하게 소유권을 이전받았다면, 해당 신탁사는 토지 소유자로서 시행자 자격을 갖는 것으로 해석함이 타당할 것으로 생각됩니다(자세한 논의는 Chapter 7. N.24. "재개발사업 토지등소유자의 자격 및 동의자 수 산정방법" 참조).

128)   **법령**   **도시개발법**

제11조(시행자 등) ① 도시개발사업의 시행자(이하 "시행자"라 한다)는 다음 각 호의 자 중에서 지정권자가 지정한다.....
9. ..... 개발계획에 맞게 도시개발사업을 시행할 능력이 있다고 인정되는 자로서 대통령령으로 정하는 요건에 해당하는 자

(4) 도시개발법 제12조에 따른 신탁개발의 절차

도시개발법 제12조 제4항은 사업시행자격을 가진 자가 신탁사에게 사업시행을 위탁하여 신탁개발방식으로 사업을 할 수 있다고 정하고 있습니다.[129] 그렇다면, 신탁사는 별도의 사업시행자격 구비여부와 상관없이 위 조항에 따라 사업시행자와 신탁계약을 체결하고 도시개발사업을 시행할 수 있지 않을까요.

국토부 유권해석(도시재생과-767, 2012. 5. 9)에 의하면, 도시개발법 제12조 제4항에 따른 신탁개발의 경우에도, 같은 법 제11조에 따른 시행자 변경절차가 필요합니다. 국토부는 위 조항에 따른 신탁개발시에도 신탁사가 위 법 제11조에 따른 시행자격이 인정되는 경우에만 신탁사 명의 사업주체 변경이 가능하다는 입장으로 보입니다.

해석   도시개발법상 신탁개발시 별도의 시행자 변경절차가 필요한지

• 국토부 유권해석(도시재생과-767, 2012.5.9.)

『도시개발법 제12조 제4항은 시행자가 필요한 경우 신탁계약을 체결하여 사업을 시행할 수 있도록 근거를 부여한 것으로(신탁회사가 신탁계약을 통해 도시개발사업을 시행할 수 있도록 정한 규정이 아님), 동 조항에 따라 신탁계약을 체결하여 지정권자의 승인을 받더라도 시행자가 변경되는 것은 아님

시행령 제18조(시행자) ⑤ 법 제11조제1항제9호에서 "대통령령으로 정하는 요건에 해당하는 자"란 다음 각 호의 어느 하나에 해당하는 자......
2. 「자본시장과 금융투자업에 관한 법률」에 따른 신탁업자 중 「주식회사 등의 외부감사에 관한 법률」 제4조에 따른 외부감사의 대상이 되는 자

---

[129]   **법령**   도시개발법

제12조(도시개발사업시행의 위탁 등) ④ 제11조제1항제5호부터 제9호까지의 규정에 따른 시행자는 지정권자의 승인을 받아 「자본시장과 금융투자업에 관한 법률」에 따른 신탁업자와 대통령령으로 정하는 바에 따라 신탁계약을 체결하여 도시개발사업을 시행할 수 있다.

니다. 따라서 위와 같은 경우 신탁회사가 시행자의 지위로서 도시개발업을 시행하는 것은 가능하지 않으며 시행자 지정 또는 변경은 도시개발법 제11조 및 시행령 제18조 등 정해진 절차에 따라 지정권자의 시행자 지정 절차가 필요함』

나. 실시계획 인가 및 사업시행

도시개발법상 시행자는 지구단위계획이 포함된 실시계획을 작성하여 지정권자의 인가를 받아야 합니다(도시개발법 제17조 참조). 시행자격 요건을 충족하고 있다면, 실시계획인가 자체를 위해 별도로 이해관계자의 동의 등이 요구되지는 않습니다. 그러나 조합을 제외한 민간사업시행자가 수용 또는 사용 방식에 따른 사업시행을 위해서는 사업대상 토지면적의 2/3이상을 소유하고 토지 소유자 총수의 1/2이상 동의가 필요합니다(도시개발법 제22조 제1항 참조).

4. 도시계획시설사업

가. 사업시행자격 관련

국토계획법상 토지 면적의 2/3이상을 소유하고, 토지소유자 총수의 1/2이상에 해당하는 자의 동의를 얻으면 도시계획시설사업의 시행자로 지정받을 수 있습니다. 현실적으로 도시계획시설사업만을 목적으로 하는 토지신탁사업은 많지 않을 것입니다. 통상의 경우 각종 민간개발사업에 부수하여 도시계획시설사업이 시행되는 경우가 많고, 이 경우 해당 개발사업에 대한 사업계획승인시 도시계획실시사업의 실시계획인가도 의제받는 경우가 많습니다. 그러나 부수적인 도시계획시설사업과 관련하여 토지 수용 등이 필요한 경우 등에는 주된 개발사업의 사업주체가 별도로 도시계획시설사업에 대한 시행자 지정 및 실시계획인가를 받아야 하는바, 이 경우 위 법조항에 따른 소유권확보 및 소유권자 동의 요건 충족이 요구된다고 할 것입니다(다만, 해당 도시계획시설이 행정청 앞 무상귀속 대상인 경우, 위 법 제86조 제7항 제3호에 해당되어 별도의 소유권확보

등이 필요치 않습니다).130)

이와 관련 도시계획시설사업 부지가 신탁되어 있는 경우 시행자 지정을 위한 소유권 확보 여부를 위탁자 기준으로 판단하고 있는 유권해석이 있다는 점에 주의할 필요가 있습니다(법제처 20-0008, 2020.5.4. 참조).131)

나. 실시계획인가 관련

도시계획시설사업의 시행자는 실시계획을 작성하여 허가권자로부터 인가를 받아야 합니다(국계법 제88조 참조). 실시계획 인가만을 위하여 별도의 소유권 확보 및 소유권자 동의요건이 요구되지는 않습니다.

5. 산업단지개발사업

가. 시행자격 관련

---

130) **법령** 국토계획법 및 그 시행령

국토계획법 제86조(도시 · 군계획시설사업의 시행자)
⑦ 다음 각호에 해당하지 아니하는자가 제5항에 따라 도시 · 군계획시설사업의 시행자로 지정을 받으려면 도시 · 군계획시설사업의 대상인 토지(국공유지는 제외한다)의 소유 면적 및 토지 소유자의 동의 비율에 관하여 대통령령으로 정하는 요건을 갖추어야 한다.
3. 그 밖에 대통령령으로 정하는 자
국토계획법 시행령 제96조(시행자의 지정) ②법 제86조제7항 ..... "대통령령으로 정하는 요건"이란 도시계획시설사업의 대상인 토지(국 · 공유지를 제외한다....)면적의 3분의 2 이상에 해당하는 토지를 소유하고, 토지소유자 총수의 2분의 1 이상에 해당하는 자의 동의를 얻는 것을 말한다.
④법 제86조제7항제3호에서 "대통령령으로 정하는 자"란 다음 각 호의 어느 하나에 해당하는 자를 말한다.
3. 법 제65조의 규정에 의하여 공공시설을 관리할 관리청에 무상으로 귀속되는 공공시설을 설치하고자 하는 자

131) Chapter 8. N.7. "도시계획시설사업의 시행자 지정 요건인 토지의 소유 여부 판단시 담보신탁한 토지를 위탁자 소유로 볼 수 있는지 여부" 참조

산업단지에 시설을 설치하여 입주하려는 자(실수요자)는 산업입지법 제16조 제1항 제3호에 따라 시행자 지정을 받을 수 있고, 이러한 실수요자와 신탁계약을 체결한 신탁업자는 같은 법 제16조 제1항 제5호에 따라 시행자가 될 수 있습니다.[132] 이 경우 신탁업자는 종전 사업시행자의 권리·의무를 포괄적으로 승계합니다.

신탁업자가 산업단지 안의 토지소유자들로부터 신탁을 받은 경우, 위 법 제16조 제1항 제6호에 따라 신탁사가 토지소유자 지위에서 시행자가 될 수 있는지 문제되나, 전술한 도시개발법 관련 법제처 유권해석(법제처 09-329, 2009. 11. 9.) 등을 감안할 때 쉽지 않을 것으로 생각됩니다.

나. 산업단지개발실시계획의 승인 관련

산업단지 사업시행자는 산업단지개발실시계획을 작성하여 지정권자의 승

---

[132] **법령** 산업입지법

제16조(산업단지개발사업의 시행자)
① 산업단지개발사업은 다음 각 호의 자 중에서 산업단지지정권자의 지정에 의하여 산업단지개발계획에서 정하는 자가 이를 시행한다.
3. 해당 산업단지개발계획에 적합한 시설을 설치하여 입주하려는 자 또는 해당 산업단지개발계획에서 적합하게 산업단지를 개발할 능력이 있다고 인정되는 자로서 대통령령으로 정하는 요건에 해당하는 자
5. 제3호 또는 4호에 해당하는 사업시행자..... 제20조의2에 따라 산업단지개발에 관한 신탁계약을 체결한 부동산신탁업자
6. 산업단지 안의 토지의 소유자 또는 그들이 산업단지개발을 위하여 설립한 조합

제20조의2(산업단지의 신탁개발) ① 제16조제1항 제3호 또는 제4호에 따른 사업시행자는 대통령령으로 정하는 바에 따라 「자본시장과 금융투자업에 관한 법률」에 따라 설립된 부동산신탁업자와 산업단지개발에 관한 신탁계약을 체결하여 산업단지를 개발할 수 있다.
② 제1항에 따라 신탁계약을 체결한 부동산신탁업자는 종전의 사업시행자의 권리·의무를 포괄적으로 승계한다.

인을 받아야 합니다(산업입지법 제18조 등 참조). 시행자격 요건을 충족하고 있다면, 실시계획 승인을 위해 별도로 소유권확보 또는 소유권자 동의 등이 요구되지는 않습니다.

6. 기타

특정 개발사업을 시행할 수 있는지 여부를 검토하기 위해서는 신탁사가 해당 법령상 시행자 자격을 갖추고 있는지, 사업계획에 대한 인허가에 필요한 법정요건들을 충족하고 있는지 살펴보아야 합니다. 그런데 각종 개발법령에서는 토지소유자에게 시행자격을 인정하고 있고, 사업계획에 대한 인허가 및 사업시행을 위해서는 일정 비율의 토지 소유 또는 토지소유권자의 동의를 요구하는 경우가 많습니다.

여기서 해당 개발사업부지에 대한 신탁이 있는 경우, 신탁사가 토지 소유자로서 사업시행자격을 인정받을 수 있는지, 또는 사업시행을 위해 필요한 토지소유권자 동의자 수를 어떻게 산정해야 하는지 등의 문제가 발생합니다. 이와 관련 최근 법제처 유권해석이나 일부 대법원 판례를 살펴보면, 일부 공익사업적 성격을 가지는 개발사업에서 시행자 자격 요건이 되는 토지소유자 또는 해당 사업의 이해관계인이 되는 토지소유자를 위탁자 기준으로 해석하는 경우가 많다는 점에 주의할 필요가 있습니다.[133]

---

133) 상세 논의는 Chapter 1. N.15. "각종 부동산 및 개발 관련 법령에서 토지소유자는 위탁자인가 수탁자인가" 참조

05-2 사업구조별 신탁사업의 제한 여부

1. 토지거래허가구역에서의 신탁사업

과거 법제처는 개발 목적으로 토지거래허가를 받은 자가 신탁계약을 통해 수탁자로 하여금 목적 사업을 직접 수행토록 하는 것은 당초 토지거래허가 내용에 위반된다고 해석하였습니다(법제처 08-351, 2008. 12. 11. 등 다수 유권해석). 개인적으로는 납득하기 어려운 해석이었습니다.

다행히 2021. 1. 19. 부동산 거래신고 등에 관한 법률 시행령 개정으로, 주택 또는 준주택(오피스텔 포함) 개발 목적으로 토지거래허가를 받은 경우 토지신탁을 통한 개발도 허용하였습니다(위 법 시행령 제14조 제1항 제10의2호 참조)

2. PFV와 신탁사업

법인세법과 조세특례제한법은 각종 간접투자기구 및 PFV가 일정한 요건을 갖추고 배당가능이익의 90/100을 배당한 경우 그 배당금액은 소득금액에서 공제하도록 정하고 있습니다(조세특례제한법 제104조의31 제1항 등). 이는 투자자의 배당소득에 더하여 그 도관역할을 하는 간접투자기구의 사업소득까지 과세를 하면 사실상 이중과세의 부작용이 있기 때문일 것입니다.

그런데 PFV 소득공제요건을 보면, 해당 PFV의 자산관리회사와 자금관리사무수탁회사는 동일인이 아닐 것을 요구하고 있습니다. 이와 관련하여, 국세청은 PFV가 신탁사와 관리형 토지신탁계약을 체결함에 따라 그 신탁사가 자산관리회사와 자금관리사무수탁회사의 역할을 하는 경우 해당 PFV는 소득공제가 적용되지 않는다고 판단하였습니다(법인세과-453, 2014. 10. 27.등 다수).

현행 소득공제요건의 문언적 해석상 PFV가 신탁방식으로 개발사업을 진행할 경우 소득공제 요건을 충족하지 않는다는 결론은 이해가 가는 측면이 있습니다. 그러나 PFV에 대한 소득공제의 법취지를 고려한다면, 신탁방식이라는 이유로 소득공제를 불허하는 것은 타당하지 않다고 할 것입니다. 향후 PFV 목적사업을 신탁방식으로 진행하는 경우에는 자산관리회사와 자금관리사무수탁회사의 분리독립 요건에 대한 예외를 인정하는 방향으로 법률 개정이 필요하다는 생각입니다.

3. REF, REITs와 신탁사업

개발형 부동산펀드(REF)나 개발전문 위탁관리리츠(REITs)의 경우 집합투자재산 또는 리츠 자산의 보관 및 관리를 신탁업자 등에게 위탁하여야 합니다(자본시장법 제184조 제3항, 부투법 제35조 제1항 참조). 대부분의 경우 금전과 부동산을 함께 관리할 수 있는 종합신탁업자가 펀드나 리츠의 자산보관회사가 되는데, 토지신탁사업 진행을 위해서는 위와 같은 종합신탁업자가 전업부동산신탁업자와 다시 토지신탁계약을 체결하는 것이 요구됩니다. 그런데 이는 자본시장법상 위탁이 금지되는 본질적인 업무의 위탁 내지 재위탁에 해당되어, 위와 같은 내용의 재신탁은 금지된다는 것이 일반적인 견해였습니다.[134]

2020. 5. 19. 개정 자본시장법은 금융투자업자의 위탁금지 업무 범위를 내부통제업무로 한정 축소하고 위탁자 동의를 전제로 업무의 재위탁도 허용하였습니다(자본시장법 제42조 참조). 따라서 현행법상으로는 펀드나 리츠의 자산보관회사인 종합신탁업자가 재신탁의 방식으로 전업부동산신탁업자와 토지신탁계약을 체결하는 것이 허용된다는 견해가 나오고 있습니다.[135]

---

134) 토지신탁 사례는 아니지만, 일부 개발전문 위탁관리리츠는 재신탁 관련 이슈를 회피하고자, 리츠자산 중 부동산에 대하여 전업부동산신탁사와 자산보관계약을 하면서, 특약 또는 별도 약정으로 분양관리신탁계약을 함께 체결하는 사례가 있었습니다.

135) 사견으로는, 자본시장법이나 부투법상 자산보관회사의 수탁업무는 소극적으로 자산의 보관에 한정되는 것인바, 법률상 업무 범위를 넘어서 자산의 처분, 개발업무

• 리츠의 경우, 2020. 2. 21. 자 부투법 시행령 개정으로, 담보신탁 방식의 자산보관계약을 명시적으로 허용하였습니다(부동산투자회사법 시행령 제37조 제2항 참조).

• 펀드의 경우, 자본시장법 제94조, 동법 시행령 제97조에서 담보제공을 통한 금전차입만을 허용하고 있는 이상 담보신탁을 통한 금전차입은 허용되지 않는다는 것이 금융감독기구의 해석입니다(금융규제민원포털 2021. 7. 6. "부동산 펀드의 경우에도 집합투자기구 자산을 신탁회사를 통하여 재신탁할 수 있는지 여부" 참조). 펀드와 리츠간 규제차익 해소 차원에서라도 자본시장법상 펀드의 담보신탁 관련 규제는 조만간 개선될 것으로 예상됩니다.

4. 신탁사 자체사업으로서 개발사업

신탁사업에 대한 문제는 아니나, 후술 논의와의 연관성이 있는 문제로서, 신탁사가 자체사업으로 개발사업을 할 수 있는지 살펴보도록 하겠습니다.

전업부동산 신탁회사들은 부동산개발업, 주택건설사업 등에 대한 등록사업자이기도 합니다. 그렇다면 단독으로 또는 컨소시엄을 구성하여 토지를 매입하고 직접 부동산개발을 할 수 있는 걸까요. 신탁사는 금융투자업자이며, 개발업과 같은 비금융업을 영위할 수 없습니다. 신탁사는 인가받은 부동산 신탁업을 영위하기 위해서, 즉, 개발 목적의 신탁을 인수한 경우 해당 개발사무처리를 위해 필요한 범위에서 부동산개발업 등의 등록을 한 것 뿐이며, 신탁사무와 관련 없이 고유재산을 위해 부동산개발업을 영위할 수는 없습니다.

금융위원회 역시 "자본시장법에서 정한 신탁재산의 수탁 없이 부동산신탁

까지 재신탁하는 것은 허용될 수 없다고 생각됩니다(전업부동산신탁사와 자산보관계약을 하면서 특약 등으로 자산의 처분, 개발업무까지 위탁하는 것 역시 위법규정에 위반되는 것으로 보입니다). 다만, 부동산펀드나 리츠의 경우에도 신탁방식 개발의 필요성이 있을 수 있는바, 자산보관 위탁 관련 조항을 개정하여 부동산 자산의 경우 자산보관계약에 갈음하여 전업부동산신탁사와 개발 목적의 토지신탁계약을 체결할 수 있도록 허용하는 것이 바람직할 것으로 생각됩니다.

회사가 부동산개발사업의 주체가 되어 해당 사업의 기초가 되는 부동산을 확보하여 직접 개발하는 행위는 자본시장법상 허용된 신탁업으로 볼 수 없음"이라 판단하고 있습니다(금융위원회 법령해석 200040, 회신일자 2020. 3. 2).

5. 신탁사 Equty 투자 사업에 대한 신탁사업

신탁사가 Equity 투자를 한 시행조합 내지 시행법인으로부터 신탁을 받아 신탁사업을 진행하는 것은 가능할까요.

금융위원회는 "부동산신탁회사가 부동산 개발이익을 목적으로 부동산 개발사업에 투자하고, 동 개발사업 부지를 수탁받아 부동산개발사업의 주체로서 자산관리 및 자금관리 업무를 영위하는 것은 자본시장법상 부동산신탁회사가 영위할 수 있는 업무로 볼 수 없다"라고 판단하고 있습니다(금융위원회 법령해석 200052, 회신일자 2020. 4. 24).

만일, 신탁사가 지분참여를 통해 시행조합 내지 시행법인을 지배하고 있다면, 해당 시행조합등으로부터 신탁을 받아 신탁사업을 진행하는 것은, 사실상 고유재산을 위한 개발행위로 볼 수 있는 측면이 있고, 이는 금융투자업자로서 본분을 무시한 채, 신탁사무처리 목적으로 한정된 부동산개발업 면허를 남용하는 행위가 될 것입니다.[136]

그러나 위 유권해석은 그 문언상 신탁사가 부동산 개발이익을 향수할 목적으로 Equity 투자를 한 경우에 대한 해석으로 보입니다. 신탁사가 법률상(또는 공모사업지침상) 시행자격을 갖추기 위한 목적 등으로 시행법인에 단순 비참가적 우선주로 참여하는 경우, 기타 사업이익 발생여부와 상관없이 확정 배당률에 따른 이익 배당만 받는 내용의 종류주로 참여하는 경우까지 위 유권해석을

---

136) 다만, 사견으로는, 신탁사가 단순 재무적 투자자로 지분참여를 한 것에 지나지 않는다면, 해당 시행조합 내지 시행법인으로부터 신탁을 받고 신탁사업을 진행하는 것은 일정 범위에서 허용할 수 있다고 생각합니다. 그러나 위 유권해석에 의하면, 단순 재무적 투자자라 할지라도 신탁사가 해당 사업을 통한 개발이익을 향수하는 경우에는, 해당 사업을 신탁사업으로 진행하는 것이 어려울 것으로 보입니다.

확대적용할 것은 아닌 것으로 생각합니다.

실무	신탁사가 간접투자한 개발사업을 신탁사업으로 수탁할 수 있는지 여부

• 원칙적으로 펀드를 통한 간접투자를 직접 투자에 준하여 취급할 것은 아니지만, 신탁사의 수익증권 투자비율, 집합투자업자와의 관계, 집합투자재산 운영시 신탁사의 영향력 등을 고려할 때, 신탁사업과 연계된 토지비 대출 또는 Equity 투자의 우회적인 수단으로 인정되는 경우에는 직접투자와 동일한 규제가 적용된다고 할 것입니다. 즉, 소위 OEM 펀드(또는 집합투자재산 운영에 영향력을 행사할 수 있는 펀드)를 통해 토지비를 대출하거나 Equity에 투자한 후 해당 펀드의 투자 대상 개발사업을 토지신탁사업으로 인수하는 것은 부적절하고 불건전한 영업행위가 될 것입니다.

6. 계열사와의 신탁사업

자본시장법 등 금융 관련 법령에서는 금융투자업자 등 금융회사가 대주주 및 그 특수관계인에게 신용을 공여하는 것을 엄격하게 제한하고 있습니다(자본시장법 제34조 제2항, 은행법 제35조의2, 상호저축은행법 제37조 등 참조). 여기서 "신용공여"란 금융거래상의 신용위험을 수반하는 직·간접적인 거래, 즉, 거래상대방의 지급불능시 이로 인하여 손실위험이 발생할 수 있는 거래를 말합니다. 이하에서는 계열사와 다양한 형태의 토지신탁사업을 진행할 경우, 자본시장법 등에서 금지하고 있는 신용공여에 해당하는지 여부를 살펴보겠습니다.

가. 책준사업에서 금융계열사(금융투자업자, 저축은행 등)가 대주인 경우

(생략. Chapter 2. N.5. "책임준공확약형 관리형 토지신탁" 제5.항 참조)

나. 일반관토사업에서 금융계열사가 대주인 경우

먼저 일반 관토사업에서 금융계열사가 PF대주로 참여하는 것이 신탁사에 대한 신용공여가 될 수 있는지 여부를 살펴보겠습니다. 앞서 본 책준사업의 경우, 신탁사가 PF대주에 대하여 책임준공확약을 하는 구조이므로, 신탁사가 책임준공확약을 불이행할 경우 그로 인하여 PF대주에게 손실위험이 발생할 수 있는 관계라고 볼 수 있으나, 일반 관토사업의 경우, 신탁사는 PF대출 약정 및 그 부수약정에 관여하지 않는 구조이고, 신탁재산의 독립성 원칙에 따라 신탁사의 부도·파산시에도 신탁재산은 수탁자의 책임재산을 구성하지 않는 점(신탁법 제24조) 등을 고려할 때, PF대주가 직·간접적으로 신탁사에게 신용공여를 한 것으로 볼 수는 없을 것으로 생각합니다.

한편, 신탁사도 자본시장법상 금융투자업자이므로, 일반관토사업에서 신탁사의 신탁인수가 계열사인 PF대주에 대한 신용공여가 되는 것은 아닌지도 검토할 필요가 있습니다. 생각건대 일반관토사업에서 신탁사는 PF대출 약정의 당사자가 아니고, 신탁사업에 대하여 자금조달의 책임도 부담하지 않는바, PF대주가 대출약정을 불이행할 경우에도 원칙적으로 그로인하여 신탁사에게 손실위험이 발생한다고 볼 수는 없기에, 신탁사의 신탁인수를 PF대주에 대한 신용공여로 볼 것은 아닌 것으로 생각합니다.

다. 책준사업에서 계열사가 위탁자 또는 시공사인 경우

책준사업에서, 신탁사는 PF대주에 대하여 책임준공확약(확약 미이행시 대출 관련 손해배상 확약 포함)을 제공하는바, 결과적으로 위탁자 및 시공사가 PF대출계약을 이행하지 못할 경우 책임준공확약에 따라 손실위험을 떠안게 되는 측면이 있다고 할 것입니다. 즉, 계열사가 위탁자 또는 시공사인 책준사업에 책임준공확약 신탁사로 참여하는 것은, 자본시장법상 금지되는 계열사에 대한 신용공여로 볼 소지가 있습니다. 실제 모 신탁사는 금감원 검사 과정에서 동일한 문제가 지적되었고 이후 자본시장법 제428조 제1항에 따라 엄청난 규모의 과징금을 부과받았습니다.

라. 차입형 토지신탁사업에서 계열사가 위탁자인 경우

차입형 토지신탁은, 기능적으로 PF를 통한 사업비 조달을 대체하는 측면이 있다고 볼 수 있습니다. 이 때문에 차입형 토지신탁사업의 경우 실질적으로 신탁사가 위탁자에게 신용을 공여하는 것으로 보는 견해가 있습니다.

물론, ①차입형 토지신탁사업의 경우 신탁사는 개발 목적의 신탁사무를 처리하기 위해 고유계정으로부터 차입을 하는 것이고 이는 신탁계약에 따른 신탁사무처리의 일환이라는 점, ②신탁계정대여는 위탁자에 대한 자금대여가 아니라 말 그대로 신탁계정에 대한 대여라는 점(정확히는 고유계정에서 신탁계정으로의 자금이체), ③신탁의 도산격리 효과를 감안할 때 원칙적으로 위탁자의 부도•파산 등을 이유로 신탁사에게 손실위험이 발생하는 것은 아니라는 점을 고려할 필요는 있습니다. 그러나 기능적·실질적인 측면에서, 차입형 토지신탁은 위탁자를 대신하여 사업비를 조달하는 것이고, 위탁자는 신탁사에게 비용상환의무를 부담한다는 점에서, 신용공여 유사 성격을 부정하기 어려운 측면이 있습니다.

1. 들어가며

일반적인 토지신탁사업에서 신탁사 기준 사업안정성을 측정할 수 있는 대표적인 지표는 소위 '버퍼 비율', 즉, 전체 매출에서 신탁계정대보다 후순위인 '토지비 + 사업이익 + 공사비 유보금' 비율입니다.[137] 그런데, 정비사업은 어떤가요. 정비사업 사업수지상으로는 신탁계정대 손실 흡수 버퍼가 될 수 있는 토지비와 사업이익이 존재하지 않습니다.

2. 정비사업의 사업수지, 조합원 분담금에 대하여

정비사업 진행 중에 개발업체가 조합원 종전자산을 전부 매입하여 일반사업으로 진행한다고 가정하면, 그 사업수지는 아래 좌측과 같을 것입니다.

구분		비고	구분		비고
수입	'종후자산 총가액'	'총수입'	수입	'종후자산 총가액' - '종전자산 총가액' ± 손익	토지비 1, 손익을 선 반영
지출	토지비 1 ('종전자산 총가액')	(↑수입 반영)	지출	토지비 2 (매도청구비용, 현금청산비용 등)	'총사업비'
	토지비 2 (매도청구비용, 현금청산비용 등)	'총사업비'		공사비	
	공사비			기타사업비	
	기타사업비				
손익	'총수입' - '종전사산 총가액' - '총사업비'	(↑수입 반영)	손익	0	

그러나 정비사업에서는 토지비에 해당하는 '종전자산 총가액이나 정비사

업 손익을 반영하여 조합원 분담금을 정하기 때문에, 위의 우측과 같은 사업수지가 나옵니다.

조합원 분담금은 어떻게 정해지는지 살펴볼까요. 일반 분양이 없는 재건축 정비사업을 가정하면, 조합원은 헌집과 새집의 차액('청산금', 종후자산가액 – 종전자산가액), 그리고 정비사업비용('총사업비', 토지비 해당하는 종전자산 총가액 제외)을 분담해야 할 것입니다. 그러나 대부분의 정비사업은 정비사업 비용을 충당하기 위해 일반분양을 병행하고(이 때문에 일반분양분은 도시개발법상 체비지로 간주하는 것입니다), 이를 통해 비용을 충당하고 남는 정비사업이익(총수입-총사업비-종전자산 총가액)이 있다면, 이는 다시 조합원들에게 귀속됩니다. 그리고 정비사업의 손익은 조합원들의 현물출자액이라 할 수 있는 종전자산가액의 비율에 따라 안분귀속될 것입니다. 이를 수식으로 표현하면 아래와 같습니다.

이론   조합원 분담금 추산 방법의 이해

- 조합원의 분담금[138]

$$= \text{'청산금'} + \text{'정비사업 손익'} \times \frac{\text{종전자산가액}}{\text{종전자산총가액}}$$

$$= \text{종후자산가액} - \text{종전자산가액} - (\text{총수입-총사업비-종전자산 총가액}) \times \frac{\text{종전자산가액}}{\text{종전자산총가액}}$$

$$= \text{종후자산가액} - (\text{총수입-총사업비}) \times \frac{\text{종전자산가액}}{\text{종전자산총가액}}$$

$$= \text{종후자산가액} - \text{종전자산가액} \times \frac{\text{총수입-총사업비}}{\text{종전자산총가액}}$$

$$= \text{종후자산가액} - \text{"권리가액"}(= \text{종전자산가액} \times \text{"비례율"})$$

---

138) [조합원 분담금의 이해] 조합원 분담금은 해당 조합원의 '청산금'과 해당 조합원에게 귀속되는 정비사업의 손익분을 합한 금액입니다. 조합원이 정비사업을 진행하고 종후자산을 취득하기 위해 종전자산 외에 추가 출연해야 하는 총 부담액입니다. 권리가액과 비례율은, 조합원이 각자 현물출자한 종전자산이, 정비사업을 통한 손익 실현 가정시 어느 정도의 자산가치를 가지는 것인지 보여주는 지표라고 할 수 있습니다.

3. 정비사업 사업수지상 사업이익은 'Zero'

　　정비사업도 사업이익이 발생할 수 있지만, 사업수지상 사업이익은 '0'입니다. 그 이유는 정비사업의 사업이익은 위에 기술한 방식으로 조합원 분담금 추산액 산정시 선반영되기 때문입니다. 정비사업은 일반적인 신탁사업과 달리 사업이익을 사업 종료 후 정산하는 것이 아니라, 이를 선반영하여 조합원별 분담금을 산정하기 때문에(이는 사업이익의 선지급이라 할 수 있습니다), 사업수지상 사업이익은 '0'이 되는 것입니다.

4. 정비사업에서 토지비는?

　　우선, 정비사업에서 현금청산 비용, 매도청구비용은 신탁사업과 달리 사업비로 간주된다고 볼 수 있습니다. 신탁계정대 상환보다 선순위이고, 선지급기준도 적용되지 않습니다.

　　조합원 등이 현물출자한다고 볼 수 있는 종전자산의 가액은 버퍼가 될 수 있을까요. 종전자산가액 역시 조합원별 분담금 추산액 산정시 선반영됩니다. 일반적인 신탁사업에서는 사업종료시점에 토지비 출자액이 포함된 신탁이익이 교부되는 것이지만, 정비사업에서는 토지비에 해당하는 종전자산가액이 전액 선지급된다고 볼 수 있습니다.

06 준공 전 택지 또는 체비지 신탁시 주의사항

1. 택지의 준공 전 신탁

가. 신탁 가능 여부 [139] (택지개발촉진법 시행령 제13조의3 참조)

(1) 판매시설용지 등 영리목적 사용 택지 - 토지신탁 및 분양관리신탁 가능 (위 시행령 같은 조 제8호)

(2) 공동주택 건설용지 택지 - 토지신탁 및 담보신탁 가능(위 시행령 같은 조 제8의2호) [140]

> 이론　　조성공사 완료 전 택지 또는 체비지의 신탁 방법
>
> • 조성공사 완료 전 택지는 법률적으로 소유권의 객체가 되는 물건이 아니며, 부동산 신탁의 대상도 될 수 없습니다. 다만, 부동산신탁업자는 부동산뿐만 아니라 소유권이전등기청구권과 같은 부동산 관련 권리도 신탁받을 수 있습니다(자본시장법 제103조 제1항 참조). 즉, 조성 중인 용지의 매수인(위탁자)으로부터 소유권이전등기청구권을 신탁받을 수 있습니다.
>
> • 소유권이전등기청구권은 어떻게 신탁받을까요? 매수인(위탁자)이 소유권이

---

139) **[전매 제한과 신탁]** 택지개발촉진법은 실수요자에 대한 택지 공급을 도모하기 위해 전매차익 취득 목적의 택지 전매행위를 엄격하게 제한하고 있습니다. 그런데 위 법상의 "전매"는 '명의변경, 매매 또는 그 밖에 권리의 변동을 수반하는 모든 행위'를 포함하는 개념인바(위 법 제19조의 2 제1항 참조), 신탁을 원인으로 하는 소유권이전도 위 법상 "전매" 개념에 포함되는 것으로 해석되어 원칙적으로 금지가 되는 것입니다. 사견으로는 신탁행위는 위탁자인 실수요자가 택지를 용도대로 사용하는 것을 제한하지 않으며 본질적으로 투기 거래가 될 수도 없다는 점에서, 신탁행위를 전매행위로 보아 금지할 것은 아닌 것으로 생각됩니다. 택지개발촉진법 시행령 제13조의3에서 일정한 경우에만 제한적으로 신탁을 허용하고 있습니다.

140) 종래 담보신탁은, 택지개발법 시행령에서 예외적으로 허용하는 전매의 형태 중 '택지의 공급가 이하 전매'에 준하는 것으로 보아, 폭넓게 허용되었습니다. 택지개발촉진법상 명시적으로 담보신탁이 허용되는 경우가 아니라도, 택지공급자에게 문의하여 담보신탁 가부를 확인하는 것이 바람직합니다.

전등기청구권을 수탁자에게 양도(신탁)하면서 매도인의 승낙을 받거나, 매도인과 매수인간 체결한 매매계약상 매수인지위변경계약(권리의무승계계약)을 체결하여야 할 것입니다.

• 소유권이전등기청구권에 대한 신탁 이후 조성공사 완료시 신탁등기는 어떻게 경료할까요? 기존 신탁재산인 소유권이전등기청구권을 원인으로 취득하게 된 부동산은 신탁법 제27조에 따라 별도의 신탁행위 없이 신탁재산으로 편입되며, 이 경우 신탁등기는 등기실무상 신탁재산 처분에 의한 신탁으로 처리합니다(신탁등기사무처리에 관한 예규 제1. 나. (5) 항 참조). 즉, 매수인지위변경계약(권리의무승계계약)상 정해진 바에 따라 순차등기 또는 직접이전등기를 경료할 때 신탁재산 처분을 원인으로 하는 신탁등기를 같이 경료해야 합니다.

나. 순차 등기 방식 vs. 직접 등기 방식

(1) 순차 등기 방식 (택지개발사업시행자 ⇨ 위탁자 ⇨ 신탁사)

순차등기방식은 신탁으로 인한 도산격리효과가 완전치 않습니다(위탁자의 채권자가 위탁의 소유권이전등기청구권에 대하여 보전조치 또는 강제집행을 할 수 있음).[141] 또한, 택지준공 후 신탁사 앞 소유권이전등기 신청시 위탁자의 협조가 필요하다는 단점이 있습니다.

(2) 직접 등기 방식 (택지개발사업시행자 ⇨ 신탁사)

직접등기방식은 좀 더 충실한 도산격리효과를 누릴 수 있고 위탁자의 등

---

141) 이론적으로 생각하면, 권리의무승계계약을 통한 소유권이전등기청구권 신탁이 후행하는 소유권이전등기청구권 (가)압류에 우선하는 것으로 생각됩니다. 다만, 택지공급자 입장에서는 위탁자의 소유권이전등기청구권이 (가)압류된 상태에서 쉽게 순차등기를 해주지 않을 것입니다. 이 때문에 준공 전 택지를 순차등기방식으로 진행하는 경우에는 (이론적으로는 중복적인 조치로 보이나)권리의무승계계약 외에 소유권이전등기청구권 양도계약을 함께 체결하는 경우가 많습니다. 이와 관련하여 소유권이전등기청구권 양도시에는 매도인인 택지공급자의 확정일자부 승낙이 필요하다는 점에 주의하기 바랍니다(대법원 2005.3.10. 선고 2004다67653판결 참조)

기 절차 비협조에 따른 위험이 감소될 수 있습니다.[142]

한편, 직접등기방식의 경우, 수탁자가 취득세를 신고·납부해야 하는지 문제됩니다. 조세심판원은 위의 경우 지방세법 제9조 제3항에 따라 비과세대상이라는 입장이었으나(조심2015지0323, 조심2016지0340 참조), 대법원은 수탁자가 납세의무자라는 취지의 판결을 하였습니다(대법원 2018.2.28.선고 2017두64897판결, 대법원 2018.3.15.선고 2017두64798판결 참조).

> **판례   직접등기 방식의 경우 취득세 납세의무자는 수탁자**
>
> • 대법원 2018.2.28.선고 2017두64897판결
>
> 『....OO신탁은 이 사건 승계계약에 따라 이 사건 매매계약의 매수인 지위를 승계한 상태에서 그 명의로 매도인인 한국토지주택공사에게 잔금을 납부하였으므로, 잔금지급일을 기준으로 OO신탁이 이 사건 토지의 사실상 취득자에 해당하고, 이 사건 신탁계약에서 정한 내부적 비용부담 약정에 따라 위탁자들이 잔금을 부담하였다고 하더라도 달리 볼 것은 아니다』

다. 택지의 준공 전 신탁시 주의할 사항

택지의 준공 전 신탁시에는, 택지개발사업자와 사전에 권리의무승계계약 체결 가부 및 신탁사 앞으로 직접 등기가 가능한지 여부에 대하여 긴밀히 협의를 하여야 합니다.

참고로 현행 LH의 용지규정 시행세칙 및 그 별지 서식에 의하면, 신탁을 원인으로 권리의무승계계약을 체결하는 경우, 위탁자를 거치는 순차등기를 원칙으로 정하고 있습니다. 다만, LH는 용지공급계약상 잔금이 지급되지 않은 경우 위탁자와 수탁자 요청시 수탁자 앞 직접등기를 허용하고 있습니다. 지방공사 등

---

142) 부동산등기는 공동신청이 원칙이나 예외적으로 신탁등기는 수탁자 단독신청입니다(부동산등기법 제23조 제7항). 직접등기방식을 취할 경우, 소유권이전등기를 택지개발사업시행자와 공동으로 신청하면서, 신탁등기는 신탁사 단독으로 신청할 수 있는 것이므로 등기절차상 위탁자의 협조가 필요치 않습니다.

LH외 택지개발 사업자는 개별 내규 등을 가지고 있으나, LH 실무 사례를 주장하여 직접등기 가부를 사전에 협의하는 것이 필요할 것입니다.

택지개발사업자와 권리의무승계계약시 신탁사 앞으로 직접등기를 하도록 정한 경우, 신탁계약서상에 신탁사가 위 계약에 따라 택지개발사업자에 대하여 가지는 소유권이전등기청구권도 신탁재산임을 명확히 규정하여야 할 것입니다. 또한 이 경우 수탁자가 취득세 납세의무자가 되므로, 사전에 PF대출금 등으로 취득세 재원을 별도 확보하여 관리하여야 할 것입니다.

2. 체비지 신탁

가. 구 토지구획정리사업법상 체비지의 소유권 귀속 및 이전

구 토지구획정리사업법상의 토지구획정리사업의 경우 환지처분 공고일 익일에 체비지대장에 등재된 자가 체비지에 대한 소유권을 원시적으로 취득합니다. 따라서 체비지에 대한 신탁계약 체결 후 체비지대장(체비지매각내역서)에 신탁재산임을 표시하면, 환지처분 공고 이후에 신탁사 앞으로 보존등기 및 신탁등기가 가능합니다.

선례   구 토지구획정리사업법상의 체비지가 환지처분의 공고일 이전에 양도된 경우의 등기절차

• 등기선례 제201102-1호, 제정 2011.02.14.

『......구 도시계획법(2000. 1. 28. 법률 제6243호로 전부 개정되기 전의 것) 제12조의 규정에 의하여 도시계획으로 결정된 구 토지구획정리사업법(2000. 1. 28. 법률 제6252호로 폐지되기 전의 것, 이하 "구법"이라 함)상의 체비지 소유권에 대한 등기절차는 구법의 규정에 따라야 한다. 구법상의 체비지에 대한 소유권은 환지처분의 공고일의 익일에 최종적으로 체비지를 점유하거나 체비지대장에 등재된 자가 원시적으로 취득하므로(2007. 9. 21. 선고 2005다44886 판결) 사업시행자가 작성한 체비지의 처분 및 전전 이전된 사실을 증명하는 서면을 첨부하여 사업시행자가 최종 소유자 명의로 소유권 보존등기를 하여야......』

나. 도시개발법상 체비지의 소유권 귀속 및 이전

현행 도시개발법상의 도시개발사업의 경우 사업시행자가 환지처분 공고일 익일에 체비지에 대한 소유권을 원시 취득하며, 환지처분 공고 전 체비지의 양수인은 사업시행자로부터 소유권이전등기를 경료받아야 합니다.

선례 　 도시개발법상 체비지에 대한 소유권이전등기 방법

- 등기선례 제8-328호, 제정 2006.10.04.

『체비지는 시행자가 환지처분의 공고가 있은 날의 다음날에 당해 소유권을 취득하고, 당해 체비지가 이미 처분된 경우에는 이를 매입한 자가 소유권이 전등기를 마친 때에 이를 취득하므로(도시개발법 제41조 제5항), 체비지 매입자는 등기원인을 증명하는 서면으로 사업시행자가 교부한 체비지 매매계약 서를 첨부하여 사업시행자와 공동으로 소유권이전등기신청을 하여야 ......』

따라서 체비지에 대한 신탁계약 체결 후 체비지대장(체비지매각내역서)에 신탁재산임을 표시하면, 환지처분 공고 이후에 도시개발사업 시행자 앞으로 보존등기를 경료한 후, 신탁사 앞으로 소유권이전등기 및 신탁등기를 경료합니다. 여기서 위탁자 앞 소유권이전등기 이후에 신탁사 앞 소유권이전등기를 경료하여야 하는지(순차등기 방식), 신탁사 앞으로 직접 소유권이전등기가 가능한지 문제되나 아직 실무례가 확립되어 있지 않은 것으로 보입니다.

선례 　 환지처분 공고 전에 체비지를 매입한 제3자가 이를 다시 양도한 경우의 소유권이전등기 절차

- 등기선례 제201310-3호, 제정 2013.10.15

『사업시행자가 환지처분의 공고 전에 체비지를 제3자에게 처분한 경우 구 토지구획정리사업법에서는 환지처분의 공고가 있은 날의 다음날에 위 제3자가 소유권을 취득하는 것으로 보아 체비지에 대하여 제3자 명의의 소유권보존등기가 가능하였으나, 현행「도시개발법」은 환지처분 공고 전에 체비지를 매입

한 자는 그 소유권이전등기를 마친 때에 비로소 소유권을 취득하는 것으로 규정하고 있고(도시개발법 제42조 제5항),「부동산등기특별조치법」제2조는 계약의 체결이 있을 때마다 이에 따른 소유권이전등기를 순차로 하여야 한다고 하여 중간생략등기를 금지하고 있는데, 체비지가 전전 매수되는 경우에도 이와 다를 바 없으므로, 체비지에 대하여도 중간매수인마다 그들 명의로의 소유권이전등기를 순차로 마쳐야 할 것이다.」[143]

다. 도시개발법상 체비지 신탁시 주의사항

도시개발사업 시행자의 조례, 규약, 정관, 시행규정 또는 실시계획상 체비지 처분 관련 규정을 확인하고, 전매 가능 여부와 매수자 명의 변경 절차, 순차 등기 가부 등에 대하여 사전 협의가 필요합니다.

특히, 체비지에 대한 소유권보존등기 경료 이후 순차등기를 할 것인지 수탁자 앞 직접 이전등기를 할 것인지 여부는 사전에 이해관계자와 협의하여 권리의무승계계약서에 이를 명시하는 것이 바람직할 것으로 보입니다.

이때, 체비지에 대한 소유권보전등기 경료 이후 순차등기 방식으로 소유권을 이전하는 경우라면, 신탁계약 및 그에 따른 체비지대장 등재와 별도로 위탁자가 도시개발사업 시행자에 대하여 가지는 소유권이전등기청구권을 신탁사에게 양도(신탁)하도록 하는 것이 바람직할 것입니다. 만일, 수탁자 앞으로 직접 소유권을 이전하는 경우라면, 수탁자가 취득세 납세의무자가 된다는 점을 고려하여 사전에 취득세 재원을 별도 확보하여 관리하는 것이 필요할 것입니다.

---

143) 위 등기선례 사안은 체비지에 대한 매매대금 잔금지급일 이후에 신탁계약 및 권리의무승계계약이 있었던 사안으로 보입니다. 만일, 잔금지급일 이전에 권리의무승계계약이 있었다면, 부동산등기특별조치법 제2조 제3항의 반대해석상 매매계약의 당사자 지위를 이전받은 수탁자 앞으로 직접 이전등기를 하는 것이 타당한 것으로 보이나, 아직 실무례는 확립되지 않은 것으로 보입니다.

07

신탁사업에서 신탁계좌의 관리 및 집행

토지신탁사업에서 자금관리계좌를 관리·집행할 경우 주의사항에 대하여 알아보겠습니다.

1. 수입금 입금계좌와 자금집행계좌의 분리

해당 사업에서 발생하는 각종 수입금 입금계좌와 자금집행계좌는 항상 구분하여 운영하여야 합니다. 자금의 흐름이 명확해지는 장점도 있고, 대외적으로 노출되는 수입금 계좌는 각종 보전처분이 발생할 우려가 있기 때문입니다.

2. 위탁자 조달 자금 계좌와 수입금입금계좌의 분리

위탁자가 조달한 자금(PF 대출금 포함)은 신탁사업예수금으로 회계처리하고 별도의 신탁사업예수금 계좌를 개설하여 관리하여야 합니다.[144] 분양수입금과 별도로 관리된다는 전제에서, 신탁사업예수금의 집행에는 선지급기준의 제한이 적용되지 않습니다.

3. 관리형 토지신탁사업에서의 자금집행 순서(기본형)

실무 관리형 토지신탁사업에서의 자금집행 순서

① 제세공과금
② 신탁보수, 비용상환청구권, 분양대금반환금[145]

---

[144] 신탁사업예수금 계좌의 자금도 자금집행계좌로 이체하여 집행하는 것이 원칙이겠으나, 자금유입이 일회적이고 그 집행용도가 한정되어 있는 경우에는, 이를 명백히 하여 해당 예수금계좌에서 바로 자금집행할 수 있을 것입니다.

③ PF 대출이자, 사업비(공사비 제외)

④ 공사비(유보금 제외)

⑤ PF 대출원금(우선수익자 귀속 신탁이익)

⑥ 공사비 중 유보금

⑦ 위탁자의 신탁이익

＊ 단, PF 대출원리금 중 토지비 대출원리금에 대한 상환은 선지급 기준 범위 내에서 지급

※ 신탁사가 자금조달에 대한 책임을 부담하지 않는 사업구도이기 때문에, 불가피하게 고유재산에서 신탁사무처리비용이 투입된 경우 이는 신탁재산에서 우선적으로 상환되도록 정하여야 합니다.

※ 통상적으로 관토사업의 경우 시공사는 PF대주에 대하여 책임준공약정을 합니다. 분양부진시 위탁자가 추가 자금을 조달하지 못하는 경우에도 시공사는 책임준공을 이행하여야 합니다. 따라서 공사비는 다른 사업비와 구분하여 후순위로 정하는 것이 필요합니다.

4. 차입형 토지신탁사업에서의 자금집행 순서(기본형)

실무   차입형 토지신탁사업에서의 자금집행 순서

① 제세공과금

② 신탁보수, 분양대금 반환금

③ 고유계정차입금 이자, PF대출이자, 사업비(공사비 제외)

④ 공사비

⑤ 고유계정차입금 원금

⑥ 공사비 중 유보금

---

145) 국토교통부는 건분법 시행령 제3조 제1항 제3호의 해석과 관련하여, 분양관리신탁 계약상 분양수입금 관리계좌 잔액은, ①신탁사무처리비용 중 필요비·유익비, ②분양대금 반환금, ③잔여 신탁사무처리비용과 신탁보수의 순서의 집행되어야 한다는 입장입니다(2016.11. 부동산신탁사 준법감시인 간담회 자료 참조).

⑦ 수익권에 대한 질권자의 피담보채권(수익권 질권자 귀속 신탁이익)
⑧ 위탁자의 신탁이익
＊단, 토지비 대출원리금에 대한 상환은 선지급 기준 범위 내에서 지급

※ 신탁사가 자금조달에 대한 책임을 부담하기 때문에, 고유계정차입금 상환은 일반 사업비보다 후순위가 됩니다.

※ 시공사가 단순도급을 넘어 일정 부분 분양위험을 분담하는 구조에서는, 공사비의 일부를 고유계정차입금 상환 보다 후순위로 정할 수도 있습니다.

5. 책준형 관리형 토지신탁사업에서의 계좌관리

가. 현황

책준형 관리형 토지신탁사업의 자금조달계획을 보면, 공사비 유보금 등을 제외한 준공필수사업비에 대하여는 최대한 PF대출 한도를 열어두고, 분양연동사업비는 신탁수입(분양수입금)을 통해 조달하는 것을 기본으로 하며,[146] 신탁수입(분양수입금) 중 분양연동사업비 재원을 제외한 나머지는 대출원리금 상환계좌로 이체한 후 PF대출원리금 상환용도로만 사용하도록 제한을 하는 경우가 많습니다. 대출원리금 상환계좌 잔고가 충분한 경우에는 선순위 PF대출한도를 차감하고, 차감금원만큼은 운영계좌로 이체하여 사업비로 집행하는 것이 일반적입니다.

나. 문제점

우선, 신탁계좌(대출원리금 상환계좌)의 집행용도를 PF대출상환금 용도로만 제한하는 것은 선지급기준에 반할 소지가 있습니다. 선지급기준은 소극적으

---

146) 실무에서는 분양불사업비라는 용어를 많이 사용하나, 분양을 조건으로 집행하는 사업비가 아니라, 분양수입금을 재원으로 하여 집행하는 것이 예정된 사업비를 의미한다는 점에서 분양연동사업비로 칭하였습니다.

로는 신탁수입을 신탁이익으로 선지급하는 것을 금지하는 것이지만, 적극적으로는 신탁수입을 신탁사업비로 사용하라는 의미가 내포된 것입니다. 신탁수입으로 형성된 자금의 집행용도를 제한하여 사업비 집행을 제한하는 것은 선지급기준 취지에 반할 소지가 있습니다.[147]

또한 책준사업에서 자금조달 및 집행계획을 보면, 준공필수사업비와 분양연동사업비의 경우, 원칙적으로 각각 재원을 달리하여 집행되는 것을 예정하고 있으나, 이러한 내용이 신탁계약에 충분히 반영이 안되고 있는 것으로 보입니다. 개인적으로는 신탁계약서에서도 아래와 같이 준공필수사업비 집행 목적의 운영계좌와 분양연동사업비 집행 목적의 운영계좌를 구분하는 것이 바람직할 것으로 생각합니다.

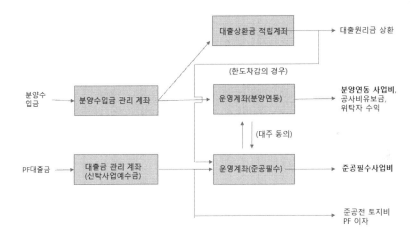

147) 한도차감 금액 상당의 PF대출 원리금 상환과 선지급기준 위반 문제는(Chapter 4. N.2. "신탁이익 선지급기준" 제9항 참조).

부동산 신탁 실무 해설   189

1. 책임준공약정이란

책임준공약정은, 천재지변 등의 불가항력사유가 아닌 이상, 시공사의 귀책사유로 보기 어려운 공사비 지급지연 등의 사정(면책불가사유)이 발생하더라도 공사를 완성할 의무를 부담하기로 하는 약정을 말합니다.

2. 책임준공약정의 법률적 성격

가. 대주와의 관계 (손해담보 내지 보증의 성격)

시공사는 대주와의 관계에서 책임준공약정을 이행하지 못할 경우 대주의 손해를 배상해야한다는 점에서, 이는 PF대출에 대한 손해담보약정 내지 보증과 유사한 성격을 가진다고 볼 수 있습니다(아래 판례 참조). 나아가 대부분의 PF 개발사업에서 시공사는 책임준공약정과 함께 책임준공 미이행시 채무인수를 약정하는 경우가 많습니다.

판례   책임준공약정의 보증적 기능

• 대법원 2015. 10. 29. 선고 2014다75349 판결

책임준공약정에 따른 의무는 비록 그 법적 형식이 향후 이 사건 대출의 물적 담보가 될 이 사건 시설을 준공하겠다는 내용의 '하는 채무'이지만, 이러한 책임준공의무 위반으로 공사완성 여부에 관한 위험이 현실화되면 프로젝트 파이낸스 대출을 한 금융기관이 그 책임준공의무의 이행을 강제하여 완성된 물적 담보로부터 대출원리금을 회수하기보다는 시공사로 하여금 책임준공의무 위반으로 금융기관이 입은 손해를 배상하게 함으로써 그 한도 내에서 대출원리금 상당액을 직접 회수하는 것이 일반적이다. 이러한 책임준공약정의 특수성과 이 사건 책임준공약정에서 '준공보증확약'이라는 문언을 사용한 점 등을 고려하면, 이 사건 책임준공약정은 적어도 피고가 그 약정을 위반하는

경우에는 사실상 제이아이디의 대출채무에 대한 보증으로서의 기능이나 경제적 실질을 가지는 것

나. 발주자와의 관계 (이행거절권의 포기)

책임준공은 대주에 대한 보증을 주된 목적으로 하지만, 도급계약 등에서 명백히 규정한다면 시공사는 발주자에 대하여도 책임준공의무를 부담하게 됩니다. 시공사는 발주자와의 관계에서, 책임준공약정상 공사비 지급 지연 등의 사정(면책불가사유)이 있더라도 공사 이행을 거절할 수 없다는 점에서, 시공사의 공사이행거절권 및 도급계약 해제권을 제한하는 효과가 있다고 할 것입니다.

> ※ [발주자에 대한 손해배상 책임] 시공사가 책임준공약정을 이행하지 못할 경우, 발주자에 대한 관계에서도 손해배상책임을 부담할 것이나, 그 배상범위나 면책여부는 대주와의 관계와는 달리 해석될 가능성이 높습니다. 대주에 대한 책임준공약정은 그 보증적 성격 때문에, 시공사가 자신의 귀책사유가 없는 경우라도 대주의 손해를 배상하여야 하지만,148) 발주자와의 관계에서는 시공사의 귀책사유 없는 공사중단 등의 경우 그 손해배상책임 범위가 감면될 가능성이 있을 것으로 생각됩니다.

3. 신탁사업에서의 책임준공 약정

차입형토지신탁사업에서 시공사는 단순 수급인 지위에 그치는 경우가 많기 때문에 책임준공약정시 시공사 귀책사유로 볼 수 없는 면책불가사유는 공사비의 지급 지연 정도만을 규정하는 것이 대부분입니다. 그러나 차입형토지신탁사업에서 신탁사는 단순히 발주자로서의 지위만을 가지는 것이 아니라, 사업비

---

148) [시공사의 귀책사유 없는 책임준공약정 미이행] 대법원은 시공사의 대주에 대한 손해배상책임이 문제된 사안에서, 책임준공약정에서 한정적으로 정한 면책불가사유에 해당되는 경우에는 공사의 미완료에 대하여 시공사의 귀책사유가 없더라도 책임준공의무 위반의 책임을 부담한다고 판시하였습니다(대법원 2015. 10. 29. 선고 2014다75349 판결 참조).

를 조달하여 신탁계정에 대여한다는 측면에서는 PF대주와 유사한 역할까지 수행합니다. 따라서 해당 사업의 구조상 시공사가 일정부분 위탁자의 신용을 보강하는 위치에 있다면, 시공사의 귀책사유 없는 사정도 책임준공약정상 면책불가사유로 추가할 수 있을 것입니다.

PF개발사업에서 이용하는 관리형토지신탁의 경우, 시공사는 대주와의 관계에서 차주의 신용을 보강하는 지위에 있는 경우가 많고, 신탁사와의 관계에서도 단순 수급인이 아니라 위탁자의 의무이행을 보증하는 지위에 있는 것이 통상입니다. 따라서 시공사의 귀책사유 없는 사정도 책임준공약정상 면책불가사유로 정하는 것이 필요합니다.

이러한 사정을 종합하여, 일반적인 관리형토지신탁 및 시공사가 위탁자의 신용을 보강하는 구조의 일부 차입형토지신탁에서는 아래와 같은 내용으로 책임준공약정상 면책불가사유를 확장하는 것이 바람직할 것 같습니다.[149)

> **예시   신탁계약상 책임준공의 개념정의**
>
> • "책임준공"이란 '천재지변, 내란, 전쟁 등 불가항력적인 경우'를 제외하고는 시공사가 공사비 지급 지연, 사업부지(도시계획시설사업 부지 포함)의 소유권 미확보 또는 명도·인도의 지연, 기존 정착물·공작물의 철거 지연, 사업 관련 인허가의 지연, 문화재 보존 조치, 매장문화재의 발굴, 행정지도·행정처분 또는 법원 재판에 의한 공사중지, 지반조사 결과와 실제 시공과정에서 확인한 지반의 구조·특성의 차이, 설계도서 등과 현장조건의 불일치, 설계변경 또는 공법변경, 공사단가의 상승, 정부정책에 따른 노동시간 제한, 기상이변, 기타 사정에 의한 공사비 및 공기의 증가, 하수급업체와의 분쟁, 수분양자 또는 인접주민 등에 의한 시행·시공상의 각종 민원, 위탁자의 신탁계약상 의무 불이행 등 여하한 이유로도 공사를 중단하거나 지연할 수 없고 예정된 기간 내에 사용승인(임시사용승인을 제외, 이하 같음) 또는 준공인가를 득하기로 하는 의무를 부담하는 것을 말한다.[150)

---

149) 다만, 책임준공확약조건부 관리형토지신탁의 경우, 신탁사 역시 대주에 대하여 책임준공의무를 부담하는 구조이므로, 책임준공의무에 대한 면책불가사유 확대가 신탁사에게 항상 유리하지는 않습니다.

Q : 책임준공약정 시공사가 기촉법상 워크아웃절차에 들어간 경우, 책임준공약정 위반에 따른 손해배상채권 등도 채무조정의 대상이 되는지 여부

A : 신탁회사는 기촉법상 채권금융기관에 해당됩니다(기촉법 제2조 제3호 참조). 한편, 기촉법상의 '신용공여'는 일반적인 '신용공여' 개념을 넘어서 채권금융기관에 손실을 초래할 수 있는 직접적·간접적 금융거래를 포괄하고 있습니다. 만일 책임준공의무에 대한 이행청구권 또는 책임준공의무 위반에 따른 손해배상채권이 기촉법상 '신용공여'에 해당된다면, 워크아웃절차에서 채권행사가 제한되거나 채무조정의 대상이 될 수 있고, 출자전환 등으로 소멸될 수 있는 것입니다.

실제 서귀포시 호텔 및 콘도신축사업에서, 책임준공을 약정한 금호산업에 대한 워크아웃절차가 개시된 사안에서, 이에 대한 치열한 법리논쟁이 발생하였습니다.

위 사건에서 대법원은, 책임준공약정은 사실상 대출채무에 대한 보증으로서의 실질을 가진다는 전제에서, 책임준공약정은 기업구조조정 촉진법 제2조 제6호 (바)목에 정한 '거래상대방의 지급불능 시 이로 인하여 금융기관에 손실을 초래할 수 있는 거래'에, 책임준공의무 위반으로 인한 손해배상채권은 감독규정 제3조 제1항 본문에 정한 '부실징후기업에 대하여 상환을 청구할 수 있는 채권'에 해당한다고 판시하였습니다(대법원 2015. 10. 29. 선고 2014다75349 판결 참조).

결국, 책임준공약정 시공사의 워크아웃시 책임준공약정에 따른 손해배상청구권 등도 기촉법상의 채무조정의 대상이 된다고 할 것입니다.

---

150) 통상적으로는 시공사의 워크아웃 또는 회생절차 개시 등을 면책불가사유 중 하나로 정합니다. 그러나 경험적으로 볼 때, 신탁사업 진행 중 시공사가 부도난 경우, 신탁사 입장에서는 해당 시공사에게 공사 완공을 요구하기보다는 공사도급계약을 해제하고 시공사 교체 및 그에 따른 현장 인도를 요구해야 할 경우가 더 많습니다. 이러한 점을 감안하여, 위 예시안에서는 책임준공의 면책불가사유에서 시공사의 부도 등 사유를 제외했습니다.

09 계약이행보증의 법률관계

1. 서울보증보험의 계약이행보증보험과 건설공제조합의 공사이행보증 151)

서울보증보험의 계약이행보증보험은 주채무자의 계약불이행으로 발생한 손해를 보상하는 내용의 손해보험입니다. 건설공제조합의 공사이행보증은 시공사가 도급계약상 의무를 이행하지 못하는 경우 이를 대신하여 이행하거나 해당 보증금을 지급하는 내용의 보증계약입니다.152)

2. 보험사고 내지 보증사고

계약이행보증보험상 보증사고는 "계약자가 정당한 이유없이 주계약을 이행하지 아니한 때" 발생하고(계약이행보증보험 약관 제20조), 공사이행보증상 보증사고는 "채무자의 귀책사유로 주계약상의 의무를 이행하지 아니할 경우" 발생합니다(공사이행보증약관 제1조, 제3조).

3. 보험금 내지 보증금의 지급 범위

보험금 내지 보증금 지급액은, 주계약인 도급계약에서 몰취·귀속토록 정한 손해배상의 예정금(계약이행보증금)으로 정하는 것이 일반적입니다.153) 주의

---

151) 실무자 입장에서는 계약이행보증 등의 법률관계를 이해함에 있어, 학설 또는 판례에 대한 이해 보다 실제 상거래에서 통용되는 약관의 이해가 더 중요합니다. 이하에서는, 서울보증보험의 계약이행보증보험약관(2022.8.1. 개정 약관)과 건설공제조합의 공사이행보증약관(2018.7.9.개정 약관)을 대상으로 설명하겠습니다.

152) 공사이행보증은 시공사를 대신하여 도급계약을 이행하는 "보증시공"도 가능합니다.

153) [지체상금채무도 보증대상이 되는지 여부] 현재 계약이행보증보험 약관 및 공사이행보증약관은 시공사에 의하여 발생한 지체상금은 보증채무 대상에서 제외됨을 명시하고 있습니다(보증보험약관 제6조, 공사이행보증약관 제1조 참조, 다만, 건설

할 점은, 주계약에서 손해배상의 예정금에 대한 몰취·귀속 조항을 두지 않으면, 보증금액을 한도로 실제 손해액만을 지급받을 수 있다는 점입니다(계약이행보증보험약관 제6조, 공사이행보증약관 제3조 참조).

4. 보험금 내지 보증금 청구 요건 등

가. 도급계약의 해지 또는 해제의 필요성

계약이행보증보험의 약관상 보험금 청구를 위해서는 주계약의 해제(해제사유는 보증기간 안에 발생하여야 함)가 필요합니다(보증보험약관 제19조 참조).[154] 즉, 주계약의 해제·해지는 보험사고의 내용을 이루지는 않으나 보험금청구권의 행사요건이 됩니다.[155] 이와 관련, 공사도급계약의 경우 해당 건축물이 완성된 이후에는 특별한 사정이 없는 한 도급계약 해제가 인정되지 않는다는 점에 주의할 필요가 있습니다(대법원 2001다24174판결 참조).

나. 사전통지의무, 보험사고 내지 보증사고 즉시 통지의무 등

공제조합이 보증시공을 이행하면서 기존도급계약상 준공기한을 도과한 경우에는 지체상금 책임을 부담합니다. 대법원 2013다200469 판결 참조).

154) 공사이행보증약관은 보증금 청구요건으로 도급계약 해제를 요구하지는 않습니다. 공사이행보증은 그 성격이 보험상품이 아닌 보증계약이고, 보증사고 발생시에도 보증시공을 원칙으로 정하고 있기 때문인 것으로 보입니다. 다만, 공사이행보증은 주계약의 불이행시 위약금 지급의무까지 보증하는 계약이고, 통상 도급계약상 계약이행보증금 몰취요건으로 도급계약의 해제가 필요하기 때문에 실제 보증금 청구를 위해서는 도급계약 해제가 필요할 것으로 보입니다.

155) **판례**   주계약의 해제가 보험사고 발생요건인지 여부

• 대법원 2020.3.12.선고 2016다225308판결
보험약관에서 보험계약자인 채무자의 정당한 사유 없는 주계약의 불이행을 보험사고로 명시하면서 주계약의 해제·해지는 보험기간 안에 있을 것을 요하지 않는다고 정하고 있다면, 특별한 사정이 없는 한 채무자의 정당한 사유없는 주계약의 불이행이 보험사고이고, 주계약의 해제·해지는 보험사고의 내용을 이루는 것이 아니라 보험금청구권의 행사요건에 불과하다고 봄이 타당하다.

공사이행보증약관상 보증채권자에게 광범위한 통지의무가 부여되어 있습니다. 공사대금채권에 대한 (가)압류가 있는 경우, 공사대금채권을 제3자에게 양도한 경우, 진행공정이 예정공정율의 80/100에 미달하는 경우 등에도 공제조합에 이를 통지하도록 되어 있습니다(공사이행보증약관 제10조 참조, 통지의무를 이행하지 않아 증가된 채무는 보증범위에서 제외됨).

보험사고 내지 보증사고 발생시에는 이를 즉시 통지하여야 합니다. 건설공제조합의 경우에는 타절기성검사도 조합의 참석하에 실시하도록 하고 있습니다(공사이행보증약관 제4조 참조).

5. 보증보험기관 또는 건설공제조합의 상계

민법상 보증인은 주채무자의 채권에 의한 상계로 채권자에게 대항할 수 있습니다(민법 제434조 참조). 대법원은 이행보증보험 또는 공사이행보증도 그 실질이 보증이라는 이유로, 위 민법 규정을 준용하여 보증기관 등이 시공사의 미지급공사비 채권으로써 발주자의 손해배상채권과 상계할 수 있다고 보고 있습니다(대법원 2000다16251 판결, 대법원2015다209347판결 참조).

신탁사 입장에서는 도급계약 해제시 타절정산 결과 공사비 미지급금이 있는 경우, 계약이행보증금을 초과하는 손해와 상계한다는 통지를 미리 해두는 것이 바람직할 것으로 보입니다.

6. 소멸시효

보증보험약관상 보험금청구권의 소멸시효는 3년이며(약관 제26조 참조), 공사이행보증에 따른 보증금청구권의 소멸시효는 2년입니다(건설산업기본법 제67조 제4항 참조).

• 계약이행보증금 몰취조항 누락 주의

각종 계약체결시 계약이행보증금 약정을 하면서도, 해당 계약 해제 시 이를 몰취할 수 있다는 조항을 누락하는 경우가 있습니다. 이 경우에는 실제 손해액으로서 입증된 범위 내에서만 보험금 청구가 가능하다는 점에 주의하기 바랍니다.

• 계약 변경 또는 공사기간 변경시 조치사항

주계약상 계약기간 또는 계약금액 등의 변경이 있는 경우, 이에 맞추어 보증기간 및 보험금 한도를 변경한 보증서를 제출받아야 합니다. 한편, 공사도급계약의 경우, 준공이 지체되어 보증기간을 초과하는 경우가 발생할 수 있는 바, 보증기간을 확인하여 보증기간 도과 전에 시공사로 하여금 보증서를 변경 제출토록 조치하여야 할 것입니다.

7. 회생절차개시를 원인으로 하는 도급계약 해지와 보증보험금 청구

수급인 회사에 대한 회생절차개시를 이유로 도급계약을 해제한 경우, 계약이행보증금을 받을 수 있는지 문제됩니다. 여기서는 두가지 법률적 쟁점이 있습니다. 우선, 회생절차 개시를 이유로 도급계약을 해지할 수 있는가의 문제,[156] 그리고 도급계약 해지가 가능하다면, 이 경우도 시공사의 귀책사유가 있는 계약불이행으로서 보험사고 내지 보증사고로 볼 수 있는가의 문제입니다.

판례　　수급인의 회생절차개시를 원인으로 도급계약이 해제된 경우 수급인의 귀책사유와 상관없이 보증보험사고인지 여부

• 대법원 2020.3.12.선고 2016다225308판결

『계약이행보증보험계약의 약관에는 참가인의 정당한 사유 없는 계약 불이행을 보험사고로 명시.....원고와 참가인 사이의 하도급계약의 특약조건은 참가

---

156) Chapter 4. N.15. "토지신탁에서 시공사의 도산" 참조

인의 채무불이행 여부와 상관없이 일정한 사유가 발생하면 계약을 해지할 수 있도록 하는 약정해지권을 유보한 것이므로, 참가인이 계약기간 중 회생절차개시신청을 하였다고 하더라도 약정해지사유가 발생한 것에 불과할 뿐 보험사고인 계약상 채무불이행이 있었다고 볼 수 없고, 이는 원고와 참가인 사이에 계약보증금 귀속에 관한 약정이 있었다 하더라도 마찬가지.... 보험사고가 있었는지 여부는 이 사건 하도급계약의 공사금액, 공사기간, 공사내용 등을 기준으로 판단해야 하므로 참가인이 계약기간 중 회생절차개시신청을 하였다는 사실만으로 이 사건 하도급계약의 이행이 참가인의 귀책사유로 불가능하게 되어 보험사고가 발생했다고 단정할 수 없고, 회생절차개시신청 전후의 계약의 이행정도, 회생절차개시신청에 이르게 된 원인, 회생절차개시신청 후의 영업의 계속 혹은 재개 여부, 당해 계약을 이행할 자금사정 기타 여건 등 제반 사정을 종합하여 계약상 채무불이행 여부를 판단하여야 한다.』

위 대법원 판결 사안은 하도급계약에 대한 계약이행보증보험금 청구사안입니다. 아쉽게도 도산해지조항의 효력에 대한 문제는 쟁점이 되지 않았던 것으로 보입니다. 대법원은 보증보험계약상 보험사고는 계약자가 정당한 이유없이 주계약을 이행하지 아니한 때 인정된다는 전제에서, 도급계약상 수급인의 과실을 요하지 않는 사유를 약정해지사유로 정하고 있고 그 사유가 발생한 것만으로는 그 즉시 보험사고가 되는 것은 아니며, 주계약 불이행에 대한 수급인의 귀책사유를 별도로 판단하여 이를 인정할 수 있는 경우에만 보증보험계약상 보험사고가 된다는 취지로 판단하였습니다.

그러나 계약이행보증보험은 보험의 법리 외에 보증의 법리가 적용되어야 하고, 당사자들의 의사 역시 도급계약상 계약이행보증금 지급의무에 갈음하기 위하여 계약이행보증보험계약을 체결하는 것이라는 점을 감안한다면, 도급계약상 계약이행보증금 몰취사유가 발생한 경우에는 이를 계약이행보증보험상 보험사고로 인정하는 것이 타당한 것으로 생각됩니다.

10

하도급대금 직접지급 관련 법률관계 - 하도급법 제14조 제1항을 중심으로

1. 하도급대금 직접지급의무의 한도

: 시공사에 대한 공사비 지급의무를 한도로 함.

판례   하도급대금 직접지급의무의 범위

- 대법원 2017. 12. 13. 선고 2017다242300 판결

『하도급법은 발주자에게 도급대금채무를 넘는 새로운 부담을 지우지 아니하는 범위 내에서 수급사업자가 시공한 부분에 상당한 하도급대금채무에 대한 직접지급의무를 부담하게 함으로써 수급사업자를 원사업자 및 그 일반채권자에 우선하여 보호하려는 것...... 특별한 사정이 없는 한 발주자로서는 ...... 원사업자에 대한 대금지급의무를 한도로 하여 하도급대금의 직접지급의무를 부담한다고 해석함이 타당하다.』

2. 직접지급 청구권 발생의 효과

: 직접지급의무 범위 내에서, 시공사의 공사비채권은 하수급업체에 이전.

판례   직접지급청구권 발생과 공사비채권의 이전

- 대법원 2014. 12. 24. 선고 2012다85267 판결

『구 하도급법 제14조 제1항, 제2항에 따라 수급사업자의 발주자에 대한 직접 지급청구권이 발생함과 아울러 발주자의 원사업자에 대한 대금지급채무가 하도급대금의 범위 안에서 소멸하는 경우에, 발주자가 직접지급의무를 부담하게 되는 부분에 해당하는 원사업자의 발주자에 대한 공사대금채권은 동일성을 유지한 채 수급사업자에게 이전된다.』

3. 직접지급청구권 발생 시점 및 범위 (원칙)

: 하수급업체가 실제로 하도급받은 공사를 (일부)완료한 경우에 그 범위 내에서 직접지급청구권 행사 가능.

판례   직접지급청구권의 발생시점 및 범위

- 대법원 2013. 9. 12. 선고 2011다6311 판결

『'발주자가 하도급대금을 직접 수급사업자에게 지급하기로 발주자·원사업자 및 수급사업자 간에 합의한 경우'에 발주자가 그 하도급대금 전액을 해당 수급사업자에게 직접 지급할 의무가 바로 발생하는 것이 아니라, '수급사업자가 제조·수리·시공 또는 용역수행한 분에 상당하는' 하도급대금을 해당 수급사업자에게 직접 지급할 의무가 발생하는 것이고, 그 범위 내에서 발주자의 원사업자에 대한 대금지급채무가 소멸한다고 해석함이 타당하다.』[157]

판례   공사비채권에 대한 가압류와 직접지급청구권의 경합

- 대법원 2014. 11. 13. 선고 2009다67351 판결

『압류 등으로 집행 보전된 채권에 해당하는 금액에 대하여는 수급사업자에게 직접청구권이 발생하지 아니하고, 원사업자의 발주자에 대한 공사대금채권은 다른 특별한 사정이 없는 한 그 집행 보전된 채권액의 한도에서는 수급사업자에게 이전되지 아니한다.』

4. 직접지급청구권 발생 시점 및 범위 (예외)

---

157) [하도급법상 직접지급청구권과 (가)압류의 경합] 위 판례에서 보듯이, 하도급대금 직접 지급의 합의가 있는 경우라도, 하수급업체의 직접지급청구권은 하도급 기성 부분에 대하여 발생하는 것입니다. 따라서 하도급대금 직접지급의 합의가 있더라도, 이후 공사비채권에 대한 (가)압류명령이 도급인에게 송달되었다면, 위 송달 이후 발생한 하도급기성에 대한 직접지급청구권은 (가)압류결정에 우선할 수 없습니다.

: 채권양도에 준하는 직접지급 합의와 확정일자부 승낙이 있는 경우에는, 그 시점에 직접지급청구권 발생과 공사비 채권 이전 등의 효과가 발생하고, 실제 공사 시행 여부와 상관없이 (가)압류 채권자에게 대항할 수 있음.

판례   채권양도에 준하는 직접지급 합의

• 대법원 2014. 12. 24. 선고 2012다85267 판결

『발주자·원사업자 및 수급사업자 사이에서 발주자가 하도급대금을 직접 수급사업자에게 지급하기로 합의한 경우에, 당사자들의 의사가 도급계약 및 하도급계약에 따른 공사가 실제로 시행 내지 완료되었는지 여부와 상관없이 원사업자의 발주자에 대한 공사대금채권 자체를 수급사업자에게 이전하여 수급사업자가 발주자에게 직접 그 공사대금을 청구하고 원사업자는 공사대금 청구를 하지 않기로 하는 취지라면 이는 실질적으로 원사업자가 발주자에 대한 공사대금채권을 수급사업자에게 양도하고 그 채무자인 발주자가 이를 승낙한 것에 해당한다. 그런데 이러한 채권양도에 대한 발주자의 승낙이 확정일자 있는 증서에 의하여 이루어지지 않는 이상, 발주자는 위와 같은 채권양도와 그에 기한 채무의 변제를 들어서 원사업자의 위 공사대금채권에 대한 압류채권자에게 대항할 수 없다.

반면 당사자들의 의사가 수급사업자가 하도급계약에 기하여 실제로 공사를 시행 내지 완료한 범위 내에서는 발주자가 수급사업자에게 그 공사대금을 직접 지급하기로 하고 원사업자에게 그 공사대금을 지급하지 않기로 하는 취지라면, 압류명령의 통지가 발주자에게 도달하기 전에 수급사업자가 공사를 실제로 시행 내지 완료하였는지 여부나 그 기성고 정도 등에 따라 발주자가 원사업자의 위 공사대금채권에 대한 압류채권자에게 수급사업자의 시공 부분에 상당하는 하도급대금의 범위 내에서 대항할 수 있는지 여부 및 그 범위가 달라진다.』

5. 시공사에 대한 회생절차가 개시한 경우

: 시공사에 대한 회생절차가 개시한 경우에도 하도급대금 직접지급은 가능함. 결국, 회생채권보다 하수급업체의 하도급대금채권이 우선적으로 보호됨.

- 대법원 2007.6.28. 선고, 2007다17758판결

『하도급거래 공정화에 관한 법률 제14조 제1항 제1호 및 제2항의 규정은 원사업자의 지급정지나 파산 등으로 인해 영세한 수급사업자가 하도급대금을 지급받지 못함으로써 연쇄부도에 이르는 것을 방지하기 위한 취지에서 두게 된 것......원사업자의 발주자에 대한 도급대금채권은 수급사업자의 원사업자에 대한 하도급대금채권과 밀접한 상호관련성이 있는 반면 원사업자의 일반채권자들이 원사업자에 대하여 가지는 채권은 그러한 관련성이 없다는 것에 근거하여, 원사업자의 발주자에 대한 도급대금채권 중 수급사업자의 원사업자에 대한 하도급대금채권액에 상당하는 부분에 관해서는 일반채권자들보다 수급사업자를 우대한다는 의미를 가지는 것인바, 영세한 수급사업자의 보호를 위해 원사업자가 파산한 경우에 인정되는 이러한 직접청구제도가 원사업자에 대하여 회사정리절차가 개시된 경우라 하여 배제될 이유는 없는 것』

6. 시공사에 대한 항변권으로 수급사업자에게 대항할 수 있는지 여부

① 직접지급청구권이 발생하면서 시공사의 공사비채권이 하수급업체에 이전되므로, 그 이후에 시공사와의 관계에서 지체상금채권이 발생한 경우에는 이로써 하수급업체에 대항할 수 없음[158]

- 대법원 2015. 8. 27. 선고 2013다81224,81231 판결

『하도급법 제14조 제1항, 제2항에 따라 수급사업자의 발주자에 대한 직접지급청구권이 발생함과 아울러......원사업자의 발주자에 대한 공사대금채권은

---

158) [미정산 선급금 공제항변으로 하수급업체에 대항할 수 있는지 여부] 선급금 미정산 상태에서 도급계약이 해제된 경우, 예외적인 정산약정이 없다면, 공사대금 중 위 선급금 미정산금을 제외한 나머지 금액에 한하여 직접지급의무를 부담한다는 것이 대법원의 입장입니다(대법원 2013다214437판결 참조).

동일성을 유지한 채 수급사업자에게 이전되고, 발주자는 수급사업자의 직접 지급청구권이 발생하기 전에 원사업자에 대하여 대항할 수 있는 사유로써 수급사업자에게 대항할 수 있으나, 수급사업자의 직접 지급청구권이 발생한 후에 원사업자에 대하여 생긴 사유로는 수급사업자에게 대항할 수 없음이 원칙이다(대법원 2010. 6. 10. 선고 2009다19574 판결, 대법원 2014. 12. 24. 선고 2012다85267 판결 등 참조).......참가인이 .....시공을 마침으로써, 그때에 참가인의 피고에 대한 하도급대금 직접 지급청구권이 발생하였고, 그 범위 안에서 원고의 피고에 대한 공사대금채권은 참가인에게 이전되어 소멸되었다고 할 것이다. 그런데 피고의 원고에 대한 위 지체상금채권은 그 후인 2011. 8. 11.부터 발생하였으므로, 위 지체상금채권을 가지고 참가인에게 이전된 위 공사대금채권에 대하여 상계를 주장하여 참가인에게 대항할 수 없음이 원칙이라 할 것이다.』

② 토지신탁사업에서 시공사 공사비 일부를 PF내지 신탁계정대 상환보다 후순위로 정한 경우, 이러한 자금집행순서상 공사비지급의무가 발생하지 않았음을 이유로 하수급업체에 대항할 수 있음

| 판례 | 토지신탁계약에서 시공사와 정한 자금집행순서상 지급의무 없음을 이유로 하수급업체에게 대항할 수 있는지 여부 |

• 대법원 2023. 6. 29. 선고 2023다221830 판결

『건축사업의 시행사인 갑 주식회사와 시공사인 을 주식회사가.....신탁업자인 병 주식회사와 토지신탁사업약정, 관리형토지신탁계약, 위 공사도급계약의 승계계약을 체결하면서 ..... 잔여공사비는 13순위로 하여 1, 2, 3순위 우선수익자의 대출원리금이 모두 상환되고 수탁자의 신탁사무처리비용 정산이 완료된 이후 신탁재산의 범위 내에서 지급하며, 토지신탁사업약정서와 관리형토지신탁계약서는 승계계약서보다 우선 적용한다.'고 정하였고, 그 후 ..... 하도급대금 직불합의를 하면서, '병 회사가 부담하게 되는 공사대금의 범위는 병 회사와 을 회사 사이의 공사도급계약에 따라 병 회사가 을 회사에 지급해야 할 공사대금채무의 범위를 초과하지 않고, 병 회사는 정 회사의 직접 지급 요청이 있기 전에 을 회사에 대하여 대항할 수 있는 사유 등으로 정 회사에

대항할 수 있다.'고 약정하였는데, 공사비의 90% 이상이 지급된 상태에서 정 회사가 건물 완공 후 일정 기간이 지났다며 병 회사를 상대로 하도급대금 직접 지급을 요청한 사안에서, 병 회사는 정 회사의 직접청구에 대하여 을 회사와 체결한 자금집행순서 약정을 이유로 대항할 수 있고...』

7. 하도급법 제14조 제1항 각호의 요건을 갖춘 다른 수급사업자가 있는 경우 수급사업자들 사이의 우선순위

: 시공사의 공사비채권 자체가 전체 하수급업체의 직접지급청구권보다 부족한 경우에 이를 하수급업체들에게 안분하여 지급하여야 하는지 문제됩니다. 대법원은 직접지급청구권이 먼저 발생한 하수급업체를 우선하여 직접지급하여야 한다는 입장입니다.

> **판례**   직접지급청구권자간의 경합 문제
>
> • 대법원 2010. 6. 10. 선고 2009다19574판결
>
> 『어느 수급사업자가 발주자에게 하도급대금의 직접 지급을 요청하더라도, 그보다 먼저 하도급거래 공정화에 관한 법률 제14조 제1항 각호의 요건을 갖춘 다른 수급사업자가 있는 경우 원사업자는 그 다른 수급사업자에게 지급한 하도급대금 상당액의 채무가 소멸하였음을 주장할 수 있다』

11 공사비채권 유동화

1. 신탁사업에서의 공사비 채권 유동화

토지신탁사업에서 신탁사는 신탁사무처리비용에 해당하는 사업비 지출 목적의 신탁계정대여를 할 수는 있으나 신탁원본에 해당하는 토지비를 대여하거나 지원할 수 없습니다. 실무적으로 차입형 토지신탁사업 진행을 위해서는 토지비 확보가 가장 중요한데, 최근에는 공사비채권 유동화를 이용하는 경우가 많습니다.159)

공사비(채권) 유동화라는 표현이 실무적으로 통용되나, 실질은 시공사가 토지비 대출에 대한 담보로 공사비 채권을 양도담보로 제공(또는 공사비 수령계좌 예금채권의 금전신탁)하는 구조입니다.160)161) 토지비 대출의 대주는 토지

---

159) **[공사비채권 유동화 출현 배경]** 토지신탁에서 토지비는 신탁원본에 해당하며, 신탁사는 신탁원본을 보전할 수 없습니다. 토지비 대출로 토지를 확보한 경우, 해당 토지비 대출은 신탁의 이익으로써 상환되어야 하며, 신탁사업의 현금으로는 신탁계정대여금 보다 후순위로 상환될 수밖에 없습니다. 토지신탁사업 진행을 위해서는 토지비대출 대주의 위험을 축소시켜 줄 필요가 있는데, 공사비채권 유동화는 그러한 방안 중 하나입니다.

160) **[공사비채권 유동화 Vs. 공사비채권 양도 담보]** 실무상 "공사비(채권) 유동화"라고 호칭하고 있으나, 이는 정확한 표현은 아닙니다. 원래 금융 분야에서 유동화란 자산 및 채권을 증권화하여 자금을 조달하는 방법을 말합니다. 고정자산 등을 유동화하여 현금흐름을 얻는 금융기법이라 할 수 있습니다. 장래 발생하는 공사비채권도 유동화의 대상이 될 수는 있습니다. 그러나 신탁사업에서 공사비채권 유동화는 자산의 유동화 기법을 말하는 것이 아니라, 차주의 부동산 토지비 PF채무에 대한 담보 목적으로 공사비 채권을 일부 양도하는 것을 말합니다.

161) 실무적으로 보면, 시공사가 공사비채권을 담보로 제공하는 경우 외에, 공사비 수령계좌에 대한 예금채권을 담보로 제공하는 경우도 있습니다. 후자의 경우는 공사비채권을 양도담보하는 경우와 달리, 공사도급계약 등 법률관계에 미치는 영향은 없다고 할 것입니다.

신탁 수익권의 질권자 내지 우선수익자 지위에 불과하지만, 신탁사업에서 신탁의 이익이 발생하지 않더라도 시공사의 공사비채권을 통해 대출금 상환을 받기 때문에, 결과적으로 신탁사의 신탁계정대여금보다 우선적으로 Exit가 가능하게 됩니다. 자연스럽게 토지비 대주의 부담은 시공사에게 전가되는 것입니다.

2. 토지신탁에서 공사비채권 유동화에 대한 승낙시 주의할 점

토지신탁사업에서 토지비 대출 담보 목적으로 공사비(채권)을 양도할 경우, 토지대 대주와 하수급업체의 하도급대금 직접지급청구권과 경합이 발생할 수 있고, 시공사의 신용위험 발생 등의 경우 공사도급계약상 발주자의 권리행사에도 영향을 미칠 수 있기 때문에, 신용도와 자금력이 인정되는 시공사에 한하여 허용되어야 할 것입니다.

예시   공사비채권 양도 승낙 조건(안)

OO신탁(주)은 아래와 같은 조건으로 본건 양도를 승낙합니다.

1. 당사는 본건 신탁계약 및 공사도급계약에 의하여 양도인 OO 에게 주장할 수 있는 일체의 항변사유(채권의 불성립·무효·취소, 기한의 유예, 동시이행의 항변권, 계약해제에 의한 채권의 소멸, 변제·대물변제·상계·경개·면제·공제 등에 의한 채권의 소멸 등을 포함)를 양수인 OO 에게도 주장할 수 있음.[162]

2. 관계법령, 본건 신탁계약 및 공사도급계약에 따라 하도급대금 직접지급 사유가 발생하거나, 양도인과 하도급대금 직접지급에 합의하는 경우(하수급업체에 대한 공사비채권 양도 포함), 해당 하도급대금은 양수금에 우선하여 지급함.

3. 신탁계약 및 공사도급계약에 따라 양도인 OO 에 대한 손해배상채권 등(지체상금채권, 하자보수에 갈음하는 손해배상채권, 하도급대금 미지급금 대위변제에 따른 구상채권 포함)이 발생하는 경우, 미지급 공사비에서 해당 손해배상금 등을 우선하여 공제(상계)함.[163]

4. 당사는 본건 사업의 사업주체이자 발주자로서, 신탁계약서 및 공사도급계약서에 정한 공사도급 해제·해지권한, 시공사의 부도·파산시 시공사 교체 권한, 하도급대금 직접지급 관련 협의 권한 등이 그대로 유지하는 조건임.

---

162) 채무자가 채권양도를 이의유보 없이 승낙하면, 양수인의 신뢰보호를 위하여 채무자가 위와 같은 항변권을 포기한 것으로 해석될 수 있습니다(이의를 보류하지 않은 승낙의 효력). 위 승낙서 예시안 중 첫 번째 문안은 위와 같은 항변사유를 포기하지 않겠다는 취지를 담은 이의 유보 승낙의 기본문안으로서 모든 종류의 채권양도 승낙서에 원용할 수 있는 표현입니다(이미 구체적으로 발생한 항변사유는 따로 명시해야 합니다).

163) 토지신탁사업에서 시공사 부도 등의 경우에, 도급계약 해제 후 대체시공사를 선정하거나 하도급대금 미지급금에 대한 대위변제 및 하도급대금 직접 지급 등이 조치가 필요할 수 있습니다. 그런데 공사비 채권이 양도된 경우, 양수금 지급에 우선하여 하도급대금을 직불하거나 장래에 발생하는 하도급대금 미지급금에 대한 대위변제금을 공사비에서 공제 또는 상계하는 것은 허용되지 않습니다. 예시안 중 두 번째, 세 번째 문안은 이를 고려하여 하도급대금 직불대금 등이 양수금에 우선토록 조건을 부과한 것입니다(조건부 승낙 자체는 가능함. 대법원 2011. 06. 30. 선고 2011다8614판결 참조). 다만, 이러한 내용의 조건부 승낙이 유효한지 여부에 대하여는 장래 다툼의 소지가 있습니다.

12 땅 쪼개기를 통한 공동주택 개발사업

주택법상 30세대 이상의 공동주택 건설사업은 사업계획승인 대상이나, 많은 개발업자들은 도시계획위원회 심의 등 복잡한 절차를 피하고 완화된 공동주택 건설기준을 적용받아 비용을 절감하기 위한 목적으로, 공동주택 부지를 여러 필지로 분할한 뒤 각 필지당 30세대 미만의 주택을 건축하는 내용으로 건축허가를 받아 대규모 공동주택을 건축하는 경우가 있습니다.

주택법은 소정의 특수관계자들이 구역을 분할하여 주택을 건설하려는 경우에는, 전체 구역을 하나의 대지로 간주하고, 전체 구역의 주택규모를 기준으로 사업계획승인 대상 여부를 판단하고 있습니다(주택법 시행령 제27조 제5항 참조).

법령	주택법 시행령

제27조(사업계획의 승인)
⑤.....주택건설규모를 산정함에 있어 다음 각 호의 구분에 따른 동일한 사업주체....가 일단의 주택단지를 수 개의 구역으로 분할하여 주택을 건설하려는 경우에는 전체 구역의 주택건설호수 또는 세대수의 규모를 주택건설규모로 산정한다. 이 경우 주택의 건설기준, 부대시설 및 복리시설의 설치기준과 대지의 조성기준의 적용에 있어서는 전체 구역을 하나의 대지로 본다.
1. 사업주체가 개인인 경우: 개인인 사업주체와 그의 배우자나 직계존비속
2. 사업주체가 법인인 경우: 법인인 사업주체와 그 법인의 소속 임원

사업계획승인을 회피하기 위한 목적으로 땅 쪼개기를 통한 복수의 건축허가를 득하는 경우, ① 사업계획승인을 받지 않고 대규모 공동주택을 건축한 점은 주택법 위반, ② 땅을 쪼개 여러 토지주 명의로 등기하는 과정에서는 부동산실명법 위반, ③ 개발행위 허가 규모를 위반한 것으로 인정될 경우 국토계획법 위반, ④ 개발부담금 회피 목적이 인정될 경우 개발이익환수법 위반, ⑤ 기타 환경영향평가, 교통영향평가, 문화재지표조사 등 회피 목적 인정시 관련법 위반의

문제가 발생할 수 있습니다.164) 더 나아가 해당 건축허가가 취소되는 경우도 발생하고 있습니다.165)

　　불법적인 땅 쪼개기 사업장이라면, 토지신탁으로의 사업진행은 물론 분양수입금 등에 대한 대리사무 수행도 적절치 않다고 할 것입니다. 따라서 땅 쪼개기가 의심된다면, 토지가 분필과정을 통해 인접 사업 부지로 편입된 흔적이 있는지, 각 사업장 별 시행사간에 명의신탁 등을 의심할만한 사정(법인의 경우, 임원 및 주주내역, 본점 소재지의 동일성 등을 조사할 필요가 있음)이 있는지 등을 살펴볼 필요가 있습니다.

판례　　사업계획승인대상 주택건설사업의 판단

- 대법원 1994.12.22. 선고 93누2483 판결

『구 주택건설촉진법 시행령 제32조제5항166)의 규정은 그 근본취지가 실질적으로는 하나의 주택건설사업이면서도 이를 임의로 여러 개로 나누어 실시함으로써 일정한 규모 이상의 주택건설에 있어서 건설부장관의 사업계획승인을 받도록 한 주택건설촉진법 제33조제1항의 적용을 회피하는 것을 방지하고자 하는 데 있는 것으로 보여지는 점에 비추어, 원칙적으로는 허가(승인)를 신청한 사업명의자가 동일한 경우에 적용되는 것이지만 그러한 사업명의자가 형식상은 다를지라도 실질상은 일단의 공동주택을 함께 건설하면서 단지 같은 법조의 적용을 회피하기 위한 목적에서 이를 달리한 것임이 명백하다고 보여지는 경우에도 적용되는 것으로 봄이 상당하다』

---

164) 관련 검찰발표자료 중 2016.10.20. 의정부지검 수사발표자료 "사업계획승인 회피하기 위하여 20세대 미만으로 건축허가를 받아 공동주택을 건축한 건축주 등 무더기 적발-불법 쪼개기 공동주택 건축사범 사건 수사결과-" 참조

165) 2017. 7. 27. 자 연합뉴스 "제주 토지 쪼개기 통한 공동주택 건설 관행 급제동" 기사도 참조하기 바랍니다.

166) 위 조항은 동일 사업주체가 구역을 분할한 경우에만 하나의 대지로 간주하여 사업계획승인 대상 여부를 판단하도록 정하고 있었습니다. 본 조항에 대응하는 현 주택법 시행령 제27조 제5항은 특수관계자들이 구역을 분할한 경우에도 하나의 대지로 간주하도록 정하고 있습니다,

부가세 환급청구권 양도 이행 확보방안

1. 토지신탁사업에서의 부가세 환급청구권 양도

관리형 토지신탁계약의 경우,[167] 위탁자가 해당 사업장의 부가가치세 환급청구권을 수탁자에게 양도하고 이를 관할 세무서장에게 확정일자로 통지하여야 하며, 이후 과세기간별로 환급세액이 확정되면 국세기본법 시행규칙상 법정서식을 통해 부가가치세 환급금 양도요구를 하도록 정하고 있습니다.

위탁자가 신탁계약 체결시점에 부가세 환급청구권 양도계약 체결 및 양도통지를 거부하는 경우는 생각하기 어려우나, 이후 과세기간별 환급세액 확정시에는 국세기본법에 따른 양도요구를 이행하지 않는 경우가 종종 있습니다. 이 경우 세무서에서는 국세기본법상 양도요구가 없으면 환급금 양도를 인정할 수 없다는 취지로 답변하는 경우가 많습니다.

그러나 대법원은 국세기본법 시행규칙상 양도요구서를 이용하지 않더라도 민사상 일반 채권 양도절차에 다른 환급금 채권 양도가 가능하고, 아직 환급세액이 확정되지 않았더라도 장래 발생할 환급금 채권을 특정하여 양도하는 것이 가능하다는 입장입니다(대법원 2006.8.24.선고 2006다33494판결 참조).

따라서 신탁계약 체결시 사업장과 기간을 명시하여 장래 발생하는 부가가치세 환급금 채권을 양수도하고 확정일자부 통지 절차를 밟았다면, 위탁자가 국세기본법에 따라 관할세무서장에게 법정서식에 따른 양도요구를 하지 않는 경우라도, 수탁자는 관할 세무서장에게 환급금 양수금을 청구할 수 있을 것으로

---

167) 관리형 토지신탁사업, 재개발사업·재건축사업 또는 가로주택정비사업·소규모 재건축사업에서 수탁자가 사업대행자인 경우는 위탁자가 부가가치세 납세의무자입니다(부가가치세법 시행령 제5조의2 제2항 참조)

보입니다.168)

2. 개발사업 관련 자금관리 대리사무의 경우

개발사업 관련 자금관리 대리사무계약의 경우, 위탁자에게 부가가치세 환급청구권을 자금관리 수탁자에게 양도하도록 정하였음에도 불구하고 위탁자가 이에 협조하지 않는 경우가 있습니다. 이 경우 수탁자로서는 위탁자에게 부가가치세 환급금청구권에 대한 양수도 절차를 이행하도록 독촉하고, 그 이행 경과를 우선수익자 등에게 사전에 알릴 필요가 있습니다(수탁자가 선관주의의무를 다하지 못하여 환급청구권 양수도가 되지 않았다고 주장하며 소송을 제기한 사례가 있음).

그리고 위탁자가 부가가치세 환급청구권 양도절차 이행을 끝까지 거부하는 경우에는, 세무관청이 환급금을 지급하기 전에 먼저 환급금 지급금지 가처분을 신청하고, 위탁자를 상대로 환급청구권 양도 통지의 의사표시를 구하는 소송을 제기하는 방안을 검토하여야 합니다.

---

168) 세무서장이 환급금 지급을 거절하는 경우, 일반 민사소송이 아닌 행정소송의 일종인 당사자소송을 하여야 한다는 점도 주의할 부분입니다(대법원 2011다95564 판결 참조).

14   실시계획인가 의제와 토지수용

1. 사업인정 의제와 토지수용

공익사업을 위한 토지 등의 취득 및 보상에 관한 법률(토지보상법)상 일정한 공익사업은 국토부장관의 사업인정을 받으면 토지수용권한을 부여받습니다. 또한, 개별 법령에서 공익성이 인정되는 개발행위에 대한 인허가를 득할 경우 토지보상법상의 사업인정이 의제되어 토지수용을 할 수 있게 됩니다. 예를 들어 도시계획시설사업에 대한 실시계획을 고시하거나 정비사업에 대한 사업시행계획인가고시가 있는 때에는, 토지보상법상의 사업인정이 의제되어 토지수용이 가능해지는 것입니다(국계법 제96조, 도정법 제65조 제2항 참조). 현재 대부분의 공익사업은 토지보상법상의 사업인정이 아니라 개별법령상 사업인정 의제에 의하여 토지수용권한을 부여받습니다.

이와 관련하여 재의제에 의한 사업인정이 가능한지, 예를 들면, 주택법상 사업계획승인을 받으면서 일정한 협의절차를 거치면 도시계획시설사업에 대한 실시계획인가가 의제되는데, 이 경우 다시 사업인정이 의제되어 토지수용이 가능한지가 문제됩니다.

2. 재의제에 의한 사업인정 및 토지수용 가능 여부

토지의 수용은 신청인과 행정청과의 관계에 그치는 것이 아니라 제3자의 재산권을 박탈하는 등 국민의 재산권 행사에 미치는 영향을 고려할 때, 그 허용여부 및 절차는 엄격하게 해석하는 것이 타당하다 할 것이어서 의제의 의제를 통하여 토지 등의 수용권을 부여하거나 토지수용에 관한 사업인정고시를 인정하는 것은 바람직하지 아니하다 할 것입니다(법제처 05-0084, 2015.12.1. 참조).

대법원은 주된 인허가에 의하여 다른 법률상 인허가가 의제되더라도, 해당 법률에 의하여 정식으로 인허가를 받은 경우와 달리, 의제된 인허가에 대하여는 해당 법률상 모든 규정이 적용되지 않는다는 입장입니다. 대법원의 이러한 태도에 비추어볼 때, 주택법상 사업계획승인시 도시계획시설사업 실시계획 인가가 의제된 경우에는 토지보상법상 사업인가까지 의제되기는 어려워 보입니다.

판례   인허가 의제의 효과

· 대법원 2004. 7. 22. 선고 2004다19715 판결

『주된 인·허가에 관한 사항을 규정하고 있는 어떠한 법률에서 주된 인·허가가 있으면 다른 법률에 의한 인·허가를 받은 것으로 의제한다는 규정을 둔 경우에는, 주된 인·허가가 있으면 다른 법률에 의한 인·허가가 있는 것으로 보는데 그치는 것이고, 그에서 더 나아가 다른 법률에 의하여 인·허가를 받았음을 전제로 한 다른 법률의 모든 규정들까지 적용되는 것은 아니라고 할 것인바, 구 건축법 제8조 제4항은 건축허가를 받은 경우, 구 도시계획법 제25조의 규정에 의한 도시계획사업 실시계획의 인가를 받은 것으로 본다는 인가의 제규정만을 두고 있을 뿐, 구 건축법 자체에서 새로이 설치한 공공시설의 귀속에 관한 구 도시계획법 제83조 제2항을 준용한다는 규정을 두고 있지 아니하므로, 구 건축법 제8조 제4항에 따른 건축허가를 받아 새로이 공공시설을 설치한 경우, 그 공공시설의 귀속에 관하여는 구 도시계획법 제83조 제2항이 적용되지 않는다고 봄이 상당하다.』

3. 실무상의 주의사항

주택법상 사업계획승인으로 도시계획시설에 대한 실시계획인가가 의제되더라도, 이 경우 토지보상법상의 사업인정이 의제되지 않아 도시계획시설부지에 대한 토지수용이 불가능합니다. 따라서 토지신탁사업을 진행함에 있어, 도시계획시설 부지 중 미매입부지가 있다면, 정식으로 국계법에 따른 실시계획인가를 받아야 할 것입니다. 단순히 의제된 실시계획인가만으로는 토지수용 등의 절차를 진행할 수 없다는 점에 주의하여야 할 것입니다.

토지신탁에서 시공사에 대한 회생절차가 개시되었고, 그로 인하여 책임준공이 어렵고 입주지연이 예상된다면 시공사 교체 방안을 고민하게 됩니다. 이와 관련하여 '도산해지조항'의 효력이 문제됩니다.

도산해지조항이란, 당사자 일방에게 지급정지, 파산, 회생절차 개시신청 등 도산에 이르는 과정상의 일정한 사실이 발생하는 경우 상대방에게 계약의 해제·해지권을 인정하는 조항을 말합니다. 그런데 쌍방 미이행의 쌍무계약의 경우 위와 같은 도산해지조항은 무효라는 견해가 도산법 관련 학계의 다수설입니다(무효의 근거로는 채무자 재산의 보호, 채권자 사이의 평등, 미이행쌍무계약에서 관리인이 가지는 이행선택권의 보호 등을 제시하고 있습니다).

우리 대법원은 도산해지조항의 효력을 금지하는 법률이 존재하지 않는 상태에서, 도산해지조항이 공서양속에 위반되는 등의 사정이 없는 한 이를 일률적으로 무효로 볼 수는 없다는 입장입니다(도산법 관련 학계에서는 위 대법원 판결의 모호한 입장을 비난하고, 도산해지조항의 효력을 금지하는 법률개정이 필요하다는 의견을 많이 제시하고 있습니다).

> **판례**   도산해지조항의 효력
>
> · 대법원 2007. 9. 6. 선고 2005다38263 판결
>
> 『도산해지조항을 일반적으로 금지하는 법률이 존재하지 않는 상태에서……회사정리절차의 목적과 취지에 반한다고 하여 일률적으로 무효로 보는 것은 계약자유의 원칙을 심각하게 침해하는 결과를 낳을 수 있을 뿐만 아니라, 상대방 당사자가 채권자의 입장에서 채무자의 도산으로 초래될 법적 불안정에 대비할 보호가치 있는 정당한 이익을 무시하는 것이 될 수 있다.... 도산해지조항이 구 회사정리법에서 규정한 부인권의 대상이 되거나 공서양속에 위배된

다는 등의 이유로 효력이 부정되어야 할 경우를 제외하고, 도산해지조항으로 인하여 정리절차개시 후 정리회사에 영향을 미칠 수 있다는 사정만으로는 그 조항이 무효라고 할 수 없다.』[169]

표준 도급계약서에도 시공사의 회생절차 개시 신청시 계약을 해제할 수 있도록 정하고 있으나, 이는 도산해지조항으로서 그 효력이 부정될 가능성이 있다는 점에 주의할 필요가 있습니다.

법률적으로는 도산해지조항의 효력이 부정되더라도, 다른 해지조항의 효력까지 부정되는 것은 아닙니다. 신탁사 발주 도급계약서에서는 일정 기간의 공사 중단, 공정율 미달, 하도급법 위반 등을 해제사유로 정하고 있는바, 시공사에 대한 회생절차 개시로 공사도급계약상 목적 달성이 어렵다면, 위와 같은 일반적인 해제사유를 주된 근거로 주장하고, 도산해지조항을 부수적인 근거로 주장하여 해제절차를 진행하여야 할 것으로 보입니다.

※ 한편, 하도급계약상 하수급업체의 부도시 계약이행에 대한 최고도 없이 계약을 해지할 수 있도록 정하고 있는 약관에 대하여, 대법원은 해당약관은 불공정약관으로서 무효라고 판시하였다는 점도 참고하기 바랍니다(대법원 2017.9.1. 선고 2013다58668판결 참조).

---

169) 위 대법원 판결 이후, 하급심 판결 역시 엇갈리고 있습니다. 서울중앙지방법원 2012회확1735결정은, 관리인의 이행선택권을 침해한다는 등의 이유로 도산해제조항은 효력이 없다고 판시한 바 있습니다. 반면에, 서울중앙지방법원 2013카합 80074결정은, 해당 계약이 계속적 계약으로서 당사자 사이의 신뢰관계가 중요한 점, 일부 하도급업자의 하도급대금 직접지급 요청이 있었던 점, 채무자의 재정상태 악화로 해당 계약에 따른 용역 제공 불가능의 위험이 있었고 이를 사전적으로 벗어나려는 목적의 해지조항을 둔 상대방의 이익이나 기대도 보호할 필요성이 있다는 점 등을 이유로 해당 도산해지조항이 무효가 아니라고 판단한 바 있습니다.

1. 신탁계약상 신탁종료 조건부 계약인수특약의 효력

신탁사들은 토지신탁계약 특약사항에서 신탁종료시 수탁자가 신탁사무처리 과정에서 체결한 계약상 지위를 위탁자가 포괄적·면책적으로 승계하도록 정하고 있습니다.

예시　수탁자의 공급자지위에 대한 포괄적·면책적 승계 특약

• 토지신탁 특약사항 예시안

> 제○조【권리·의무의 승계】신탁의 전부 또는 일부 종료 시 그 범위 안에서 "수탁자"가 본 사업을 위해 체결한 각종 계약상의 지위(분양계약상 지위 등) 및 본 사업의 시행자로서 부담하는 일체의 권리·의무는 별도의 절차 없이 "위탁자"에게 면책적으로 포괄승계된다.

• 토지신탁사업 공급계약서 특약사항 예시안

> 신탁해지, 신탁목적 달성 등의 사유로 분양형토지신탁계약이 종료된 경우에는 그 즉시 모든 공급계약에 대하여, 개별 공급계약에 따라 공급 대상 목적물의 소유권을 매수인에게 이전한 경우에는 그 즉시 해당 공급계약에 대하여, 공급자이자 매도인으로서 ○○신탁(주)이 가지는 일체의 권리·의무(손해배상의무 포함)는 위탁자 겸 수익자에게 포괄적·면책적으로 이전(승계)됩니다.

대법원은 종래부터 신탁의 종료를 정지조건으로 하여 수탁자가 신탁사무 처리과정에서 체결한 계약상 지위를 위탁자에게 면책적·포괄적으로 이전하는 소위 정지조건부 계약인수 합의를 유효한 것으로 인정하였으며, 집합건물법상 하자담보책임 등도 위탁자에게 면책적으로 이전되는 것으로 보고 있습니다(대법원 2011다99030판결, 대법원 2004다24878판결, 대법원 2004다49945판결, 대법원 2005다23674판결 참조).

• 대법원 2005. 4. 15. 선고 2004다24878 판결

『위 승계약정은 ....신탁계약의 해지 또는 종료를 정지조건으로 하여 분양계약상의 분양자 지위를 위탁자에게로 이전하기로 하는 내용의 계약인수로서, 매도인의 사기 또는 하자담보책임에 의한 취소 또는 해제의 법률관계와 그로 인한 부당이득반환의무 및 매도인의 불법행위에 의한 손해배상 의무까지도 이전하기로 한 것....분양계약으로 인한 원고들과 피고의 모든 채권채무관계가 신탁의 종료와 동시에 위탁자에게 면책적으로 이전..... 』

• 대법원 2012. 2. 9. 선고 2011다99030 판결

『원심은....분양계약에서 정한 이 사건 승계약정은....신탁계약의 해지 또는 종료를 정지조건으로 하여 분양계약상의 지위를 수탁자에서 위탁자로 이전하기로 하는 내용의 계약인수 합의에 해당하는데, 위탁자가 수탁자와 신탁계약을 종료하기로 합의하면서 계약인수에 대하여 동의 내지 승낙을 하여, 분양계약상의 분양자의 지위가 수탁자에서 위탁자로 승계되었다는 이유 등으로 피고에 대하여 이 사건 건물에 대한 하자담보책임 또는 분양계약상의 채무불이행으로 인한 배상책임을 묻는 원고들의 청구를 배척.....원심의 사실인정과 판단은 정당한 것으로 수긍.....』[170][171]

---

170) [집합건물법상 하자담보책임도 면책적 승계가 되는지 여부] 위 판례 사안은, 집합건물법상 하자담보책임에 대한 승계 여부가 문제된 사안입니다. 집합건물법상 분양자의 하자담보책임은 수분양자 보호 목적의 강행규정입니다. 약정책임이 아닌 법정책임, 그것도 소위 편면적 강행규정에 의하여 부여된 법정책임을 당사자간 면책적 승계약정으로 승계시킬 수 있는 것인지 의심스러우나, 대법원은 특별한 고민없이 이를 인정하고 있습니다.

171) 위 판례상 신탁계약을 종료하기로 합의하면서 계약인수에 대한 동의가 있었다는 부분은 정산합의서상 계약인수 특약을 가리키는 것입니다. 본 사안은 신탁계약서상에는 계약인수 특약이 없었으나, 정산합의서 체결시 계약인수특약을 추가했고 위 정산합의서상 위탁자의 동의가 분양계약상 수탁자와 수분양자 2인의 합의와

2. 신탁종료 조건부 계약인수특약 관련 유의할 사항

신탁종료 조건부 계약인수 특약과 관련하여 주의할 점은 계약인수특약은 인수 대상인 계약의 당사자와 인수인 모두의 합의가 있어야 유효하다는 점입니다. 통상 신탁이후 신탁사무를 위한 각종 계약은 수탁자 단독으로 체결하는데, 해당 계약서에만 계약인수 특약을 두는 경우 계약인수의 효력이 발생하지 않습니다.

같은 원리로 분양계약상 계약인수특약이 있더라도 위탁자가 날인하지 않는 경우 계약인수의 효력이 발생하지 않습니다. 다만, 신탁계약서에 동일한 계약인수특약사항을 정한 경우, 신탁계약상 위탁자의 동의가 공급계약서와 결합되어 계약인수의 효력이 발생하는 것입니다. 만일, 과거에 체결된 신탁계약서로서 계약인수 특약이 없다면, 정산합의서 등 위탁자와 체결하는 별도 합의서에 계약인수특약이 두는 것이 필요한 것입니다.

결합되어 계약인수가 이루어졌다고 판단한 사안입니다.

토지신탁 종료를 위한 정산합의서 체결시에는, ① 신탁사업에 대한 최종 계산 내역의 승인, ② 신탁사무 수행 결과에 대한 면책, ③ 잔여 신탁재산의 귀속 및 신탁이익의 지급, ④ 하자담보책임 등의 승계, ⑤ 기타 합의서 체결 후 발생 가능한 우발채무의 부담문제(유보금)를 명확히 하여야 합니다. 이중 ②, ④, ⑤항에 대하여 살펴보도록 하겠습니다.

우선, 신탁사무 수행 결과에 대한 면책의 문제입니다. 신탁법은 수익자와 귀속권리자(이하 수익자 등이라 함)가 신탁종료에 의한 최종 계산을 승인한 경우, 수탁자의 수익자 등에 대한 책임은 면제된 것으로 간주하고 있습니다(신탁법 제103조 제2항 참조). 다만, 위 규정은 면책 범위 등이 다소 불명확하므로 별도 특약으로 면책 범위 등을 명시하는 것이 바람직할 것입니다.

> **예시**   신탁종료에 따른 계산 및 면책 특약
>
> 제O조 (신탁종료에 따른 계산) ① 본 사업에 대한 2015. . . 기준수지계산서는 붙임1.과 같으며, 같은 날 기준 잔여 신탁재산 내역은 붙임2.와 같다.
> ② "위탁자"와 "시공사"는 제1항의 신탁계산 내역을 승인함과 동시에 "수탁자"가 본건 신탁계약상 신탁사무를 수행하면서 선관주의의무를 다하였음을 인정하고, 향후 신탁사무 수행의 적정성 또는 신탁 이익의 범위 등에 대하여 일체의 이의(소송 제기 포함)를 제기하지 않기로 한다.

신탁종료시 가장 중요한 문제는 수분양자에 대한 하자담보책임의 승계 문제입니다. 신탁계약서 및 분양계약상 신탁종료를 정지조건으로 하는 계약인수특약이 규정되어 있더라도, 정산합의서에는 확인적인 의미로 계약인수특약을 추가하기 바랍니다(권리의무승계약정은 승계 대상 계약의 당사자 및 승계인 전원의

합의가 있어야 효력이 발생합니다. 신탁계약 및 공급계약상 권리의무승계약정이 없는 경우, 정산합의서상 위탁자와 수탁자간 권리의무승계약정만으로는 하자담보책임 등이 승계되지 않으므로, 좀 더 많은 유보금을 유보할 수밖에 없습니다).

예시　　신탁종료에 따른 공급자 지위 포괄승계 특약

제O조 (신탁종료에 따른 권리의무의 승계)
① 본 합의서 체결과 동시에, "수탁자"가 본 사업을 위해 체결한 공급계약상 분양자의 지위 및 본 사업의 시행자로서 부담하는 일체의 권리·의무(집합건물법 및 주택법상 하자보수의무 및 이에 갈음하는 손해배상의무 포함)는 별도의 절차없이 "위탁자"에게 면책적·포괄적으로 승계한다.

그리고 정산합의서 체결 이후 발생하는 각종 우발채무에 대한 책임부담문제가 있습니다. 앞에서 권리의무승계약정을 하더라도, 현실적으로 사업주체로서의 각종 부담, 각종 제세공과금, 신탁사무 수행과정에서 체결한 계약(정지조건부 계약인수 특약을 하지 않은 계약)을 원인으로 하는 각종 비용이 수탁자 명의로 발생할 수 있습니다. 이에 대하여는 적정한 유보금을 남기고, 이를 초과하는 부분은 위탁자 등이 책임지도록 하여야 할 것입니다.

예시　　신탁종료에 따른 유보금 특약

제O조 (유보금 및 잔여신탁사무의 처리)
① "위탁자", "수탁자", "시공사"는 잔여신탁재산 중 금＿＿＿＿＿원은 본 합의서 체결 이후 발생할 수 있는 각종 잔여 신탁사무의 처리 등을 위하여 최종적으로 신탁 이익이 확정될 때까지 그 지급을 유보하기로 한다.
② 본 합의서 체결 이후 본건 신탁계약에 따른 신탁사무와 관련하여 "수탁자" 명의로 발생하는 각종 제비용과 본 사업 관련 우발채무 (제세공과금, 민원해결비용, 소송비용 및 판결원리금 등 포함)는 제1항의 유보금으로 처리하되, 이를 초과하는 금액은 "위탁자"와 "시공사"가 부담한다.

표 집합건물법과 주택법령상 하자담보책임 개관

	집합건물법	구 주택법	공동주택관리법
근거 조항	위 법 제9조, 제9조의2	위 법 제46조	위법 제 36조, 37조
담보 책임 부담 주체	• 집합건물을 건축하여 분양한 자(분양자) • 시공자	• 사업주체(건축허가를 받아 분양 목적 공동주택을 건축한 건축주 포함) • 시공자	• 좌동(단, 일괄도급 시공사가 있는 경우, 그 시공사가 하자보수의무 부담)
담보 책임 권리자	• 구분소유자	• 입주자 • 입주자대표회의 • 관리주체 • 관리단	• 전유부분 : 입주자 • 공용부분 : 입주자대표회의, 관리주체, 관리단
담보 책임 내용	• 구분소유권자는 담보책임 존속기간(하자별로 2년, 3년, 5년, 10년)내에 하자보수 또는 손해배상을 청구할 수 있음 • 담보책임 존속기간의 기산일 - 전유부분 : 구분소유자에게 인도한 날 - 공용부분 : 사용검사일 ※ 기산일 전 발생한 하자의 담보책임 존속기간은 5년 ※ 담보책임 존속기간은 제척기간으로서, 해당 기간 도과시 더 이상 권리행사가 불가함	• 사업주체는 담보책임기간(하자별로 1년, 2년, 3년, 4년, 5년, 10년)에 발생한 하자를 보수할 의무 부담(내력구조부 중대한 하자에 대하여는 손해배상 책임 부담)172) • 담보책임기간의 기산일 - 전유부분 : 입주자에게 인도한 날 - 공용부분 : 사용검사일 ※ 주택법상 담보책임 대상은 담보책임기간 내에 발생한 하자임.173) 담보책임기간 내에 발생한 하자라면, 기간 도과 이후에도 소멸시효 전까지 하자보수 청구 등 권리행사가 가능함174)	• 사업주체는 담보책임기간(하자별로 2년, 3년, 5년, 10년)에 발생한 하자를 보수할 의무부담(내력구조부 중대한 하자에 대하여는 손해배상 책임 부담) • 담보책임기간의 기산일 - 전유부분 : 입주자에게 인도한 날 - 공용부분 : 사용검사일 ※ 하자보수는 담보책임기간 내에 청구하여야 함(시행령 제38조) ※ 2016.8.12. 이후 사용검사를 받은 공동주택에 대하여 적용

판례   하자 판단 기준 도면 (사업승인도면 vs. 착공도면 vs. 준공도면)

• 대법원 2014. 10. 15. 선고 2012다18762 판결

『①사업승인도면은 사업주체가 주택건설사업계획의 승인을 받기 위하여 사업계획승인권자에게 제출하는 기본설계도서에 불과하고 대외적으로 공시되는 것이 아니어서 별도의 약정이 없는 한 사업주체와 수분양자 사이에 사업승인도면을 기준으로 분양계약이 체결되었다고 보기 어려운 점......②설계변경의 경우 원칙적으로 사업주체는 주택 관련 법령에 따라 사업계획승인권자로부터 사업계획의 변경승인을 받아야 하고, 경미한 설계변경에 해당하는 경우에는 사업계획승인권자에 대한 통보절차를 거치도록 하고 있는 점......③설계변경이 이루어지면 변경된 내용이 모두 반영된 최종설계도서에 의하여 사용검사

---

172) [입주자대표회의의 하자에 갈음하는 손해배상소송] 구 주택법과 공동주택관리법상 입주자대표회의는 내력구조부 중대한 하자가 아닌 이상 사업주체에 대하여 하자보수를 청구할 수 있을 뿐 하자보수에 갈음하는 손해배상을 청구할 수는 없습니다. 이 때문에 입주자대표회의가 하자에 대한 손해배상소송을 제기할 경우에는 구분소유자들로부터 집합건물법상 손해배상청구권을 양도받아 소송을 제기합니다.

173) [사용검사전 하자와 사용검사후 하자] 구 주택법과 공동주택관리법상 담보책임 대상 하자는 담보책임기간에 발생한 하자입니다. 따라서 "사용검사 전 하자"의 경우는 주택법에 다른 하자보수청구 대상이 아니며, 같은 이유에서 주택법상 하자보수보증금 보증서에 의하여 담보되지도 않습니다. "사용검사 전 하자"는 집합건물법상 담보책임 대상이며, 그 존속기간 기산일로부터 5년간 권리행사가 가능(2013. 6. 19.이후 분양된 집합건물의 경우)합니다.

174) [토지신탁사업에서 신탁사가 부담하는 하자담보책임의 특수성] 토지신탁사업에서, 신탁사는 사업주체로서 공동주택관리법상 담보책임을, 분양자로서 집합건물법상 담보책임을 부담합니다.

공동주택관리법상의 담보책임기간 내에 발생한 "사용검사 後 하자"에 대한 손해배상책임은 대부분 공동주택관리법상 하자보수보증보험으로 담보가 됩니다(물론, 하자보수보증서 보증한도를 초과하거나, 보증보험금 채권의 소멸시효 완성시, 사업주체로서 책임을 부담할 가능성은 있습니다). 그러나 집합건물의 분양자인 신탁사는 집합건물법에 따라 "사용검사 前 하자"에 대하여 하자보수 및 손해배상책임을 부담하는 것이 원칙입니다. 그런데 현재 실무와 같이 신탁사와 위탁자 및 수분양자 간 포괄적 면책적 승계특약이 있는 경우, 사용검사 전 하자에 대한 집합건물법상 담보책임도 위탁자에게 승계될 수 있다는 것이 대법원 판례의 입장입니다(Chapter4. N.16. "신탁종료 조건부 계약인수특약" 참조).

를 받게 되는 점, ④사용검사 이후의 하자보수는 준공도면을 기준으로 실시하게 되는 점......⑤아파트 분양계약에서의 수분양자는 당해 아파트가 사업승인도면에서 변경이 가능한 범위 내에서 설계변경이 이루어진 최종설계도서에 따라 하자 없이 시공될 것을 신뢰하고 분양계약을 체결하고, 사업주체도 이를 계약의 전제로 삼아 분양계약을 체결하였다고 볼 수 있는 점 등을 종합하여 보면, 사업주체가 아파트 분양계약 당시 사업승인도면이나 착공도면에 기재된 특정한 시공내역과 시공방법대로 시공할 것을 수분양자에게 제시 내지 설명하거나 분양안내서 등 분양광고나 견본주택 등을 통하여 그러한 내용을 별도로 표시하여 분양계약의 내용으로 편입하였다고 볼 수 있는 등 특별한 사정이 없는 한 아파트에 하자가 발생하였는지는 원칙적으로 준공도면을 기준으로 판단함이 타당하다.

1. 건물 기초공사와 토지에 대한 유치권 성립 여부

Q : 터파기 공사 중 시공사 부도로 시공사를 교체하려 합니다. 터파기 공사를 하수급받은 업체가 공사현장에 대한 유치권을 행사할 수 있나요.

A : 먼저 건물에 대한 유치권 행사가 가능한지 살펴보겠습니다. 건물의 일부층 이라도 최소한의 기둥과 지붕 그리고 벽이 이루어진 경우, 해당 미완성 건물은 토지와 독립된 별도의 부동산으로 인정되며, 유치권 행사의 대상이 될 수 있는 것입니다. 토공사 진행 단계의 정착물들은 토지의 부합물에 불과하여 유치권 행사의 대상이 될 수 없습니다(대법원 2008. 5. 30.자 2007마98 결정).

　　토지에 대한 유치권 행사는 가능할까요. 민사 유치권은 목적물과 피담보 채권간의 견련관계가 인정되어야 합니다. 민사유치권은 해당 목적물의 가치 보전 및 효용 제고를 위한 과정에서 발생한 채권의 채권자에게 유치권이라는 강력한 담보물권을 인정해주는 것입니다.

　　터파기 공사대금 채권은 토지와의 견련성이 인정될까요. 통상의 경우, 이 러한 채권은 토지가 아닌 건물의 기초를 위한 공사일 뿐이고, 해당 공사로 토 지의 성질이나 기능이 본질적으로 바뀐 것이 아니라는 이유로 토지와의 견련 성이 부정되며, 이에 따라 유치권도 인정되지 않습니다(대법원 2013.5.9.선고 2013다2474판결 참조). 그러나 일반적인 토공사 수준을 넘어 토지의 성질과 기능을 변경하는 경우, 예를 들어, 토지 공부 및 현황상 농지를 집합건물 신축 을 위한 대지로 변경하기 위한 지반보강공사 등으로 발생한 채권은 토지에 관 하여 발생한 채권으로 인정되며, 유치권 행사가 가능합니다(대법원 2007. 11. 29. 선고 2007다60530 판결 참조).

2. 건물에 대한 유치권 행사가 가능한 피담보 채권의 범위

Q. 시멘트나 모래 등 건축자재를 공급한 업체가 이러한 건축자재대금 채권에

기하여 유치권을 행사할 수 있는지요

A : 민사유치권은 목적물과 피담보채권간의 견련관계가 인정되어야 합니다. 건축자재대금채권은 매매계약에 따른 매매대금채권에 불과할 뿐 건물 자체에 관하여 생긴 채권이라고 할 수 없기 때문에 건물에 관한 유치권의 피담보채권이 될 수 없습니다(대법원 2012.1.26.선고 2011다96208판결 참조).

사례 3. 유치권 배제 특약의 제3자 원용 가부

Q. 공사 중단 사업장 시공사가 유치권을 행사하고 있습니다. 해당 시공사가 종전 금융기관과의 사이에서 유치권 배제 특약을 하였는데, 이를 신탁사가 원용할 수 있는지요.

A : 유치권은 채권자의 이익을 보호하기 위한 법정담보물권이고, 당사자는 사전에 유치권의 발생을 막는 특약을 할 수 있습니다. 유치권 배제 특약이 있는 경유 다른 법정요건이 충족되어도 유치권은 발생하지 않으며, 이러한 특약에 따른 효력은 특약의 상대방뿐 아니라 그 밖의 사람도 주장할 수 있습니다 (대법원 2018.1.24.선고 2016다234043판결 참조).

사례 4. 유치권의 불가분성

Q : 다세대 주택 창호공사 수급인이 일부 세대에 대하여만 유치권을 행사하고 있습니다. 이 경우 해당 업체가 점유하고 있는 세대에 대한 창호공사비에 대하여만 지급하면 되는 것인지요.

A : 다세대주택의 창호 등의 공사를 완성한 하수급인이 공사대금채권 잔액을 변제받기 위하여 위 다세대주택 중 한 세대를 점유하여 유치권을 행사하는 경우, 그 유치권은 위 한 세대에 대하여 시행한 공사대금만이 아니라 다세대주택 전체에 대하여 시행한 공사대금채권의 잔액 전부를 피담보채권으로 하여 성립합니다(대법원 2007.9.7.선고 2005다16942판결 참조).

사례 5. 경매절차에서의 유치권의 효력 제한

Q : 위탁예정자가 경매절차에서 공사중단사업장을 매수한 후 이를 신탁하고자 합니다. 해당 사업장은 경매절차 개시 이후에 점유를 개시한 업체가 유치권을 행사하고 있습니다. 이러한 유치권 주장이 적법한 것인가요.

A : 경매개시결정의 기입등기가 경료되어 압류의 효력이 발생한 후에 점유를 개시하여 유치권을 주장할 수 있다면 경매절차에 엄청난 혼란을 가져올 수 있습니다. 이 때문에 대법원은 부동산에 관하여 경매개시결정등기가 된 뒤에 비로소 부동산의 점유를 이전받거나 피담보채권이 발생하여 유치권을 취득한 경우에는 경매절차의 매수인에 대하여 유치권을 행사할 수 없다고 보고 있습니다(대법원 2005. 8. 19. 선고 2005다22688 판결, 대법원 2006. 8. 25. 선고 2006다22050 판결 등 참조).

　　반면에, 부동산에 저당권이 설정되거나[175] 가압류등기 경료 이후 또는 체납처분압류 이후에 유치권을 취득하였더라도 경매개시결정등기가 되기 전에 민사유치권을 취득하였다면 경매절차의 매수인에게 유치권을 행사할 수 있습니다(대법원 2009. 1. 15. 선고 2008다70763 판결, 대법원 2011. 11. 24. 선고 2009다19246 판결, 대법원 2014. 3. 20. 선고 2009다60336 판결 참조).

---

[175] 상사유치권의 경우에는 목적물과 피담보채권과의 견련관계를 요구하지 않는 반면, 유치권의 목적물은 "채무자 소유 물건"에 한정됩니다. 이에 따라 대법원은 상사유치권의 효력범위를 제한적으로 해석하고 있습니다. 상사유치권자는 선행저당권자에게 대항할 수 없다는 것이 판례의 태도입니다(아래 판례 참조).

판례 상사유치권자가 선행 저당권에 기한 경매절차 매수인에게 대항할 수 있는지 여부

• 대법원 2013. 2. 28. 선고 2010다57350판결

『유치권 성립 당시에 이미 그 목적물에 대하여 제3자가 권리자인 제한물권이 설정되어 있다면, 상사유치권은 그와 같이 제한된 채무자의 소유권에 기초하여 성립할 뿐이고, 기존의 제한물권이 확보하고 있는 담보가치를 사후적으로 침탈하지는 못한다.....채무자 소유의 부동산에 관하여 이미 선행(선행)저당권이 설정되어 있는 상태에서 채권자의 상사유치권이 성립한 경우, 상사유치권자는 채무자 및 그 이후 그 채무자로부터 부동산을 양수하거나 제한물권을 설정 받는 자에 대해서는 대항할 수 있지만, 선행저당권자 또는 선행저당권에 기한 임의경매절차에서 부동산을 취득한 매수인에 대한 관계에서는 그 상사유치권으로 대항할 수 없다.』

05

부동산 신탁 과 세법

1. 신탁거래에 관한 과세이론

> **이론** 신탁도관설(conduit theory, aggregate theory)

- 수탁자를 독립적인 과세실체로 인정하지 않고 단순히 수익자에게 수익을 분배하기 위한 도관으로 보는 이론. 세법상 실질과세원칙에 근거를 두고 있음. 도관이론에 의할 경우 이중과세의 문제는 없으나 투자자에게 분배되는 소득을 그 발생원천에 따라 이자소득·배당소득·양도소득 등으로 구분하여 과세하여야 하므로 과세관청과 원천징수의무자에게 행정상 큰 부담이 발생함.

> **이론** 신탁실체설(entity theory)

- 신탁 자체를 사회적·경제적 주체로 보아 독립적인 과세실체로 인정하는 이론. 신탁의 법률효과(대내외적으로 소유권의 완전한 이전)에 근거를 두고 있음. 실체이론에 의하면 소득이 수탁자 단계에서 일단 발생하고, 이후 수탁자가 수익자에게 이익을 분배할 때 다시 한 번 배당소득이 발생한 것이 되어 이중과세 문제가 발생함(배당소득에 대한 원천징수의무자는 수탁자).

2. 세법의 기본 태도

"신탁소득에 대한 과세"와 "신탁재산에 대한 과세"를 구분하여 볼 때, 우리 세법은 최소한 "신탁소득에 대한 과세(소득세, 법인세)"에 대하여는 대체로 신탁도관설을 따르고 있는 것으로 평가됩니다(수익자 과세의 원칙, 예외적으로 신탁형 집합투자기구는 신탁자체를 과세주체로 간주하고 있습니다. 이는 다수의 수익자가 존재하는 경우 수익자별 과세를 관철하기가 실무적으로 너무 복잡하기 때문으로 보입니다).

그러나 "신탁재산에 대한 과세(양도소득세, 재산세, 상속세, 부가가치세 등)"의 경우는 기본적으로 실체법상 소유권자가 누구인지가 중요하다는 점, 특히 부가가치세 등은 거래외형에 과세하는 거래세 성격을 가진다는 점을 고려할 때 신탁을 단순 도관만으로 보기 어려운 측면이 있습니다. 반면에 신탁상품의 성격상 위탁자 등이 신탁재산을 지배·통제하는 경우가 있을 수 있고 여기에 조세회피 방지 및 과세효율성 등 정책적 고려를 더 할 필요가 있다는 점 때문에 특정 과세이론이 지배적으로 관철되지는 않고 있습니다.

3. 개별 세법상 신탁 관련 과제제도의 개관(부동산 신탁의 경우)

가. 신탁의 설정 단계 (취득세의 문제)

①신탁을 원인으로 위탁자로부터 수탁자에게 신탁재산을 이전하는 경우, ②신탁의 종료로 인하여 수탁자로부터 위탁자에게 신탁재산을 이전하는 경우, ③수탁자 변경으로 신수탁자에게 신탁재산을 이전하는 경우는 형식적인 소유권 이전으로 보아 취득세가 과세되지 않습니다(지방세법 제9조 제3항, 이는 신탁도관설에 따른 입법으로 설명됩니다.[176]).

다만, "신탁재산 처분에 의한 신탁"을 원인으로 수탁자가 직접 소유권을 취득하는 경우(토지신탁사업에서 도시계획시설부지를 직접 매입하거나 사업 목적 건축물을 신축하여 보존등기하는 경우, 택지공급계약에 대한 권리의무승계계약에 기초하여 준공 택지의 소유권을 직접 취득하는 경우[177] 등), 신탁재산 지목변경에 따른 간주취득의 경우[178] 등에는 수탁자를 그 취득세 납세의무자로 보고 있습니다.

---

176) 신탁실체설 입장의 설명도 가능합니다. 즉, 신탁에 따른 소유권이전은 실체법상 소유권 취득을 가져오는 것이므로 원칙적으로 과세의 대상이나, 이중과세를 방지하기 위하여 위탁자로부터 수탁자로의 소유권이전, 수탁자로부터 위탁자로의 소유권 귀속에 대하여는 비과세를 한 것으로 설명할 수도 있습니다.

177) 대법원 2018.2.28.선고 2017두64897판결 참조

178) 대법원 2012.6.14.선고 2010두2395판결 참조

나. 신탁재산 보유 단계 (재산세, 종부세의 문제)

과거 종합토지세의 경우 수탁자가 납세의무자라는 판결이 있었습니다(대법원 92누8163판결 참조). 1993년 지방세법 개정시에는 위탁자를, 2014년 지방세법 개정시에는 수탁자를 재산세 및 종합토지세의 납세의무자로 정하였으나, 2020. 12. 29. 법률 제17760, 법률 제17769호로 개정된 종합부동산세법과 지방세법은 다시 위탁자를 재산세 및 종합부동산세의 납세의무자로 정하였습니다(지방세법 제107조, 종합부동산세법 제7조, 제12조 참조).[179]

지방세법과 종합부동산세법은 재산세 등 납세의무자를 위탁자로 정하되, 이 경우 신탁재산에 대한 체납처분 등이 불가한 점을 보완하기 위하여, 수탁자를 보충적인 물적납세의무자로 정하였습니다(지방세법 제119조의2, 종합부동산세법 제7조의2, 제12조의 2 참조). 이에 따라 위탁자가 재산세 등을 체납한 경우로서 위탁자의 책임재산이 징수할 금액에 미치지 못할 때에는, 과세관청은 수탁자에게 물적납세의무에 대한 납부통지서를 고지할 수 있고, 이 경우 수탁자는 신탁재산으로써 위탁자의 체납세금 등을 납부할 의무가 있습니다.

다. 신탁재산에 대한 거래 단계 (부가가치세)

대법원 2017. 5. 18. 선고 2012두22485 전원합의체 판결에서, 기존 대법원 판례를 변경하여, (법률에서 별도로 규정하지 않는 한) 신탁재산 관리·처분 관련 부가가치세 납세의무자는 수탁자라는 판단을 하였습니다.

2017년 개정된 부가가치세법은 재화공급에 대한 특례조항을 개정하여 신

---

179) [재산세 등 납세의무자 변경의 이유] 대내외적 소유권의 완전한 이전이라는 신탁의 효과를 고려할 때, 소유권자가 아닌 위탁자를 재산세 등 납세의무자로 정하는 것은 신탁제도 취지에 부합하지는 않습니다. 그럼에도 불구하고 재산세 등 납세의무자를 위탁자로 변경한 것은, 위탁자가 종합부동산세 등의 회피수단으로 신탁을 이용하는 것을 방지하기 위한 목적이 컸던 것으로 보입니다(지방세법 개정 당시 국회심사보고서도 같은 취지입니다).

탁재산을 수탁자의 명의로 매매할 때에는 위탁자가 직접 재화를 공급하는 것으로 보되, 위탁자에 대한 채무이행을 담보하기 위한 신탁계약을 체결한 경우로서 채무이행을 위하여 신탁재산을 처분하는 경우 등에는 수탁자가 재화를 공급하는 것으로 보도록 하였습니다(개정 전 부가가치세법 제10조 제8항).[180]

그러나 2020. 12. 22. 법률 제17653호, 2021. 12. 8. 법률 제18577호호 개정된 부가가치세법은, 신탁재산과 관련된 재화 또는 용역을 공급하는 때에는 수탁자가 신탁재산별로 각각 별도의 납세의무자가 되는 것을 원칙으로 정하되, ①신탁재산 관련 재화 또는 용역을 위탁자 명의로 공급하는 경우, ②위탁자가 위탁자가 실질적으로 신탁재산을 지배·통제하는 경우(사업비 조달의무를 수탁자가 부담하지 않는 관리형 토지신탁, 재개발사업·재건축사업 또는 가로주택정비사업·소규모재건축사업·소규모재개발사업에서 수탁자가 사업대행자인 경우),[181] ③신탁의 유형, 신탁설정의 내용 등을 고려하여 시행령에서 정하는 경우 등은 예외적으로 위탁자를 납세의무자로 정하였습니다(부가가치세법 제3조, 같은 법 시행령 제5조의2 참조).

또한, 부가가치세법은 원칙적 납세의무자인 수탁자가 신탁재산의 부족으로 부가가치세를 체납하는 경우를 대비하여 수익자의 제2차 납세의무를 규정하고 있으며, 예외적 납세의무자인 위탁자가 부가가치세를 체납하는 경우를 대비하여 수탁자의 보충적 물적 납세의무를 규정하고 있습니다(부가가치세법 제3조의2 참조).

---

180) 2017년 개정 부가세법상 위탁자 과세원칙은 부가가치세가 거래 외형에 과세하는 거래세 성격을 가진다는 점에 부합하지 않았고, 신탁 관련 부가가치세를 재화 공급에 대한 특례만 규율하면서 용역 공급의 경우에 대한 기준을 제시하지 못하는 점 등 불합리한 점들이 있었습니다.

181) 부가가치세법 제3조에서 "실질적인 지배·통제 여부"라는 추상적이고 불명확한 개념으로 과세요건을 정하는 것은 "과세요건 명확주의" 원칙에 반하는 것으로 생각됩니다. 같은 법 시행령에서 위탁자가 신탁재산을 실질적으로 지배·통제하는 경우로 관리형토지신탁 등을 열거하고 있으나, 그러한 분류 및 구체화가 적정한 것인지에 대하여는 여전히 납득이 안가는 측면이 있습니다.

라. 신탁 수익권에 대한 거래 단계 등 (양도소득세의 문제)

종래 부동산신탁 설정에 따른 소유권 이전은 양도로 보지 않았습니다. 그러나 현행 소득세법은 신탁행위에 따른 소유권이전으로서 위탁자가 신탁설정을 해지하거나 수익자를 변경할 수 있는 등 신탁재산을 실질적으로 지배하고 소유가는 것으로 볼 수 있는 경우에만 '양도'로 보지 아니한다고 정하고 있습니다(소득세법 제88조 참조).182)

수익자가 부동산신탁의 수익권을 양도(수익증권 발행 신탁의 수익권, 투자신탁의 수익권, 부동산 담보신탁의 우선수익권을 양도하는 경우 등은 제외)하는 경우에는 양도소득세가 부과됩니다. 다만, 수익권 양도를 통하여 신탁재산에 대한 지배·통제권이 사실상 이전되는 경우에는 신탁재산 자체의 양도로 간주합니다(소득세법 제94조 제1항 참조).183)

마. 신탁 이익의 귀속 단계 (소득세, 법인세의 문제)

도관이론에 따라 소득세법은 신탁재산에 귀속되는 소득은 원칙적으로 그 신탁의 수익자에게 귀속되는 것으로 간주하고, 법인세법의 경우 신탁재산에 귀속되는 소득에 대해서는 수익자가 그 신탁재산을 가진 것으로 간주합니다(다만, 소득세법과 법인세법은 위탁자가 신탁재산을 실질적으로 통제하는 경우 등은 예외적으로 신탁 이익이 위탁자에게 귀속되는 것으로 간주하고 있습니다. 소득세법 제2조의3, 법인세법 제5조 등 참조).184) 나아가 법인세법상으로는 수익증

---

182) 소득세법 제88조에서, 위탁자가 신탁재산을 "실질적으로 지배"한다는 불명확한 개념을 사용한 것은 과세요건 명확주의에 반하는 것으로 의심됩니다.

183) 소득세법 제94조에서 말하는 "수익권의 양도를 통하여 신탁재산에 대한 지배·통제권이 사실상 이전되는 경우"도 매우 불명확한 과세요건이며, 어떠한 경우가 이에 해당되는지 예측하기 어렵습니다.

184) 소득세법 제2조의3, 법인세법 제5조에 따라 예외적으로 위탁자 과세가 인정되는 "위탁자가 신탁재산을 실질적으로 통제하는 경우"에 대하여, 같은 법 시행령은 위탁자가 신탁해지권·수익자 지정 및 변경권·잔여재산 귀속청구권을 가지는 경

권발행신탁과 유한책임신탁 등의 경우에는 신탁재산에 귀속되는 소득에 대하여 예외적으로 수탁자를 납세의무자로 정하고 있습니다(법인세법 제5조 제2항 참조).

한편, 소득세법은 집합투자기구의 투자신탁 등을 제외한 신탁의 이익은 수탁자에게 이전되거나 그 밖에 처분된 재산권에서 발생한 소득의 내용별(이자소득, 배당소득, 사업소득, 양도소득 등)로 구분하도록 정하고 있습니다(소득원천별 과세원칙, 소득세법 제4조 제2항 참조).

바. 위탁자 또는 수익자의 사망(상속세 및 증여세의 문제)

우선, 상속과 관련하여서는, 위탁자 사망시 신탁재산은 원칙적으로 위탁자의 상속재산으로 보아 상속세가 부과되며, 타익신탁의 수익자 또는 수익자연속신탁의 수익자 포함가 사망한 경우 그 신탁의 이익을 받을 권리의 가액을 상속재산으로 보아 상속세가 부과됩니다(상증법 제9조 참조).

증여와 관련하여서는, 위탁자에 의하여 타익신탁이 설정된 경우(단, 유언대용신탁과 수익자연속신탁의 경우는 제외), 그 신탁의 이익을 받을 권리의 가액을 수익자의 증여재산가액으로 보아 증여세가 부과되며, 이때 증여 의제의 시기는 원칙적으로 신탁의 원본 또는 수익이 수익자에게 실제로 지급되는 날로 정하고 있습니다(상속세 및 증여세법 제33조 참조).

우, 또는 신탁재산원본 수익자는 위탁자로 정하면서 신탁이익의 수익자는 자신의 배우자 등으로 지정한 경우로 구체화하고 있습니다(소득세법 시행령 제4조의2, 법인세법 시행령 제3조의2 참조).

지방세특례제한법과 부동산신탁

1. 지방세특례제한법상 감면 취득세 추징의 문제

지방세특례제한법은 경제·사회 정책적 목적 달성을 위해서 특정 사업에 '직접 사용'하기 위하여 취득한 부동산에 대하여는 취득세를 감면하되, 해당 사업자가 부동산 취득 이후 일정 기간 내에 이를 '매각·증여'하는 경우에는 감면된 취득세를 추징하는 조항들을 두고 있습니다. 여기서 위 법에 따라 취득세를 감면받은 자가 위 기간 내에 해당 부동산을 신탁한 경우에도 '매각·증여'에 해당하는 것으로 보아 감면 취득세를 추징하는 것인지 문제됩니다.

행안부는 지식산업센터를 신축·분양할 목적으로 토지를 취득하여 취득세를 경감받은 후 토지신탁을 원인으로 신탁회사로 소유권이전등기를 경료한 사안에서 감면된 취득세를 추징해야 한다고 해석한 바 있습니다.

> **해석**   신탁행위도 '매각·증여'로 간주하여 감면 취득세를 추징하는지
>
> • 지방세특례제도과-3492, 2015.12.23.
>
> 『지방세특례제한법 제58조의2 제1항에서 "직접 사용"한다고 함은 해당 부동산의 소유자 또는 사실상 취득자의 지위에서 현실적으로 해당 부동산을 그 업무 자체에 직접 사용하는 것으로 보아야 할 것이고, 「지방세특례제한법」제58조의2 제1항 제1호 나목의 "매각·증여"의 의미는 유상 또는 무상으로 소유권이 이전된 경우를 의미하는 것..... 따라서, 지식산업센터를 신축·분양할 목적으로 토지를 취득하고 취득세를 경감 받은 자가 같은 날 신탁을 원인으로 신탁회사로 소유권이전등기를 경료하여, 신탁회사 명의로 지식산업센터를 건축 중인 경우에는 기 감면한 취득세를 추징하는 것이 타당합니다.』

그러나 2021.12.28. 법률 제18656호로 개정된 지방세특례제한법은 신탁의 특수성을 고려하여 동법상 '직접 사용'과 '매각·증여'에 대한 정의를 수정하

였는바, 더 이상 신탁행위를 이유로 부당하게 감면 취득세를 추징하는 행위는 없을 것으로 보입니다.

<table>
<tr><td>법령</td><td>지방세특례제한법상 "직접 사용", "매각·증여"</td></tr>
</table>

지방세특례제한법
제2조(정의) ① 이 법에서 사용하는 용어의 뜻은 다음과 같다.
8. "직접 사용"이란 부동산.....의 소유자(「신탁법」 제2조에 따른 수탁자를 포함하며, 신탁등기를 하는 경우만 해당한다)가 해당 부동산......을 사업 또는 업무의 목적이나 용도에 맞게 사용.....하는 것을 말한다.
8의2. "매각·증여"란 이 법에 따라 지방세를 감면받은 자가 해당 부동산..... 을 매매, 교환, 증여 등 유상이나 무상으로 소유권을 이전하는 것을 말한다. 다만, 대통령령으로 정하는 소유권 이전은 제외한다.

> 지방세특례제한법 시행령
> 제1조의2(매각·증여의 예외) 법 제2조제1항제8호의2 단서에서 "대통령령으로 정하는 소유권 이전"이란 다음 각 호의 어느 하나에 해당하는 소유권 이전을 말한다.
> 3. 「지방세법」 제9조제3항에 따라 취득세가 부과되지 않는 신탁재산의 소유권 이전

2. 지방세특례제한법상 재산세 감면의 문제

지방세특례제한법은 경제·사회 정책적 목적 달성을 위해서 특정 사업자가 해당 사업에 '직접 사용'하는 부동산에 대하여는 재산세를 감면하고 있습니다. 여기서 재산세 감면 대상 사업자가 해당 사업을 위해 직접 사용하던 부동산을 신탁한 경우, 지방세특례제한법상 재산세 감면조항이 여전히 적용될 수 있는 것인지가 문제되었습니다.

2020. 12. 29. 지방세법 개정 전까지 오랜기간 신탁재산에 대한 재산세 납세의무자는 수탁자였습니다. 종래 대법원은 신탁으로 소유권 이전된 이후에는

변경된 재산세 납세의무자인 수탁자를 기준으로 지방세특례제한법상의 재산세 감면조항 적용여부를 판단해야 한다는 이유로 신탁 이후에는 재산세 감면조항이 적용되지 않는다고 판단하였습니다.[185]

　　그러나 2020. 12. 29. 개정 지방세법은 재산세 납세의무자를 위탁자로 환원하였고, 앞서 살펴본바와 같이 2021. 12. 28. 개정된 지방세특례제한법은 "직접 사용"의 개념을 확장하여 신탁행위로 인한 소유권이전시에도 감면 대상 사업자의 "직접 사용"을 인정하고 있는바, 이후에는 신탁행위만을 이유로 재산세 감면 조항 적용을 부정할 수 없을 것입니다.

3. 지방세특례제한법상 취득세 감면의 문제

　　지방세특례제한법은 경제 · 사회 정책적 목적 달성을 위해서 특정 사업에 '직접 사용'하기 위하여 취득하는 부동산에 대하여는 취득세를 감면하고 있습니다. 만일, 위 특정 사업에 사용할 목적으로 토지신탁사업을 진행하고, 수탁자가 준공물을 보존등기하는 경우, 이처럼 수탁자가 취득한 부동산에 대하여도 취득세 감면 조항이 적용될까요.

　　예를 들어 물류단지에서 물류사업을 직접 하려는 자가 물류사업에 직접 사용하기 위해 취득하는 물류시설용 부동산에 대해서는 취득세가 경감됩니다(위 법 제71조 제2항 참조). 만일, 위 조건에 해당하는 물류사업을 토지신탁으로 진행하고, 신축한 물류단지를 신탁사 명의로 보존등기하였다면, 위 규정에 따라 취득세가 감면될 것인지가 문제됩니다. 일반적으로는 물류시설 개발 목적의 토지신탁에서 수탁자를 '물류사업을 직접 하려는 자'로 보기는 다소 어려울 것으로 생각됩니다.

---

185) 대법원 2019. 10. 31. 선고 2018두59427판결, 대법원 2020. 1. 30. 선고 2019두54221판결 등 참조

판결	관리형 토지신탁에서 예외적으로 물류단지에 대한 취득세 감면조항을 적용한 사례

• 서울고등법원 2016. 4. 6. 선고 2015누53987 판결

『신탁계약에 따라 건축주의 자격에서 이 사건 물류창고를 신축함으로써 그 소유권을 원시취득한 원고가 위탁자인 소외 회사와의 내부관계에서도 이 사건 물류창고의 소유권을 완전히 취득한 것이고, 따라서 원고가 '물류사업을 직접 하려는 자'에 해당하는지 여부는 이 사건 물류창고의 취득자인 원고가 수행하는 업무의 내용에 따라 판단하여야..... 원고는 이 사건 감면규정에서 정한 '물류사업을 직접 하려는 자'에 해당한다고 봄이 타당하다.』[186]

4. 기타 - 담보신탁 이후 간주취득 부동산에 대한 취득세 감면 여부

판결	담보신탁 이후 간주취득에 대한 취득세 감면 여부

• 대법원 2019. 10. 31. 선고 2016두42487판결

『구 지방세특례제한법 제54조 제1항은 '관광진흥법 제55조 제1항에 따른 관광단지개발 사업시행자가 관광단지개발사업을 시행하기 위하여 취득하는 부동산에 대하여 2013. 12. 31.까지 취득세의 100분의 50을 경감한다'고 규정.....신탁법에 의한 신탁으로 수탁자에게 소유권이 이전된 토지의 지목이 사실상 변경됨으로써 가액이 증가한 경우, 위탁자가 그 토지의 지목을 사실상 변경하였다고 하더라도 간주취득세의 납세의무자는 위탁자가 아니라 수탁자이다(대법원 2012. 6. 14. 선고 2010두2395 판결 참조). 따라서 간주취득세의 납세의무자인 수탁자가 관광단지개발 사업시행자로서 관광단지개발 사업을 시행하기 위하여 해당 토지의 지목이 사실상 변경됨으로써 가액이 증가한 것으로 볼 수 있어야 이 사건 특례규정을 적용할 수 있다.』

---

186) 판결사안의 경우, 신탁사가 물류시설에 대한 보존등기 경료 이후 우선수익자의 요청에 따라 오랜기간 해당 물류시설을 임대운용 내지 수탁운용했던 사안입니다. 이 때문에 법원에서도 해당 신탁사의 수행업무를 고려할 때 '물류사업을 직접 하기 위하여' 물류시설을 취득한 자에 해당되는 것으로 판단한 것입니다.

1. 신탁사무로서 신탁재산을 처분하는 경우 부가가치세 납세의무자는?

종래 대법원 판례는 신탁재산의 관리·처분 등 신탁업무 처리시 부가가치세 납세의무자는 원칙적으로 위탁자이나, 타익신탁의 경우 그 우선수익권이 미치는 범위 내에서는 우선수익자가 납세의무자라고 판단하였습니다.[187)]

> **판결**   신탁재산 관련 부가세 납세의무자는 위탁자(판례 변경 전)
>
> • 대법원 2008.12.24.선고2006두8372 판결
>
> 『신탁재산의 관리·처분 등으로 발생한 이익과 비용은 최종적으로 위탁자에게 귀속하게 되어 실질적으로는 위탁자의 계산에 의한 것이므로, 신탁법에 의한 신탁은 부가가치세법 제6조 제5항 소정의 위탁매매와 같이 '자기(수탁자) 명의로 타인(위탁자)의 계산에 의하여' 재화 또는 용역을 공급하거나 또는 공급받는 등의 신탁업무를 처리하고 그 보수를 받는 것이어서, 신탁재산의 관리·처분 등 신탁업무에 있어 사업자 및 이에 따른 부가가치세 납세의무자는 원칙적으로 위탁자라고 보아야 하고, 다만 신탁계약에서 위탁자 이외의 수익자가 지정되어 신탁의 수익이 우선적으로 수익자에게 귀속하게 되어 있는 타익신탁의 경우에는, 그 우선수익권이 미치는 범위 내에서는 신탁재산의 관리·처분 등으로 발생한 이익과 비용도 최종적으로 수익자에게 귀속되어 실질적으로는 수익자의 계산에 의한 것으로 되므로, 이 경우 사업자 및 이에 따른 부가가치세 납세의무자는 위탁자가 아닌 수익자로 봄이 상당하다.』

※ 부가가치세는 소위 다단계거래세라는 특징을 가지고 있습니다. 과거 대법원 판례와 같이 타익신탁의 신탁재산 처분시 납세의무자가 수익자라면,

---

187) 다만, 한국자산관리공사나 유동화전문회사가 금융기관 부실채권 인수와 함께 우선수익권을 양수한 후 공매대금으로 부실채권을 회수하는 경우는 부가가치세가 면제되었습니다(부가가치세과-1617, 2009. 11. 09. 법규부가2012-225).

위탁자 소유였던 신탁재산이 언제 수익자에게 공급된 것으로 보아야 할지의 문제가 있습니다. 국세청은 신탁재산에 대한 실질적 통제권이 이전되는 시점에 위탁자로부터 수익자에 대한 재화공급이 있는 것으로 의제하였습니다(아래 유권해석 참조).

해석　위탁자로부터 우선수익자로의 실질적 통제권 이전

- 사전-2015-법령해석부가-2259(2015.05.19)[188][189]

『위탁회사와 신탁회사 간 부동산신탁계약에 따라 해당 금융기관을 우선수익자로 하는 신탁계약을 체결하고 해당 신탁부동산에 대한 사용·수익 및 처분의 권한(이하 "실질적 통제권")을 위탁자로부터 우선수익자가 이전받아 해당 신탁부동산을 양도하는 경우에는 우선수익자가 부가가치세 납세의무자로서 우선수익권이 미치는 범위내에서 매수자에게 세금계산서를 발급하는 것입니다.』

---

188) 위탁자와 수익자간 실질적 통제권 이전이란 관념은 더 이상 필요치 않은 것으로 생각됩니다. 대법원도 "신탁재산의 이전과 구별되는 위탁자의 수익자에 대한 별도의 재화공급은 존재하지 않는다"는 점을 명백히 하였습니다(대법원 2017. 6. 15. 선고 2014두6111판결, 대법원 2017. 11. 14. 선고 2014두47099판결, 2017. 11. 23. 선고 2015두 36959판결 등).

189) 참고로, 실질적 통제권 이전의 시점에 대한 과거 유권해석은 국세청 법규부가 2013-231,233 참조. 금융기관인 우선수익자가 실질적 통제권 이전시 위탁자로부터 발급받은 세금계산서 매입세액 공제 가능 여부에 대한 과거 유권해석은 국세청 법규부가 2013-219 참조.

신탁부동산 관련 부가가치세 (판례변경 후)

1. 판례의 변경 (대법원2017.5.18.선고 2012두22485전합)

> **판결** 신탁재산을 대상으로 하는 재화 공급시
> 부가세 납세의무자는 수탁자

• 대법원 2017. 5. 18. 선고 2012두22485 전합[190]

『부가가치세법은 부가가치 창출을 위한 '재화 또는 용역의 공급'이라는 거래
그 자체를 과세대상으로 하고 있을 뿐 그 거래에서 얻은 소득이나 부가가치
를 직접적인 과세대상으로 삼고 있지 않다. ……부가가치세법상 납세의무자
에 해당하는지 역시 원칙적으로 그 거래에서 발생한 이익이나 비용의 귀속이
아니라 재화 또는 용역의 공급이라는 거래행위를 기준으로 판단하여야……수
탁자가 위탁자로부터 이전받은 신탁재산을 관리·처분하면서 재화를 공급하는
경우 수탁자 자신이 신탁재산에 대한 권리와 의무의 귀속주체로서 계약당사
자가 되어 신탁업무를 처리한 것이므로, 이때의 부가가치세 납세의무자는 재
화의 공급이라는 거래행위를 통하여 재화를 사용·소비할 수 있는 권한을 거
래상대방에게 이전한 수탁자로 보아야…… 그 신탁재산의 관리·처분 등으로
발생한 이익과 비용이 거래상대방과 직접적인 법률관계를 형성한 바 없는 위
탁자나 수익자에게 최종적으로 귀속된다는 사정만으로 달리 볼 것은 아니다』

2. 대법원 판례 적용 범위에 대한 논란

가. 기획재정부 유권해석

---

190) 위 대법원 판례 변경으로 신탁재산 관련 부가가치세 납세의무자를 위탁자 또는 우
선수익자로 보았던 실무 관행은 무너졌고 신탁업계는 엄청난 혼란에 빠졌습니다.
위 대법원 판례가 모든 신탁에 적용되는 것인지, 과거 부가가치세 처리도 소급하
여 문제가 되는 것인지, 수탁자가 납세의무자라면 위탁자로부터 재화의 공급을 받
은 것으로 보아야 하는지 등의 문제가 대두되었습니다.

• 부가가치세제과-447, 2017.09.01.[191]

1. 수탁자가 위탁받은 신탁재산을 매각하는 경우 「부가가치세법」 제3조에 따른 납세의무자는 수탁자이며, 이는 신탁 유형에 관계없이 적용함

2. 동 질의회신은 우리부의 질의회신일(2017. 9. 1.) 이후 공급하는 분부터 적용하시기 바람. 다만, 관련 대법원 전원합의체 판결(2012두22485)의 취지에 따라 판결일 이후부터 예규 회신일 전까지 수탁자가 해당 부가가치세의 납세의무자로서 부가가치세를 신고한 경우에는 수탁자를 납세의무자로 할 수 있음

3. 신탁계약에 따라 위탁자가 수탁자에게 신탁재산을 이전하는 경우에는 관련 세금계산서를 발급하지 아니하는 것임

나. 조세심판원의 입장

조세심판원은 개정 전 부가가치세법(법률 제15223호, 2017.12.19.) 시행 전 신탁부동산 매각 관련 부가가치세 납세의무자는 수탁자임을 확인하면서, 이와 다른 전제의 과세처분을 모두 취소하였습니다. 과세관청은 기획재정부 유권해석에 따라 2017. 9. 1. 이전 공급분에 대하여는 소급과세금지 원칙이 적용되어야 한다고 주장하였으나, 조세심판원은 이를 모두 배척하였습니다.[192]

---

191) 대법원 전원합의체 판결을 제한없이 적용한다면, 과거 위탁자 명의로 신고·납부된 부가가치세는 납세의무자가 아닌 자가 납부한 세금에 불과하여 환급 대상이고, 국세청은 (징수시효가 완성되지 않았다면) 진정한 납세의무자인 수탁자를 상대로 부가가치세 징수가 가능할 것입니다. 그러나 기획재정부는 국세기본법상 소급과세금지원칙 등을 고려하여 위 예규 회신일(2017. 9. 1.)이후 공급 분부터 위 판결이 적용되도록 조치한 것입니다.

192) 조세심판원 2017서1078 결정, 조세심판원 2017서2279결정, 조세심판원 2019중0313결정 등 참조

3. 2017년 부가가치세법 개정 [법률 제15223호(시행 2018.1.1.)]

가. 주요 내용

2017년 개정 부가가치세법은 재화 공급 특례조항에서 신탁재산 매매의 경우 위탁자가 직접 재화를 공급하는 것으로 간주하되, 담보 목적 신탁계약에서 채무이행을 위하여 신탁재산을 처분하는 경우에는 수탁자가 재화를 공급하는 것으로 간주하도록 정하였습니다(2019년 부가가치세법 개정시 수탁자가 지정개발자로서 정비사업을 시행하는 경우에도 수탁자를 납세의무자로 정하였습니다). 아울러 위탁자가 부가가치세를 체납하는 경우 수탁자의 물적납세의무를 신설하였습니다(부가가치세법 제3조의2 참조).

나. 2017년 개정법에 대한 비판

사견으로는, 2017년 개정법은 ①2017년 대법원 전원합의체 판결 취지에 반하며, ②실질적 수익의 귀속보다 거래외형에 과세하는 거래세라는 부가가치세의 본질에 반하고, ③신탁재산 관련 부가가치세를 재화 공급에 대한 특례 조항에서만 규율하면서, 용역 공급의 경우에 대한 기준 결여의 문제가 있다는 점에서 비판의 소지가 있어 보입니다.

4. 2020년, 2021년 부가가치세법 개정

가. 주요내용

2020. 12. 22. 법률 제17653호, 2021. 12. 8. 법률 제18577호호 개정된 부가가치세법은, 신탁재산과 관련된 재화 또는 용역을 공급하는 때에는 수탁자가 신탁재산별로 각각 별도의 납세의무자가 되는 것을 원칙으로 정하되, ①신탁재산 관련 재화 또는 용역을 위탁자 명의로 공급하는 경우, ②위탁자가 위탁자가 실질적으로 신탁재산을 지배·통제하는 경우(사업비 조달의무를 수탁자가 부담하지 않는 관리형 토지신탁, 재개발사업·재건축사업 또는 가로주택정비사

업·소규모재건축사업·소규모재개발사업에서 수탁자가 사업대행자인 경우), ③신탁의 유형, 신탁설정의 내용 등을 고려하여 시행령에서 정하는 경우 등은 예외적으로 위탁자를 납세의무자로 정하였습니다(부가가치세법 제3조, 같은 법 시행령 제5조의2 참조).

또한, 부가가치세법은 원칙적 납세의무자인 수탁자가 신탁재산의 부족으로 부가가치세를 체납하는 경우를 대비하여 수익자의 제2차 납세의무를[193] 규정하고 있으며, 예외적 납세의무자인 위탁자가 부가가치세를 체납하는 경우를 대비하여 수탁자의 보충적 물적 납세의무를 규정하고 있습니다(부가가치세법 제3조의2 참조).[194]

나. 2020년, 2021년 개정 부가가치세법에 대한 평가

개정법의 수탁자 과세원칙은 거래외형에 과세하는 거래세로서의 부가가치세의 성격에 부합하는 것으로 보입니다. 다만, 신탁사업의 경우 수탁자의 사업비

---

[193] "제2차 납세의무"는 조세 체납자의 책임재산이 부족한 경우 본래의 납세자를 대신하여 그 납세자와 인적, 물적으로 일정한 관계에 있는 제3자에 대하여 원래의 납세자로부터 "징수할 수 없는 액"을 한도로 보충적으로 납세의무를 부담하게 하는 것을 말합니다. 반면, "물적납세의무"는 본래의 납세자가 납부하여야 할 국세 등에 대하여 제3자가 "특정한 재산"으로 납부책임을 지는 제도입니다.

[194] [수익자의 제2차 납세의무] 개정법상 수탁자 과세원칙에 따라 수탁자가 납세의무자임에도 불구하고 신탁재산의 부족으로 부가가치세 등을 충당하기 부족한 경우, 수익자는 신탁을 통해 지급받은 수익과 귀속된 재산의 가액을 합한 금액을 한도로 부족한 금액에 대하여 2차 납세의무를 부담합니다.

[수탁자의 물적납세의무] 위탁자가 예외적으로 납세의무자인 경우에, 위탁자가 재산세 등을 체납한 경우로서 위탁자의 책임재산이 징수할 금액에 미치지 못할 때에는, 과세관청은 수탁자에게 물적납세의무에 대한 납부통지서를 고지할 수 있고, 이 경우 수탁자는 신탁재산으로써 위탁자의 체납세금 등을 납부할 의무가 있습니다. 이와 같이 물적납세의무가 발생한 이후에는, 해당 부가가치세 등은 수탁자 명의 제세공과금에 준하여 신탁재산으로써 납부하여야 한다는 점에 주의하여야 합니다. 한편, 물적납세의무는 신탁재산을 한도로 책임을 부담하는 것인바, 물적납세의무 고지 전에 신탁재산 중 소극재산이 적극재산을 초과하여 채무초과상태인 경우에는 물적납세의무가 성립하지 않습니다(조세심판원 2020-중-0634 결정 참조).

조달의무 부담 여부에 따라 부가가치세 납세의무자를 결정하는 것이 타당한지 의문이 있습니다. 그리고 수탁자 과세원칙의 예외를 인정해야 한다면, 그 경우 예외적인 납세의무자는 위탁자가 아니라 수익자로 정하는 것이 신탁법리에 좀 더 부합할 것으로 생각됩니다.[195][196]

5. 기타 중요 유권해석

해석	위탁자가 비사업자인 개인인 경우 신탁재산 양도시 부가가치세 과세 여부

• 사전-2019-법령해석부가-0357 (2019.8.14.)[197]

위탁자가 신탁회사와 부동산담보신탁계약을 체결하고 신탁대출을 받아 주거용 오피스텔을 매입하여 거주하던 중 채무불이행으로 인해 우선수익자의 요청에 따라 신탁회사가 오피스텔을 양도하는 경우 위탁자가 비사업자인 개인인 경우에는 부가가치세 납세의무가 없는 것임

---

195) 현재 시장에서 통용되는 신탁상품의 대부분은 자익신탁(위탁자와 수익자가 동일)을 기본으로 하고 있습니다. 과세당국은 일부 수동신탁상품에서 위탁자가 신탁재산을 지배·통제하는 것으로 보았으나, 이는 자익신탁 구조가 불러온 착시일 수 있습니다. 사실 위탁자는 위탁자 지위가 아니라 수익자의 지위에서 지배·통제권을 행사하는 것으로 보는 것이 타당할 수 있습니다. 신탁 종료시 잔여재산 귀속권리자가 원칙적으로 수익자인 것도 이러한 해석에 더 부합한다고 할 것입니다.

196) 관리형 토지신탁사업 구도상 지주가 위탁자, 사업추진자가 수익자인 경우가 있는 바, 이 경우 굳이 신탁재산에 대한 지배·통제권을 따진다면 이는 위탁자가 아닌 수익자에게 귀속된다고 할 것인데, 그럼에도 불구하고 현행법상 납세의무는 위탁자가 되어야 하는 불합리가 발생합니다(202. 9. 29. 자 국세청 유권해석 사전-2021-법령해석부가-1148 참조).

197) 위탁자가 부가가치세 납세의무자가 아닌 경우에는, 담보신탁 부동산 환가시에도 수탁자의 부가가치세 납세의무가 없다는 취지의 유권해석입니다. 과세당국은 부가가치세 납세의무자가 수탁자인 경우에도, 과세요건 충족 여부나 감면 여부를 위탁자 기준으로 판단하고 있는 것으로 보됩니다. 그러나 이러한 해석이 변경된 대법원 판례 및 개정 부가가치세법의 취지에 부합하는지에 대하여는 의심이 있습니다.

해석 면세 대상 자산유동화 사업자인 유동화전문회사와의 처분신탁계약에 따른 처분시 면세 여부

• 서면-2022-법규부가-1750 (2022.06.09.)

「자산유동화에 관한 법률」에 따라 설립된 유동화전문회사가 자산유동화사업을 위해 2022.1.1. 이후 신탁회사와 부동산처분신탁계약을 체결하면서 위탁자의 매각요청에 따라 수탁자 명의로 신탁재산을 공급함에 있어 「부가가치세법」 제3조제3항 및 「부가가치세법 시행령」 제5조의2제2항에 해당하지 아니한 경우 「부가가치세법」 제3조제2항에 따라 수탁자가 납세의무자로서 부가가치세를 납부할 의무가 있는 것입니다.

해석 신탁사업 진행 중 위탁자가 자진폐업 또는 직권폐업된 경우

• 사전-2018-법령해석부가-0217(2018.04.25.)

분양형토지신탁사업을 진행하던 중 위탁자의 사업자등록이 직권말소 된 이후 신탁재산이 매각된 경우라도 신탁계약에 따른 위탁자의 지위가 그대로 유지되면서 해당 신탁사업이 계속 진행되고 있는 경우에는 수탁자가 위탁자 명의로 세금계산서를 발급하는 것임

• 사전-2015-법령해석부가-0032(2015.6.1.)

위탁자가 임의로 폐업신고를 하였으나 신탁계약에 의한 위탁자로서의 지위가 그대로 유지되고 해당 신탁사업이 계속 진행되고 있는 경우에는 사업을 실질적으로 폐업한 것으로 보지 아니하는 것입니다.

이 경우 수탁자가 신탁부동산 매각 시 위탁자 명의로 전자세금계산서 외의 세금계산서를 발급하는 것이며......위탁자는 전자세금계산서 의무발급대상자로서 「부가가치세법」 제60조제2항제2호에 따라 전자세금계산서 외의 세금계산서 발급에 따른 전자세금계산서 미발급가산세가 적용되는 것입니다.

05 위탁자 명의 세금을 신탁재산에서 납부할 수 있는지

1. 담보신탁 환가대금 정산항목상 "수탁자 명의로 고지된 조세공과금"에 포함될 수 있는지 여부

　　신탁사들의 표준 담보신탁계약서는 환가대금 정산시 선순위인 제세공과금을 "수탁자 명의로 고지된 재산세 등 조세공과금"으로 명시하고 있습니다. 위와 같은 경우, 위탁자를 납세의무자로 하는 제세공과금(위탁자에게 부과된 재산세 등)은 신탁부동산의 환가대금에서 정산할 수 있는 항목이 아니라고 할 것입니다.

2. 처분신탁 환가대금 정산항목상 "신탁재산에 대한 제세공과금"에 포함될 수 있는지 여부

　　처분신탁의 경우 통상적으로 특약사항에서 환가대금 정산시 선순위인 제세공과금을 단순히 "신탁재산에 대한 제세공과금"으로 정하고 있는 경우가 많습니다.

　　이와 같이 정산대상으로 제세공과금을 정하면서 그 납세의무자를 수탁자로 한정하지 않은 경우, 위탁자 명의 세금도 신탁부동산 환가대금에서 정산할 수 있는 것이 아닌지 문제됩니다. 이와 관련하여 대법원은 처분대금 정산순서상 "처분대금 수납 시까지 고지된 재산세 등 당해세"는 신탁재산과 관련하여 수탁자에게 부과된 당해세만을 의미한다고 판시한 바 있습니다.

　　판례　　위탁자에게 부과된 당해세를 신탁재산에서 납부할 수 있는지

- 대법원 2019. 4. 11. 선고 2017다269862 판결

『이 사건 신탁계약 제15조 제1항은 "신탁부동산 및 신탁이익에 대한 제세공과금.... 기타 신탁사무의 처리에 필요한 제 비용, 신탁사무 처리에 있어서 수탁자의 책임 없는 사유로 발생한 손해는 위탁자의 부담으로 한다."라고 규정하고.....이 사건 부동산과 관련하여 부과되는 세금은 위탁자가 부담함을 전제로 하고 있음을 알 수 있다.

위와 같은 이 사건 신탁계약의 목적, 규정 내용, 신탁 이후에 신탁재산에 대하여 위탁자를 납세의무자로 하여 부과된 재산세는 신탁법 제22조 제1항 소정의 '신탁 전의 원인으로 발생한 권리'에 해당되지 아니하고, 이러한 재산세는 같은 항이 규정한 '신탁사무의 처리상 발생한 권리'에도 포함되지 않는 점 (대법원 2017. 8. 29. 선고 2016다224961 판결[198] 참조)을 고려하면, 이 사건 신탁계약 제22조 제1항 제2호에서 정한 '처분대금 수납 시까지 고지된 재산세 등 당해세'는 신탁재산과 관련하여 수탁자인 피고에게 부과된 당해세만을 의미하고 신탁자인 소외 회사에 부과된 당해세를 포함한다고 볼 수 없다.』

3. 토지신탁사업에서 신탁재산에 속하는 금전으로 위탁자 명의 재산세 또는 부가가치세 등을 납부할 수 없는지 여부

토지신탁에서 신탁부동산에 대한 재산세는 당해세이고, 신탁사업 관련 부

---

[198] **판례** 신탁계약에 따른 납세의무자 변경은 불가

- 대법원 2017. 8. 29. 선고 2016다224961판결

『조세에 관한 법률이 아닌 사법상 계약에 의하여 납세의무 없는 자에게 조세채무를 부담하게 하거나 이를 보증하게 하여 이들로부터 조세채권의 종국적 만족을 실현하는 것은 앞서 본 조세의 본질적 성격에 반할 뿐 아니라 과세관청이 과세징수상의 편의만을 위해 법률의 규정 없이 조세채권의 성립 및 행사 범위를 임의로 확대하는 것으로서 허용될 수 없다. 지방자치단체인 피고는 이 사건 신탁계약 제22조 제1항 제2호, 즉 수탁자가 신탁재산을 환가하여 정산할 경우 '처분대금 수납 시까지 고지된 재산세 등 당해세'를 제2순위로 충당하도록 한 내용을 근거로, 수탁자인 아시아신탁에 대하여 위탁자인 OO에 부과된 재산세 등 상당액을 피고 자신에게 직접 지급할 것을 요구하고 있으나, 조세법률주의의 원칙상 원래의 납세의무자가 아닌 아시아신탁이 사법상 계약에 불과한 이 사건 신탁계약에 기하여 조세채무를 부담한다고 볼 수 없는 점..... 등을 종합하면, 피고는 아시아신탁을 상대로 우황이앤씨를 납세의무자로 하는 재산세 등 상당액의 지급을 구할 수 없다.』

가가치세는 당해 신탁사무인 개발사업에 따른 재화 및 용역의 공급에 과세되는 세금이라는 점에서 신탁사업의 사업비로 보아야 한다는 견해가 있습니다(실제 실무상으로도 그리하고 있습니다).

그러나 지방세법상 재산세와 부가가치세법상 관리형토지신탁 등의 부가가치세는 위탁자가 납세의무자인바, 위탁자가 납세의무자인 세금을 신탁사무처리비용으로 보기는 어려운 측면이 있습니다(수탁자의 보충적인 물적납세의무가 성립되는 경우, 해당 체납세금 등은 수탁자가 납세의무자이므로 신탁재산으로 납부가 가능할 것입니다).

한편, 현행 신탁수익 선지급 규정은 위탁자의 법인세 등에 한하여 예외적인 선지급이 가능한바, 반대해석상 위탁자의 재산세 및 부가가치세 등은 예외적인 선지급도 불가한 상황으로 볼 수 있습니다.

결국, 법리적인 측면에서는, 신탁재산으로 위탁자 명의의 재산세 또는 부가가치세 등을 지급할 근거가 없는 것으로 보입니다. 신탁수익 선지급 규정이라도 개정되어 일정 범위 내에서 신탁수익 선지급을 통한 납부를 허용할 필요가 있어 보입니다.199)

---

199) **[부가세 납부와 신탁계정대 상환의 경합 - 국세청과의 소송]**
종래 토지신탁사업장에서 위탁자 명의 부가가치세의 집행순서가 문제된바 있습니다. 부실 사업장의 경우 준공 전에는 매출세액 대비 매입세액 과다로 부가가치세 환급만 일어나다가 준공 이후에 이르러서야 매출 증가로 부가가치세 체납이 발생하는 경우가 많습니다. 그런데 이러한 부실사업장의 경우, 부가가치세 외에도 공사비 등 필수사업비가 미집행 상태이거나(관리형토지신탁의 경우), 고유계정차입금도 상환되지 않은 경우(차입형토지신탁의 경우)가 많아서 신탁자금 집행시 항목간 경합의 문제가 발생합니다.

종전 대법원 판결에 따르면 위탁자가 부가가치세 납세의무자이었기 때문에, 신탁사들은 체납된 위탁자 명의 부가가치세 보다 고유계정차입금 상환 등을 우선적으로 집행하였고, 이에 대하여 국세청과 다툼이 생긴 바가 있습니다. 당시 국세청은 한국토지신탁을 상대로 토지신탁의 수탁자는 위탁자가 부가세를 체납하지 않도록 조치하거나 부가세 상당액을 지급할 의무가 있다고 주장하여 1심에서 승소를 하기도 하였으나, 서울고등법원은 아래와 같은 이유로 국세청의 주장을 배척한 바 있습니다.

신탁사가 위탁자 체납 부가가치세를 신탁재산에서 납부할 의무가 있는지 여부

- 서울고등법원 2014나2018504판결

서울고등법원은 ①부가가치세의 납세의무자는 수탁자가 아니라 위탁자인 점, ②수탁자가 신탁재산 처분에 따라 매수인으로부터 거래징수한 부가가치세 상당액은 매매대금의 일부로서 신탁재산에 속하는 점, ③수탁자가 대외적으로 부담하게 되는 각종 비용을 정하고 있는 신탁계약서 제17조의 '신탁재산에 대한 조세, 공과금'은 '수탁자 명의로 부과되는 조세, 공과금'으로 한정된다고 보는 것이 타당한 점, ④부가가치세를 납부하지 않은 상태에서 분양수입금을 신탁비용과 신탁보수에 충당한 것은, 신탁법상 우선변제권이 부여된 신탁비용 및 보수에 관한 상환청구권을 행사한 것으로서 이를 불법행위로 볼 수 없는 점, ⑤ 부가가치세 환급금을 신탁재산에 편입하는 약정을, 매출세액이 매입세액보다 많아 납부세액이 발생할 경우 그 부가가치세를 지급할 의무를 부여하는 약정으로까지 해석할 수는 없는 점, ⑥ 과거 부가가치세를 신고·납부하였더라도, 이는 수탁자가 사업의 원활한 추진을 위해 그 선택에 따라 위탁자를 대신하여 신탁계약에 따라 신고·납부 업무를 수행할 수 있는 권한을 행사한 것에 불과한 점을 종합할 때, 수탁자가 위탁자에 대한 관계에서 부가가치세가 체납되지 않도록 조치할 선관주의의무를 부담한다거나 부가가치세 상당액을 지급할 의무가 있다고 보기 어렵다고 판단함.

한편, 대법원은 2017. 5. 18. 선고 2012두22485 전원합의체 판결로, 신탁재산 처분에 대한 부가가치세 납세의무자를 수탁자로 판단한 바 있습니다. 이에 위 고등법원 판결에 대한 상고심 판단에 관심이 집중되었습니다. 그러나 위 사건 상고심은, 국세청의 주장은 위탁자가 부가가치세 납세의무자라는 잘못된 전제에 서있다는 형식적인 이유를 들어 국세청의 상고를 기각하였습니다(대법원 2017. 9. 21. 선고 2014다231071판결 참조, 상세 내용 및 현행 부가가치세법 체계하에서 위 판결의 시사점 분석은 Chapter 7. N. 20. 참조).

06 신탁이익과 원천징수

1. [원천징수에 대한 대리·위임의 관계]

소득세법과 법인세법은 많은 부분에서 도관이론을 따르고 있습니다. 도관이론을 관철한다면, 신탁은 신탁으로 발생한 소득을 수익자에게 전달하는 도관체에 불과하므로, 원천징수 대상인 이자소득 등을 지급하는 은행 등이 소득세 등의 원천징수의무자가 되어야 할 것입니다. 그러나 소득세법과 법인세법은 이자소득 지급자(은행 등)와 자본시장법상 신탁업자간에 원천징수에 관한 대리·위임의 관계가 있는 것으로 간주하여, 신탁업자가 원천징수를 하도록 정하고 있습니다(소득세법 제127조 제4항, 법인세법 시행령 제111조 제7항 등).

2. [담보신탁에서, 신탁재산 환가대금 등으로 비금융기관 우선수익자의 채권원리금이 변제되는 경우 이자소득에 대한 원천징수를 해야하는지 여부]

채권 담보 목적으로 (우선)수익권이 설정된 경우, 신탁 이익 교부로써 (우선)수익자의 피담보채권 중 이자채권이 변제되는 경우, 수탁자가 이자소득을 지급하는 것으로 보아 원천징수를 해야 한다는 것이 국세청의 입장입니다. 물론, 우선수익자가 금융기관인 경우는 원천징수 의무가 발생하지 않습니다. 그러나 각종 공제회 또는 기금, SPC 등 비금융기관은 원천징수 대상이므로, 이러한 우선수익자에게 신탁이익을 지급할 경우에는 사전에 원천징수 대상 소득 및 원천징수 세액의 범위를 면밀히 검토하여야 합니다.

해석 　 신탁이익 교부시 원천징수

- 국세청 질의회신 (소득, 서면법규과-808, 2013.07.15)

『신탁업자가 부동산담보신탁계약에 따라 우선수익자인 내국법인(「법인세법 시행령」제111조제2항에 따른 금융기관은 제외함)에게 「소득세법」 제127조제1항의 이자소득금액을 지급하는 때에는 「법인세법」제73조에 따라 원천징수해야 하는 것입니다.』

3. 2015.1.1.이후에는 원천징수하는 내국법인의 법인세에 대하여도 그 1/10에 해당하는 금액을 지방소득세로 특별징수하여야 합니다(지방세법 제103조의29 참조).

4. (우선)수익권에 대한 질권자에게 신탁이익을 교부할 때에는, 질권자가 아니라 질권설정자인 (우선)수익자를 소득자로 보고 해당 소득에 대한 원천징수 여부 및 그 범위를 판단하여야 할 것으로 보입니다{국세청, 법인46013-3131, 1997.12.04. 참고(예금채권에 대한 질권 설정 사안)}.

5. 대출원리금은 이자, 원본의 순서로 충당됩니다. 충당 순서에 대한 별도의 합의가 없다면, 지급된 신탁 이익은 이자에 우선 충당되는 것으로 간주하여 원천징수세액을 산정해야 합니다(법인세법 시행규칙 제56조 참조). 다만, 관련 유권해석에 의하면, 여신거래약정서상 "채무자에게 불리하지 않은 범위 내에서 충당 순서를 달리 할 수 있다"라고 정한 경우, 위 조항에 따라 원금에 우선 충당하는 것이 가능합니다(법인세과-877, 2009.07.31 참조).

6. 우선수익자가 금전의 대여를 사업목적으로 하지 아니하는 자로서 일시적·우발적으로 금전을 대여한 경우에는, 신탁이익으로 인한 소득은 비영업대금의 이익에 해당되어 25/100의 세율을 적용해야 합니다(단, 이 경우 예외적으로 원금에 우선 충당되는 경우가 있습니다. 소득세법 시행령 제51조 제7항 참조).

신탁과 회계

1. 고유재산과 신탁재산의 회계처리 - 분별관리원칙과 구분계리의 원칙

수탁자는 신탁재산을 고유재산과 분별하여 관리하여야 합니다(신탁법 제37조). 신탁업자는 고유재산과 신탁재산을 구분하여 회계처리하여야 합니다(자본시장법 제32조 제1항 참조).

2. 회계처리기준

고유재산 일반에 대하여는 한국채택국제회계기준(K-IFRS)이 적용됩니다(외부감사법 제5조 제3항 참조). 신탁위험충당금, 신탁사업적립금, 신탁업 관련 수익 및 비용의 인식 등 부동산 신탁업자로서 특수한 회계처리 사항에 대하여는 금융투자업규정과 금감원장이 정한 "부동산신탁업자의 회계처리기준"이 우선 적용됩니다(금융투자업규정 시행세칙 별표 3 참조).

신탁재산에 대하여는 자본시장법 제114조에 따라 한국회계기준원이 금융위원회의 위탁을 받아 제정한 특수분야회계기준 "제5004호 신탁업자의 신탁계정"이 우선적으로 적용됩니다.

3. 외부감사여부

부동산 신탁사 대부분은 자산, 부채, 매출액 등 규모상 외부감사법상 외부감사 대상 회사입니다(외부감사법 제4조 제1항 제3호 참조). 물론, 외부감사법상 외부감사 대상은 고유재산의 회계처리입니다. 그렇다면 신탁재산의 회계처리는 어떨까요. 자본시장법은 신탁재산의 회계처리도 원칙적으로 외부감사 대상으로 정하고 있으나, 비금전신탁의 경우 회계감사 적용을 면제하고 있습니다(자본시장법 시행령 제117조).

4. 고유재산 및 신탁재산에 대한 회계처리상 주의할 사항

가. 신탁재산 - 신탁원가 인식기준

부동산 신탁업자의 경우, 신탁원본이 자본을 구성합니다. 이 때 신탁원가는 ①위탁자의 장부금액, ②위탁자의 취득원가, ③개별공시지가 또는 시가표준액, ④인수시점의 공정가치의 순서로 인식하여야 한다는 점에 주의하여야 합니다(특수분야회계기준 제5004호 참조).

나. 신탁재산 - 위탁자 조달 자금의 인식

신탁시 위탁자로부터 받은 신탁사업 소요자금은 부채(신탁사업예수금)로 인식하여야 합니다(특수분야회계기준 제5004호 부록 B23.참조).

다. 고유재산 - 신탁보수 및 신탁계정 대여에 따른 이자수익의 인식

신탁계정에 대한 대여금 이자는 대여기간의 경과에 따라 인식하되, 회수의문 또는 추정손실로 분류되는 대여금이자는 현금회수시에 인식하여야 합니다. 신탁계정 대여에 따른 이자수익은 신탁계정대이자에 계상하여 영업수익으로 표시하여야 합니다(부동산신탁업자의 회계처리기준 제4조 참조).

5. 기타 - 자금관리대리사무에 따른 예금채권의 회계처리의 문제

각종 자금관리 대리사무에 따라 관리하는 자금은 신탁재산이 아님에도 불구하고 신탁재산으로 회계처리가 되고 있습니다. 사견으로는 신탁재산과 별도로 위탁재산 계정이 필요할 것으로 생각됩니다(신탁재산이 아닌 것을 신탁재산 계정으로 처리할 수 없고, 고유재산 계정으로 처리할 경우 고유재산 상태에 대한 착시와 왜곡을 가져올 것입니다.).

06

기타
실무상 쟁점

1. 신탁회사의 보증 가능 여부

구 신탁업법은 신탁회사가 영위할 수 있는 부수업무를 한정적으로 열거하고 있었고, "채무의 보증"은 그러한 부수업무 중 하나였습니다(구 신탁업법 제13조 제1항 참조).

그런데 자본시장법은 소위 포괄주의·네거티브 규제방식을 택하면서, 금융투자업자는 원칙적으로 회사의 경영건전성을 해하지 않고 투자자 보호에 지장을 초래하지 않으며 금융시장의 안정성을 저해하지 않으면, 사전신고 하에 자유롭게 부수업무를 영위할 수 있도록 규제를 완화하였습니다(당시에는 사전신고가 요구되었으나, 현재는 부수업무 영위 후 2주 이내에 금융위원회에 보고하도록 하고 있습니다. 자본시장법 제41조 참조).

하지만, 전업 부동산 신탁회사가 자본시장법 제정 이후 보증업무를 부수업무 중 하나로 신고하자, 감독기관에서는 이를 수리하지 않았습니다.[200]

결과적으로 현재 전업 부동산 신탁회사는 보증을 **업으로 영위**할 수 없습니다.[201]

---

200) 감독기관에서 신탁회사가 보증업무를 포함하여 부수업무로 신고한 것을 반려한 이유는, 자본시장법에서는 금융투자회사 중에서는 일부 투자매매업자만이 지급보증업무를 겸업할 수 있도록 하고 있기 때문으로 보입니다(자본시장법 시행령 제43조 제5항 참조). 지급보증업무의 겸업이 불가한 금융투자회사가 보증업을 부수업무로서 영위한다면, 자본시장법상 업무범위 규제의 일관성을 해할 소지가 있다는 점에서, 감독기관의 입장도 이해가 가는 부분이 있습니다.

201) ['업으로 영위한다'는 의미에 대하여] 금융투자업자는 인가받은 고유업무와 겸영업무, 그리고 부수업무가 아닌 다른 업을 영위할 수 없습니다. '업으로 영위한다'라는 것은, 이익을 얻을 목적으로 계속적이거나 반복적인 방법으로 행하는 것을 의미합

2. 책임준공확약 관리형 토지신탁은 보증의 성격이 있는 것이 아닌지 여부

책임준공확약 관리형토지신탁에서, 신탁사는 FP대주에 대하여, 시공사가 책임준공의무를 이행하지 못할 경우 시공사를 대신하여 책임준공의무를 이행하거나 PF대주의 손해를 배상하기로 약정하는바, 이는 시공사의 대주에 대한 책임준공의무를 보증하는 성격이 있는 것으로 볼 소지가 있고, 이를 보증으로 본다면, 이는 영업성도 인정된다고 할 것입니다. 그러나 감독기관의 비공식적 입장은 보증은 아니라는 입장입니다.[202]

니다. 다만, 고유재산의 운용으로서 민사적 거래행위와 영업행위를 구분하는 것은 쉽지 않습니다. 예를 들어, 보증의 경우에도, 사적 거래로서의 보증인지, 영업으로서의 보증인지를 구분하는 것은 쉽지 않습니다. 영업성 여부의 구별에 대하여는 아래 유권해석을 참고하기 바랍니다.

해석	고유재산운용으로서 금융투자상품 매매와 투자매매업의 구분에 관하여

• 금융민원센터 2014.3.16.자 유권해석 회신

『투자매매업은 금융투자상품의 매매를 '영업'으로 하는지, 다시 말해서 "이익을 얻을 목적으로 계속적이거나 반복적인 방법으로 행하는" 것인지 여부에 달려 있는 바, 이의 판단은 이익을 얻을 목적과 같은 종류의 행위를 반복하는지 여부뿐만 아니라, 다른 사람의 주문에 언제든지 응하기 위하여 금융투자상품의 재고를 유지하는지 여부, 스스로 투자매매업자나 시장조성자로 광고하는지 여부, 지속적인 고객을 확보하는지 여부 등의 제반 사정을 종합적으로 고려하여 개별적으로 판단(대법원 2002.6.11. 선고, 2000도357 판결, 대법원 2006.4.27. 선고, 2003도135 판결 참조)해야 할 사안임』 – 금융민원센터 2014.3.16.자 유권해석 회신사례 중-

202) [신탁사 책준확약의 보증성을 부정하는 견해에 대하여] 감독기관이 책임준공확약을 보증으로 보지 않는 이유는, 신탁회사는 사업주체이자 공급자로서 준공의무가 있다는 점에서, 책임준공확약은 "타인"의 채무이행을 보장하는 것이 아니라, "자신"의 채무이행을 확약하는 것에 지나지 않는 것으로 판단한 것으로 보입니다. 그러나 신탁회사의 준공물 공급의무는 수분양자에 대한 의무입니다. 반면, 책임준공확약은 "타인"인 시공사가 대주에게 부담하는 책임준공의무의 이행을 보장하는 성격이 있다는 점에서 보증으로서의 성격이 강하다는 점을 부정하기 어렵습니다.

1. 수익증권발행신탁이 허용되는지 여부, 허용시 기대가능한 상품유형은?

자본시장법은 금전신탁에 한정하여 수익증권 발행을 허용하고 있는바(자본시장법 제110조 제1항 참조), 전업 부동산 신탁사는 부동산 신탁계약에 기초하여 수익증권을 발행할 수 없습니다.

※ 2011년 개정 신탁법은 종래 금전신탁 등에 한하여 허용되던 수익증권 발행신탁을 일반적으로 허용하였습니다(신탁법 제78조 참조). 당시 신탁법상 수익증권 발행신탁 내용을 반영하고자 자본시장법 개정도 추진되었으나 무산되었습니다.[203) 이는 조만간 개정이 이루어질 것으로 보입니다.

신탁 신탁업법 제정 논의에 대하여

• 자본시장법 제정 전 신탁업을 규율하던 구 신탁업법은 자본시장법에 편입되면서 폐지되었습니다.

• (은행업 겸영 신탁업자를 중심으로) 종합 재산 관리 기능이라는 신탁의 본래적 기능이나 비금융투자상품에 대한 신탁업 규율의 완화 필요성을 고려할 때 자본시장법에서 신탁업자를 규율하는 것은 타당치 않다는 비판이 제기되어 왔습니다.

• 금융위원회는 2017년 금융개혁 5대 핵심 추진과제 중 하나로 신탁업제도 전면 개편을 정하고, 자본시장법과 별도의 신탁업법 제정을 추진하였으나 현재는 잠정 보류상태입니다.[204)

---

203) 당시 개정안(의안번호 1901057, 2012.8.6. 정부 제안, 2016.5.29. 임기만료 폐기)은 ① 모든 신탁에 대한 수익증권발행을 허용하며, ② 신탁업자가 수익증권을 발행하는 경우에는 투자매매업으로 간주하고, ③ 수익증권 발행시 이는 예탁결제원에 예탁하도록 하며, 그 발행총액은 신탁재산의 순자산가액 이내로 제한하는 한편, ④ 수익증권을 발행하는 경우 해당 신탁재산의 평가에 관하여는 집합투자재산의 평가에 관한 방법을 준용토록 하는 것 등을 내용으로 하였습니다.

204) 당시 신탁업법 추진 방향을 살펴보면, ①진입규제 정비(유동화 전문법인, 부실채권

2. 수익증권 발행신탁 허용시 기대효과에 대하여

자본시장법의 개정 또는 새로운 신탁업법의 제정을 통해, 부동산 신탁에서 수익증권 발행신탁이 허용된다면, 어떤 상품들이 출현할 수 있을까요.

가. 자산유동화 목적 신탁상품이 기대됩니다. 부동산 자산 비중이 높은 기업으로부터 부동산을 신탁받고 이를 기초로 수익증권을 발행한 후, 해당 부동산의 관리, 처분, 개발에 의한 수익을 수익자에게 지급하는 상품이 나올 것이고,[205] 이는 기업의 자산유동화를 통한 자금조달 편의성을 높여줄 것입니다. 자산유동화 목적 신탁상품은 담보부사채신탁 상품을 대체할 수 있을 것입니다.

나. 토지신탁사업에서 사업비 조달 편의성을 제고할 수 있습니다. 토지신탁계약에 기초하여 수익증권을 발행한다면, 불특정 다수의 기관투자자 및 개인투자자로부터 개발사업 투자를 이끌어 낼 수 있을 것입니다(부수적인 효과로 부동산 개발사업 관련 P2P 금융상품을 대체하는 기능도 기대할 수 있을 것입니다).

라. 리츠와 경쟁할 수 있는 새로운 부동산 간접투자상품이 출현할 수 있습니다. 관리신탁 또는 임대형토지신탁에 기초하여 수익증권을 발행한다면, 부동산투자회사법상의 리츠와 경쟁할 수 있는 새로운 간접투자상품이 될 수 있을 것입니다.[206]

관리신탁 전문 법인 등 소규모 신탁전문법인 진입 유도), ②운용자율성 확대(유언대용신탁 등 활성화, 수탁재산의 범위를 부채·영업·담보권·보험금청구권까지 확대, 수익증권·신탁사채 발행 등 허용), ③이용편의성 제고(새로운 비대면 신탁업자 서비스 공급기반 마련) 등을 주된 내용으로 하였습니다.

205) 현행 자산유동화법 제2조 제1호 나.목은 이미 신탁업자의 유동화증권 발행을 허용하고는 있으나, 그 유통성 보장의 문제, 세무상의 문제로 이용되지 않고 있습니다.

206) 2019. 12. "분산원장 기반 부동산 유동화 유통 플랫폼 서비스"가 혁신금융서비스로 지정되었습니다. 제한적이지만 소위 '부동산 조각투자'와 같은 부동산 신탁 수익증권 발행 및 유통서비스의 출현이 가능해진 것입니다.

부동산 신탁의 수익권이 금융투자상품인지 여부

1. 문제의 소재

자본시장법은 포괄주의 규율체제를 도입하여 금융투자상품을 투자성(원본 손실 가능성)이 있는 모든 금융상품으로 정의하고 있습니다. 토지신탁의 수익권 을 생각해보면, 투자원본의 손실가능성이 있다는 점에서, 금융투자상품 범위에 포섭된다는 점을 쉽게 이해할 수 있습니다. 그런데 다른 비토지신탁의 수익권은 어떨까요.

2. 관리형신탁의 의의 – 금융투자상품 범위에서 제외

자본시장법은, 위탁자 또는 수익자의 지시에 따라서만 신탁재산의 처분이 이루어지는 신탁, 신탁재산의 성질을 변경하지 아니하는 범위에서의 이용·개량 행위만을 하는 신탁은 "관리형신탁"이라 정의하고 그 수익권은 금융투자상품 범위에서 제외하고 있습니다(자본시장법 제3조 제1항 제2호 참조).

3. 비토지신탁상품이 관리형신탁에 해당되는지 여부

단언하기는 어려우나, 부동산신탁시장에서 취급하는 상품 중 담보신탁과 관리신탁은 자본시장법상의 "관리형신탁"으로 볼 소지가 많고, 이에 따라 그 수 익권은 금융투자상품으로 보기 어려운 것으로 생각됩니다.

우선, 관리신탁의 경우, 통상적인 신탁계약상 신탁사무를 신탁재산의 성질 을 변경하지 아니하는 범위에서의 이용·개량행위만으로 한정하고 있다는 점에서 "관리형신탁"에 해당될 것으로 생각됩니다.

담보신탁의 경우에는, 다소 다툼의 여지가 있으나, 우선수익자의 지시에 따라서만 신탁재산의 처분이 이루어진다는 점에서 역시 관리형신탁의 범주에 포함될 가능성이 높습니다.[207]

처분신탁의 경우, 통상적인 신탁계약 약관상 처분조항의 해석상 신탁사의 능동적인 처분이 불가능하지 않다는 점에서, "관리형신탁"으로 보기는 어려워 보입니다.[208]

해석 금융사지배구조법령상 수탁고 산정기준 적용과 관련하여, 부동산담보신탁이 관리형신탁에 해당하는지 여부[209]

- 금융규제민원포털 법령해석사례(2018.1.30.)

부동산담보신탁계약서상 신탁업자가 위탁사의 '요청', '요구', '청구' 등에 기속되어 신탁부동산을 처분하여야 하며, 신탁업자에게는 신탁부동산의 처분에 대한 재량이 전혀 허용되지 않는 등 '요청' 등이 법률상 '지시'와 동일한 효력을 갖는 경우......이러한 담보신탁계약은 같은 법 제3조 제1항제2호의 '관리형 신탁'에 해당하는 것으로 판단됩니다.

---

207) 담보신탁이 과연 (우선)수익자의 지시에 따라서만 신탁재산의 처분이 이루어지는 신탁인지 여부에 대하여는 논쟁의 소지가 있습니다. 담보신탁계약상 우선수익자의 환가요청은 사실상 수탁자의 재량여지를 허용하지 않는 "환가지시"로 볼 수 있을 것입니다. 그러나 약관으로 신고된 담보신탁계약서를 살펴보면, 소위 약정에 의한 자조매각권을 인정하고 있고, 위탁자의 신탁계약 위반 등의 경우 수탁자의 재량에 의한 신탁부동산 처분가능성을 완전히 배제하지는 않고 있다는 점에서, 자본시장법 상의 "관리형신탁"으로 볼 수 없다는 해석의 가능성도 있습니다.

208) 처분신탁 실무상 특약사항을 두어 수탁자의 재량에 의한 처분가능성을 배제하는 경우가 많습니다. 그러나 이는 고객과의 협의과정을 거쳐 특약사항에 합의를 한 것이므로, 원래부터 그 상품자체가 자본시장법상 상품 규제 대상이 아니라고 말하기는 어렵습니다.

209) 금융회사지배구조법상 일정한 소규모 금융회사의 경우 각종 규제가 적용배제됩니다. 소규모 금융회사 중 하나는 신탁재산(관리형신탁의 재산 제외) 합계액이 20조 미만인 금융투자업자입니다. 부동산신탁사의 경우 담보신탁 원본가액 규모가 크기 때문에, 담보신탁이 관리형신탁인지 여부에 따라 금융회사지배구조법의 적용 범위가 달라질 수 있습니다. 이와 같이 관리형신탁의 범위, 즉, 금융투자상품의 적용배

4. 기타 - 담보신탁계약 체결시에도 투자권유 관련 규제가 적용되는지 여부

　　자본시장법은 투자자 보호제도 선진화를 위해서 투자권유 규제를 도입하였습니다. 금융투자업자는 투자자에게 투자권유를 하기 전에 투자자정보를 상세히 확인하여야 하고, 투자권유시 적합성의 원칙,210) 적정성의 원칙, 설명의무를 준수하여야 합니다.

　　그러나 자본시장법은 "관리형신탁" 또는 투자성 없는 신탁계약의 체결 권유는 동법상 엄격한 규제를 받는 "투자권유"대상에서 제외하고 있습니다(자본시장법 제9조 제4항 참조). 앞서 살펴본 바와 같이, 담보신탁과 관리신탁은 "관리형신탁"에 가깝고 투자성을 인정하기 어렵다는 점에서, 해당 신탁계약의 체결 권유시에는 자본시장법상 투자권유 관련 규정이 직접 적용된다고 보기 어렵습니다.211)

제 범위는 각종 규제의 적용 여부를 좌우하는 중요사안임에도 불구하고, 감독기관의 유권해석은 원론적인 수준에 그치고 있습니다.

210) 자본시장법상 투자권유는 금융투자회사의 투자권유자문인력과 회사의 위탁을 받은 투자권유대행인만 할 수 있습니다.

211) 다소 이율배반적인 이야기지만, 담보신탁과 관리신탁의 수익권이 금융투자상품인지 여부에 대한 감독기관의 명확한 유권해석이 나오기 전까지는, 해당 신탁계약 체결시에도 투자권유준칙에 따른 투자정보확인서 징구에 누락이 없도록 주의하기 바랍니다.

04 부동산 신탁과 금융실명법 그리고 자금세탁방지법

1. 문제의 소재

국세청이나 수사기관에서 금융실명법에 근거하여 부동산 신탁의 수익채권 범위나 신탁재산 현황 등의 정보를 요청하는 경우가 많습니다. 과연 부동산 신탁행위는 금융실명법상 금융거래이고, 부동산 신탁계약 관련 정보는 위 법상 비밀정보 대상인 금융거래정보일까요.

2. 관련 법률

> **법령** 금융실명거래 및 비밀보장에 관한 법률
>
> 제2조(정의) 이 법에서 사용하는 용어의 뜻은 다음과 같다.
> 1. "금융회사등"이란 다음 각 목의 것을 말한다.
> 바. 「자본시장과 금융투자업에 관한 법률」에 따른 ......신탁업자.....
> 2. "금융자산"이란 금융회사등이 취급하는 ....신탁재산.....수익증권..... 등 금전 및 유가증권과 그 밖에 이와 유사한 것.....
> 3. "금융거래"란 금융회사등이 금융자산을 ......발행.....수탁....하거나 ..... 그 밖에 금융자산을 대상으로 하는 거래......

3. 부동산 신탁이 금융실명법상 금융거래인지 여부

금융실명법 제2조를 보면, "신탁업자"도 금융회사이고, "신탁재산"도 금융자산이며, "수탁"도 금융거래에 속하는 행위입니다. 일견 부동산신탁도 금융실명법상의 금융거래처럼 보입니다. 하지만, 금융실명법상의 금융거래는 금융회사가 금융자산을 대상으로 하는 동법 소정의 거래입니다(위 법 제2조 제3호 참조). 예를 들어, 신탁업자가 금융자산인 금전을 수탁하는 것은 위 법상의 금융거래가 되는 것입니다. 그러나 부동산 그 자체는 금융실명법상의 금융자산이 아닙니다(위 법 제2조 제2호 참조). 사견으로는, 입법적인 보완이 없는 한 비금융자산인 부동산 수탁행위를 금융실명법상의 금융거래로 보기는 어렵습니다.212) 부동산 수탁행위는 현행 금융실명법상 실명거래 대상이 되는 금융거래로 보기 어려우며, 부동산 신탁계약의 내용에 대한 정보 등도 위 법상 비밀보장의 대상이 되는 금융거래정보로 보기 어려운 것으로 생각됩니다.213)

4. 기타 - 자금세탁방지법 관련

금융거래를 이용한 자금세탁행위 등 규제를 목적으로 하는 특정금융정보법은 "금융실명법상 금융자산을 대상으로 하는 거래"를 금융거래로 정의하고 있습니다(특정금융정보법 제2조 제2호 가.목 참조).

감독기관과 금융정보분석원은 부동산 신탁 역시 특정금융정보법상의 금융거래로 인식하고 있습니다. 그러나 앞서 살펴보았듯이, 비금융자산인 부동산의 신탁행위는 금융실명법상 금융거래로 보기 어렵고, 같은 이유로 특정금융정보법상의 금융거래로 보기 어려운 것으로 생각됩니다.214)215)

---

212) 자본시장법에 따라 금전신탁의 수익권이 표시된 수익증권(자본시장법 제110조), 투자신탁의 수익권이 표시된 수익증권(자본시장법 제189조) 등은 금융실명법상 금융자산인 수익증권에 해당될 것입니다. 그러나 현재 부동산 신탁계약에 따라 발급하는 수익권증서는 단순 증거증권에 불과하여 이를 금융실명법상의 금융자산으로 볼 수는 없을 것 같습니다.

213) 세무관청에서 금융실명법에 기초하여 위탁자에 대한 체납처분 목적으로 신탁재산에 속하는 예금계좌의 거래정보를 요청하는 경우가 있습니다. 그러나 이는 ①부동산 수탁행위는 금융실명법상의 금융거래로 보기 어렵다는 점, ②위탁자의 세금체납을 이유로 신탁재산에 대하여 체납처분을 할 수는 없다는 점, ③신탁재산에 속하는 예금계좌 정보는 그 정보귀속주체가 신탁회사라는 점에서 부적절한 정보제공 요청이라고 할 것입니다.

214) 만일, 부동산 신탁이 특정금융정보법상의 금융거래가 아니라면, 특정금융정보법상의 금융거래를 대상으로 하는 의심거래보고제도(SRT), 고액현금거래보고제도(CTR), 고객확인제도(CDD)등도 부동산 신탁과 관련하여서는 적용하기 어렵습니다.

215) 사견으로는 전업부동산신탁사의 경우, 부동산실명법에 따라 실권리자명의로 등기된 부동산을 수탁받고, 부수업무로 자금을 관리하는 경우에도 현금거래없이 금융기관 예금계좌를 이용한다는 점에서, 특정금융정보법에 따른 규제가 꼭 필요한 것으로 생각되지 않습니다.

1. 사해행위란

　　사해행위란, 채무자가 일반채권자들의 공동담보로 기능하는 책임재산을 감소시킴으로서 부채가 자산을 초과하는 채무초과상태를 야기 또는 심화시키는 행위를 말합니다. 이 경우 일반채권자들은 사해행위를 취소하고 책임재산을 다시 채무자에게 원상회복할 것을 청구할 수 있습니다.

CASE　사해신탁 사안의 구성

- 등장인물 : 채무자 甲, 채권자 겸 근저당권자 A(채권 80억원), 일반채권자 B(채권 20억원), 일반채권자 C(채권 10억원)
- 甲의 자산내역
: 부동산 1필지(가액 100억원), 부채 110억원
　선순위 근저당권(근저당권자 A, 채권최고액 80억원)
- 일반채권자(B,C)를 위한 책임재산 가액
: 20억원(자산가액 100억원-근저당권 피담보채권액 80억원)

　　위 사례에서 일반채권자 B(채권 20억원), C(채권 10억원)는 각자의 채권 비율에 따라 甲의 책임재산(가액: 20억원)으로부터 공평하게 변제를 받을 수 있었습니다. 그런데 甲이 부채가 자산을 초과하는 상태에서 유일한 자산인 부동산을 乙에게 매도하거나[216) 추가적인 물상담보로 제공한다면, 이는 일반채권자

---

216)　**판례**　무자력 상태 자산매각의 사해행위 성립여부

- 대법원 2005. 10. 14. 선고 2003다60891 판결
『채무자가 자기의 유일한 재산인 부동산을 매각하여 소비하기 쉬운 금전으로 바꾸거나 타인에게 무상으로 이전하여 주는 행위는 특별한 사정이 없는 한 채권자에 대하여 사해행위가 된다고 볼 것이므로 채무자의 사해의 의사는 추정되는 것

를 위한 책임재산을 감소시키는 사해행위가 되는바, 일반채권자는 甲과 乙간의 매매계약 등을 취소하고 당해 부동산을 甲의 책임재산으로 원상회복할 것을 청구할 수 있는 것입니다.

만일, 甲의 사해행위로 위 부동산을 매수한 乙이 자신의 부담으로 선순위 근저당권을 말소하였다면 문제가 좀 복잡합니다. 사해행위는 20억원의 책임재산을 감소시킨 것인데 근저당권이 말소된 100억원의 부동산을 채무자에게 원상회복시키는 것은 사해행위 취소권의 범위를 넘어서는 것입니다. 그래서 이러한 경우는 사해행위를 일부취소하고, 乙에게 원래의 책임재산 가액인 20억원만을 가액배상하도록 하고 있습니다.

2. 사해신탁 인정 여부에 대한 개별적 검토

가. 토지신탁의 경우

위 사례에서, 채무초과 상태인 甲이 개발사업을 위해 신탁사 乙과 토지신탁계약을 체결하면서, 사업비를 대출한 丙을 우선수익자로 지정한 경우, 이러한 토지신탁이 사해행위가 될 수 있을까요.

사해신탁이라는 이유로 토지신탁의 취소를 구했던 대부분의 사안에서, 법원은 사해의사를 부정해왔습니다(대법원 2011.05.23. 자 2009마1176 결정 등 참조). 위탁자는 신탁사업을 통해 개발이익의 향수, 즉, 신탁 전 책임재산(신탁 부동산) 가액 대비 신탁 이후 책임재산(신탁수익) 가액의 증액을 목적으로 합니다. 위 사례에서 신탁 전 일반채권자들을 위한 책임재산은 20억원이었지만, 신탁 이후 책임재산인 수익권의 가치는 20억원 + α가 될 수 있다는 점에서, 토지신탁은 원칙적으로 사해의사 자체를 인정하기 어렵습니다.

이고, 이를 매수하거나 이전 받은 자가 악의가 없었다는 입증책임은 수익자에게 있다.』

나. 담보신탁의 경우

(1) 위 사례에서 채무초과 상태인 甲이 추가대출을 위해 신탁사 乙과 담보신탁계약을 체결하고 새로운 대주 丙에게 10억원을 한도로 우선수익권을 설정해준다면, 이는 사해신탁이 될 수 있을까요.

사해신탁이 될 수 있습니다. 새로운 대주 丙은 우선수익권자로서 신탁 수익으로부터 10억원을 우선적으로 변제받게 될 것이고, 기존의 일반채권자들 B, C의 공동담보가 되는 책임재산은 그만큼 감소하기 때문입니다.[217]

(2) 위 사례에서 채무초과 상태인 甲이 신탁사 乙과 담보신탁계약을 체결하고 丙으로부터 90억원을 대출받아서 그 중 80억원으로 선순위 근저당권을 말소하였다면 어떻게 될까요.

역시 사해신탁이 될 수 있습니다. 문제는 선순위 근저당권이 말소된 상태로 부동산을 원상회복할 수는 없기 때문에, 신탁사 乙에게 일반채권자들을 위한 책임재산 가액 감소액인 10억원을 가액배상하라는 판결이 나올 수 있다는 점을 주의할 필요가 있습니다(대법원 2014. 1. 23.선고 2013다72169 판결 등 참조).

3. 사해신탁 소송이 제기된 경우의 대응방법

원칙적으로 사해신탁 소송에서 패소하더라도 수탁자의 책임범위는 현존하는 신탁재산 범위로 한정됩니다(신탁법 제8조 제3항 참조). 다만, 수탁자로서는 실질적인 이해관계자인 (우선)수익자가 적기에 소송에 참가하여 대응할 수 있도록 조치를 취하여야 합니다.

---

217) 위 사안에서 일반채권자 B, C는 자신의 선택에 따라 乙을 상대로 신탁계약 취소를 구할 수도 있고, 丙을 상대로 우선수익권을 위탁자에게 양도할 것을 청구할 수도 있습니다(신탁법 제8조 제1항, 제5항 참조). 신탁법은 일반적인 사해행위 취소권에 대한 특칙 들을 규정하면서, 신탁 취소 대신 수익권 양도 방안을 정하고 있는 것입니다. 다만, 실무상으로는 대부분 신탁 취소를 구하고 있습니다.

사해신탁에 대하여, 위탁자의 채권자는 수탁자의 선악을 불문하고 신탁계약 취소 및 원상회복을 청구할 수 있습니다. 다만, (우선)수익자가 선의인 경우에는 그러할 수 없습니다(신탁법 제8조). (우선)수익자의 선의에 대한 주장 및 입증을 위해서는 (우선)수익자의 소송참가가 필수적이라 할 것입니다.

법령 신탁법

제8조(사해신탁) ① 채무자가 채권자를 해함을 알면서 신탁을 설정한 경우 채권자는 수탁자가 선의일지라도 수탁자나 수익자에게 「민법」 제406조제1항의 취소 및 원상회복을 청구할 수 있다. 다만, 수익자가 수익권을 취득할 당시 채권자를 해함을 알지 못한 경우에는 그러하지 아니하다.
③ 제1항 본문의 경우에 채권자는 선의의 수탁자에게 현존하는 신탁재산의 범위 내에서 원상회복을 청구할 수 있다.

수탁자는 사해신탁 취소 소송이 접수 되는대로 이를 (우선)수익자에게 통보하고 우선수익자가 소송에 참가할 수 있도록 조치를 취해야 할 것입니다.

예시　　우선수익자에 대한 사해신탁 소송 안내문

1. ....담보신탁 관련입니다.

2. 본건 담보신탁에 대하여, 2018. . 동 신탁이 사해행위로서 취소되어야 한다는 취지의 소장이 당사에 송달되었습니다(붙임. 소장 사본 참조).

3. 당사는 본건 담보신탁이 위탁자의 사해행위인지 여부를 전혀 알 수 없는 지위에 있습니다. 그러나 신탁법상 사해신탁은 수탁자가 선의일지라도 그 취소가 가능합니다. 반면에 (우선)수익자가 선의인 경우에는 사해신탁 취소가 인정되지 않습니다(신탁법 제8조 참조).

4. 본건 소송에서 원고의 청구가 인용된다면, 그로 인한 경제적 손실은 우선수익자인 귀사에게 귀속되는 점, 사해행위에 대한 우선수익자의 선의에 대한 주장과 입증은 귀사가 하여야 한다는 점을 알려드리니, 적기에 소송참가 및 소송대리인 선임 등 조치를 취하시기 바랍니다....

06 PFV 사업구조와 신탁사의 참여 방식

1. 조세특례제한법상의 PFV(프로젝트금융투자회사)

법인세법은 자산유동화법에 따른 유동화회사, 자본시장법상 투자회사, 부동산투자회사법상 부동산투자회사 등 간접투자기구가 배당가능이익의 90/100이상을 배당한 경우 그 금액은 소득금액에서 공제하도록 정하고 있습니다(법인세법 제51조의2 제1항 참조). 이는 투자자의 배당소득은 물론 그 도관역할을 하는 간접투자기구의 사업소득까지 과세를 하면, 결과적으로 하나의 투자사업에서 발생하는 소득에 대하여 사실상 이중과세가 되는 효과가 있기 때문일 것입니다.

조세특례제한법은 위와 같은 법령상의 간접투자기구는 아니지만, 특정사업 목적으로 설립된 투자회사로서 일정한 요건을 갖추고 자산관리 및 자금관리를 위탁하여 운영하는 회사(PFV)에 대하여도 소득공제를 인정하고 있습니다(조세특례제한법 제104조의31 제1항 참조).

2. PFV 소득공제 주요 요건 (조세특례제한법 제104조의31, 같은 법 시행령 제104조의 28 참조)

> **이론** PFV에 대한 소득공제 주요 요건

- 아래 요건을 갖추고 배당가능이익의 100분의 90 이상을 배당한 경우 해당 배당액은 사업연도 소득금액에서 공제
① 회사의 자산을 특정사업에 운용하고 그 수익을 주주에게 배분하는 것을 목적으로 하는 간접투자회사일 것
② 한시적으로 설립된 명목회사로서 존립기간이 2년 이상일 것
③ 발기설립 방법으로 설립하고 발기인 중 1인 이상이 금융회사 등일 것
④ 금융회사 등에 해당하는 발기인이 5/100 이상 자본금을 출자할 것

⑤ 자본금이 50억원 이상일 것 (민간투자사업 시행 목적 투자회사는 10억원 이상)

⑥ PFV의 자산관리·운용·처분은 "자산관리회사"에 위탁할 것 (단, 자산관리회사는 당해 PFV에 출자한 법인 또는 그 법인이 설립한 법인이어야 함)

⑦ PFV의 자금관리업무는 "자금관리사무수탁회사"에 위탁할 것 (단, 자금관리사무수탁회사는 자본시장법상 신탁업을 영위하는 금융회사이어야 함)

⑧ 법인설립등기일부터 2개월 이내에 명목회사설립신고서를 제출할 것

⑨ "자산관리회사"와 "자금관리사무수탁회사"는 동일인이 아닐 것 (건분법상 분양관리신탁계약 및 대리사무계약을 체결한 경우는 예외 인정)

3. PFV 사업에서 신탁사 참여 방안

가. 자산관리회사로 참여하는 방안(O)

신탁사 또는 신탁사 대주주가 PFV에 일부 출자를 한 경우, 신탁사는 해당 PFV의 자산관리회사가 될 수 있습니다(소득공제 요건 ⑥참조, 단, 자본시장법 제41조에 따라 PFV 자산관리업무에 대한 부수업무 보고가 필요함). 한편, 신탁사가 PFV의 자산관리회사가 되는 경우 이와 동시에 해당 PFV의 자금관리업무를 수탁할 수 없습니다(소득공제 요건 ⑨참조).

나. 토지신탁 수탁자로 참여하는 방안(X)

(1) PFV의 자산관리회사와 자금관리사무수탁회사는 동일인인 경우에는 소득공제 혜택을 받을 수 없습니다(소득공제 요건 ⑨ 참조). 그런데 토지신탁의 경우, 신탁사가 신탁부동산을 관리·개발·분양하고 분양수입금 등 사업 관련 자금을 관리한다는 점에서, 신탁사가 사실상 PFV의 자산관리 및 자금관리 업무를 함께 수행한다고 볼 수 있습니다. 따라서 PFV사업을 토지신탁 구조로 진행할 경우 법인세법에 따른 소득공제 요건이 충족되지 않는다고 할 것입니다.218)

---

218) 과거 일부 국세청 질의회신(법인세과-2459, 2008.9.16., 법인세과-587, 2009. 5.18.

해석   관리형 토지신탁사업 진행시 PFV 소득공제 여부 1

• 국세청 유권해석 (법인세과-453, 2014.10.27.)

「법인세법」제51조의2제1항제6호[219])에 따른 프로젝트금융투자회사가 신탁회사와 관리형 토지신탁계약을 체결함에 따라 그 신탁회사가 자산관리회사와 자금관리사무수탁회사의 역할을 하는 경우 당해 프로젝트금융투자회사는 유동화전문회사 등에 대한 소득공제가 적용되지 않음」

해석   관리형 토지신탁사업 진행시 PFV 소득공제 여부 2

• 국세청 유권해석 (법인세과-58, 2011.01.24)

「법인세법」 제51조의2제1항제6호에 따른 프로젝트금융투자회사가 신탁회사와 관리형 토지신탁계약을 체결함에 따라 그 신탁회사가 특정사업에 대한 인·허가상 사업시행자의 지위로서 수행하는 분양계약 및 자금입출금 등의 업무가 같은 법 시행령 제86조의2제5항에 따른 자산관리회사와 자금관리사무수탁회사의 역할에 해당하는 경우 당해 프로젝트금융투자회사는 유동화전문회사 등에 대한 소득공제가 적용되지 않는 것임」

(2) 한편, 2016. 2. 12. 법인세법 시행령 개정으로, 건축물의분양에 관한 법률에 따른 분양관리신탁 및 대리사무계약을 체결한 경우에는 법인세법에 따른 소득공제에 영향이 없으며, 나아가 해당 신탁회사가 자산관리회사가 될 수 있습니다. 이와 관련, 건분법상 분양관리신탁에 갈음하는 관리형토지신탁을 체

등)은 "관리형 토지신탁 형태로 부동산개발사업을 수행하는 경우에도 자산관리회사 요건을 충족하여야 한다"라는 일반적 내용만을 설시하고 있어서 관리형 토지신탁 진행시 소득공제를 적용되지 않는 이유를 설명하지 못하고 있었습니다. 한편, 위 질의회신 내용 중에는 토지신탁 사업 진행시 신탁회사가 사업주체가 된다는 점에서, 당해 PFV는 더 이상 부동산개발사업을 직접 시행하지 않는다는 형식논리상 소득공제 요건을 충족하지 않는다는 견해가 언급되고 있으나 이러한 견해가 국세청의 공식 입장이거나 확립된 유권해석은 아닌 것으로 보입니다.

219) 현행 조세특례제한법 제104조의31 제1항과 같습니다.

결한 경우에도 소득공제가 가능한지 논란이 있었으나, 국세청은 이에 대하여 부정적인 입장입니다.

해석　　관리형 토지신탁사업 진행시 PFV 소득공제 여부 3

- 국세청 유권해석 (법령해석과-1232, 2017.05.12)

『프로젝트금융투자회사가 신탁회사와 「건축물의 분양에 관한 법률」 제4조제1항제1호에 따른 신탁계약과 대리사무계약의 요건을 충족하는 관리형토지신탁계약을 체결하였으나 같은 법 제3조에 해당하는 건축물과 이에 해당하지 않는 건축물을 신축하여 분양하는 주상복합용지 개발사업을 영위하는 경우로서 신탁회사가 해당 주상복합용지 개발사업에 대해 「법인세법 시행령」제86조의2제5항의 자산관리업무와 자금관리업무를 동시에 수행하는 경우 「법인세법」제51조의2에 따른 유동화전문회사 등에 대한 소득공제를 적용하지 않는 것임』

다. 담보신탁 수탁자로 참여하는 방안(O)

국세청은 PFV 소유 자산에 대한 담보신탁의 설정이 PFV의 소득공제 해당여부에 영향을 미치지 아니하는 것으로 해석하고 있습니다(국세청 법인세과-1030, 2009. 9. 21. 참조).

해석　　담보신탁 설정과 PFV 소득공제 가부

- 국세청 유권해석(법인, 법인세과-1030 , 2009.09.21)

『프로젝트금융투자회사가 특정사업에 소요되는 자금을 금융기관으로부터 대출받으면서 당해 회사의 부동산에 대하여 대출 금융기관을 우선수익자로 하는 부동산담보신탁을 설정하여 특정사업과 관련한 자산관리·운용 및 처분에 관한 업무를 법인세법 시행령 제86조의2제5항제2호에 의한 자산관리회사가 수행하고 신탁회사는 신탁재산의 담보가치보전 등을 위한 관리만을 한정하여 수행하며, 상기의 특정사업에서 발생되는 수익이 당해 프로젝트금융투자회사에 귀속될 경우 부동산담보신탁의 설정이 프로젝트금융투자회사의 소득공제 해당여부에 영향을 미치지 아니하는 것임』

또한, 국세청은 PFV 소유 자산에 대한 담보신탁의 수탁자가 PFV 출자 등을 통해 자산관리회사 적격요건을 충족하는 경우에는 담보신탁 수탁업무와 함께 자산관리수탁 업무를 동시에 수행할 수 있는 것으로 보고 있습니다(국세청 법인세과-312, 2010.03.31. 참조).

해석   PFV 자산관리회사의 담보신탁 수탁 가부

• 국세청 유권해석(법인, 법인세과-312 , 2010.03.31)

『프로젝트금융투자회사(PFV)가 개발사업 인·허가, 공사·분양계약체결 등 특정사업을 실질적으로 수행하고 특정사업으로 인한 수익이 당해 프로젝트금융투자회사에 귀속되는 경우로서 프로젝트금융투자회사가 특정사업에 운용할 토지를 담보신탁한 신탁회사가『법인세법 시행령』제86조의2제5항제2호 각목의 1에 해당하는 때에는(신탁회사가 같은 항 제3호의 자금관리사무수탁회사인 경우 제외) 그 신탁회사를 자산관리회사로 지정할 수 있는 것임』

라. 분양관리신탁 수탁자로 참여하는 방안(O)

앞서 설명한바와 같이, 2016. 2. 12. 법인세법 시행령 개정으로, 건축물의 분양에 관한 법률에 따른 분양관리신탁 및 대리사무계약을 체결한 경우에는 법인세법에 따른 소득공제에 영향이 없으며, 나아가 해당 신탁회사가 자산관리회사가 될 수 있습니다.

07

신탁 관련
중요 판례

01

부가가치세 납세의무자

부가가치세는 재화 또는 용역의 공급이라는 거래행위를 과세대상으로 하는 세금입니다. 신탁으로 대내외적 소유권이 완전하게 수탁자에게 이전되었고, 이후 수탁자가 신탁 목적에 따라 신탁사무를 처리하면서 신탁재산에 대한 거래를 하였다면, 그 거래에 대한 부가가치세 납세의무자는 수탁자로 보는 것이 맞을 것입니다. 2017년 대법원 전원합의체 판결도 같은 취지입니다. 2020년 개정 부가가치세법은 위 판결 취지를 반영하여 수탁자 과세원칙을 확립하되, 관리형 토지신탁 등 예외적인 경우에만 위탁자를 납세의무자로 정하였습니다(부가가치세법 제3조 참조).

판례 신탁재산 처분시 부가가치세 납세의무자는 수탁자

- 대법원 2017.5.18.선고 2012두22485 전원합의체 판결

『부가가치세법은 부가가치 창출을 위한 '재화 또는 용역의 공급'이라는 거래 그 자체를 과세대상으로 하고 있을 뿐 그 거래에서 얻은 소득이나 부가가치를 직접적인 과세대상으로 삼고 있지 않다......부가가치세법상 납세의무자에 해당하는지 역시 원칙적으로 그 거래에서 발생한 이익이나 비용의 귀속이 아니라 재화 또는 용역의 공급이라는 거래행위를 기준으로 판단하여야 한다.....

그런데 신탁법상의 신탁은 위탁자가 수탁자에게 특정한 재산권을 이전하거나 기타의 처분을 하여 수탁자로 하여금 신탁 목적을 위하여 그 재산권을 관리·처분하게 하는 것이다.....

따라서 수탁자가 위탁자로부터 이전받은 신탁재산을 관리·처분하면서 재화를 공급하는 경우 수탁자 자신이 신탁재산에 대한 권리와 의무의 귀속주체로서 계약당사자가 되어 신탁업무를 처리한 것이므로, 이때의 부가가치세 납세의무자는 재화의 공급이라는 거래행위를 통하여 재화를 사용·소비할 수 있는 권한을 거래상대방에게 이전한 수탁자로 보아야 하고, 그 신탁재산의 관리·처분 등으로 발생한 이익과 비용이 거래상대방과 직접적인 법률관계를 형성한 바

없는 위탁자나 수익자에게 최종적으로 귀속된다는 사정만으로 달리 볼 것은 아니다.220)』

---

220) **판례** 신탁재산 관련 부가가치세 납세의무자는 위탁자 또는 수익자 (판례 변경 전)

• 대법원 2003.04.25. 선고 99다59290 판결

『수탁자가 신탁재산을 관리·처분함에 있어 재화 또는 용역을 공급하거나 공급받게 되는 경우 수탁자 자신이 계약당사자가 되어 신탁업무를 처리하게 되는 것이나 그 신탁재산의 관리·처분 등으로 발생한 이익과 비용은 최종적으로 위탁자에게 귀속하게 되어 실질적으로는 위탁자의 계산에 의한 것이라고 할 것이므로, 신탁법에 의한 신탁 역시 부가가치세법 제6조 제5항 소정의 위탁매매와 같이 '자기(수탁자) 명의로 타인(위탁자)의 계산에 의하여' 재화 또는 용역을 공급하거나 또는 공급받는 등의 신탁업무를 처리하고 그 보수를 받는 것이어서, 신탁재산의 관리·처분 등 신탁업무를 처리함에 있어서의 사업자 및 이에 따른 부가가치세 납세의무자는 원칙적으로 위탁자라고 보아야 한다.
……우선수익권이 미치는 범위 내에서는 신탁재산의 관리·처분 등으로 발생한 이익과 비용도 최종적으로 수익자에게 귀속되어 실질적으로는 수익자의 계산에 의한 것으로 되므로, 이 경우 사업자 및 이에 따른 부가가치세 납세의무자는 위탁자가 아닌 수익자로 보아야 한다.』

02

신탁종료시 계약인수 합의 조항의 효력

토지신탁에서는 신탁사가 사업주체로서 개발사업을 수행하는바, 신탁이 종료된 이후에도 신탁종료 전 신탁사무처리를 원인으로 지속적인 권리·의무가 발생하는 경우가 많습니다. 이 때문에 신탁사의 경우 토지신탁 종료시에는 종전 사업주체이자 공급자로서 지위를 위탁자에게 포괄적·면책적으로 승계시키는 합의를 하고 있습니다. 대법원도 이러한 계약인수 합의의 효력을 인정하고 있으며, 특히 집합건물법상 하자담보책임의 포괄적·면책적 승계도 인정하고 있습니다.

판례 신탁종료시 하자담보책임 등이 위탁자에게 승계될 수 있는지

• 대법원 2012. 2. 9. 선고 2011다99030판결

『신탁회사와 최초 수분양자들 사이의 분양계약에서 정한 이 사건 승계약정은…. 신탁계약의 해지 또는 종료를 정지조건으로 하여 분양계약상의 지위를 신탁회사에서 위탁자로 이전하기로 하는 내용의 계약인수 합의에 해당하는데, 위탁자가 피고 신탁회사와 신탁계약을 종료하기로 합의하면서 계약인수에 대하여 동의 내지 승낙을 하여, 분양계약상의 분양자의 지위가 피고 신탁회사에서 위탁자로 승계되었다는 이유 등으로 피고 신탁회사에 대하여 이 사건 건물에 대한 하자담보책임 또는 분양계약상의 채무불이행으로 인한 배상책임을 묻는 원고들의 청구를 배척… 원심의 사실인정과 판단은 정당221)』

---

221) 사실, 계약인수 약정에 따라 계약상 책임 또는 계약위반에 따른 손해배상책임 등이 승계된다는 것은 특별한 법리가 아닙니다. 그러나 집합건물법상의 담보책임은 계약상 책임이 아닌 법정책임이며, 해당 규정은 강행규정입니다. 즉, 집합건물법상 담보책임(하자보수에 갈음하는 손해배상책임 등)은 계약에 따라 인정되는 책임이 아니라, 수분양자 보호를 위하여 분양자라는 지위에 부과된 법정책임입니다. 그런데 이러한 법정책임이 당사자들간 계약인수 합의에 따라 승계될 수 있는지가 문제된 것인데, 대법원은 특별한 고민 없이 이를 인정하였습니다(유사 판결 : 대법원 2004다24878 판결, 대법원 2004다49945판결, 대법원 2005다23674판결 등)

03   대리사무계약상 위탁자 채권에 대한 추심명령의 효력

분양대금 관리 목적의 대리사무와 관련하여, 위탁자가 대리사무계약상 수탁자에 대하여 가지는 금전지급청구권이 (가)압류되는 경우가 종종 있습니다. 이 경우, 위 (가)압류에도 불구하고 사업비의 집행이 가능한지 문제됩니다. 대법원은, 위 (가)압류의 효력은 사업비 집행 후 위탁자에게 귀속되는 수익 부분에 대하여 미치는 것이므로 대리사무계약상 위탁자 수익 보다 선순위인 사업비 집행에는 문제가 없다는 취지로 판단하고 있습니다.

판례   대리사무계약상 위탁자 채권에 대한 가압류의 효력

• 대법원 2008. 12. 24. 선고 2006다7426판결

『......OO건영(위탁자)은 이 사건 대리사무계약에 기하여 피고에 대하여 그 관리자금 중 금융기관의 차입원리금, OO에 대한 공사비, 제세공과금, 차입원리금 및 수분양자에 대한 중도금대출이자 대납금액 등을 모두 공제한 나머지 일반관리비와 사업수익금에 대하여만 그 지급을 청구할 권리가 있고, 이 사건 채권압류 및 추심명령도 그러한 권리에 대하여만 효력이 미친다고 봄이 상당하다......』

04 사해신탁

1. 사해행위는, 기본적으로 일반채권자의 공동담보가 되는 책임재산을 감소시켜서 채무초과상태를 야기 또는 심화하는 행위입니다. 대법원은, 담보신탁계약상의 수익권도 위탁자의 책임재산으로 보고 있으며, 신탁 해지 및 신탁부동산 위탁자 귀속 후 제3자 처분의 일련의 과정을 통해 위탁자의 수익권이 소멸된 경우에도 일련의 과정을 통해 전체 책임재산이 감소되고 채무초과상태가 야기·심화된 경우에는 사해신탁이 될 수 있다고 판단하고 있습니다.

판례 담보신탁 수익권 소멸 행위와 사해신탁 해당 여부

• 대법원 2016. 11. 25. 선고 2016다20732 판결

『위탁자가 금전채권을 담보하기 위하여..... 담보신탁을 해 둔 경우, 그 신탁부동산에 대하여 위탁자가 가지고 있는 <u>담보신탁계약상의 수익권은 위탁자의 일반채권자들에게 공동담보로 제공되는 책임재산에 해당한다</u>(대법원 2013. 12. 12. 선고 2012다111401 판결 참조).

위탁자가 위와 같이 담보신탁된 부동산을 당초 예정된 신탁계약의 종료사유가 발생하기 전에 우선수익자 및 수탁자의 동의를 받아 제3자에게 처분하는 등으로 <u>담보신탁계약상의 수익권을 소멸하게 하고, 그로써 위탁자의 소극재산이 적극재산을 초과하게 되거나 채무초과상태가 더 나빠지게 되었다면 이러한 위탁자의 처분행위는 위탁자의 일반채권자들을 해하는 행위로서 사해행위에 해당한다.</u> 그 경우 사해행위취소에 따른 원상회복의 방법으로 제3자 앞으로 마쳐진 소유권이전등기를 단순히 말소하게 되면 당초 일반채권자들의 공동담보로 되어 있지 아니한 부분까지 회복시키는 것이 되어 공평에 반하는 결과가 된다. 이때는 그 부동산에 대하여 위탁자가 가지고 있던 담보신탁계약상 수익권의 평가금액 한도 내에서 위탁자의 법률행위를 취소하고 그 가액의 배상을 명하여야 한다.222)』

2. 사해신탁취소 소송이 진행 중인 상황에서, 신탁을 해지하고 신탁종료를 원인으로 신탁재산을 위탁자에게 귀속시키는 것이 가능할까요. 대법원은 이를 긍정하고 있습니다. 사해신탁취소소송은, 위탁자의 책임재산으로부터 일탈한 재산을 다시 원상으로 회복시키라는 소송입니다. 그런데 신탁재산이 신탁종료를 원인으로 위탁자에게 귀속되었다면, 더 이상 사해신탁취소소송을 유지할 소의 이익이 없다는 판단입니다.

판례 사해신탁 원인 가처분 후, 위탁자 앞 소유권 귀속이 가능한지

• 대법원 2008. 3. 27.선고 2007다85157판결

『사해행위의 취소 및 원상회복을 구하는 소송을 제기하여 그 소송계속 중 위 사해행위가 해제 또는 해지되고 채권자가 그 사해행위의 취소에 의해 복귀를 구하는 재산이 벌써 채무자에게 복귀된 경우에는, 특별한 사정이 없는 한, 그 채권자취소소송은 이미 그 목적이 실현되어 더 이상 그 소에 의해 확보할 권리보호의 이익이 없어지는 것이고.....
이 사건 소송이 진행중이던 2006. 5. 15.에 위 신탁계약이 해지되고, 이에 따라 피고는 이 사건 토지에 관하여 OO건축에게 2006. 5. 16.자로 위 신탁등

---

222) 위 사안과 달리, 위탁자가 가지는 신탁재산에 대한 소유권이전등기청구권이 적극재산으로서 가치가 없는 것으로 인정되는 경우도 있습니다

판례 위탁자의 신탁재산에 관한 소유권이전등기청구권이 위탁자의 적극재산으로 인정받는지 여부

• 대법원 2021. 6. 10. 선고 2017다254891

신탁계약상 신탁부동산을 처분하는 데 수익권자의 동의를 받도록 정해진 경우에는 그 처분에 관하여 수익권자의 동의를 받거나 받을 수 있다는 등의 특별한 사정이 없는 한 위탁자가 신탁을 종료시키고 위탁자 앞으로 신탁부동산에 관한 소유권이전등기를 마치는 것은 허용되지 않는다. 이러한 경우에는 위탁자의 신탁부동산에 관한 소유권이전등기청구권은 실질적으로 재산적 가치가 없어 채권의 공동담보로서의 역할을 할 수 없으므로 그 소유권이전등기청구권을 위탁자의 적극재산에 포함시킬 수 없다.

기를 말소함과 동시에 신탁재산 귀속을 원인으로 한 소유권이전등기를 경료해줌으로써 위 신탁계약에 의해 이전받았던 부동산의 소유권을 복귀시켜준 사실을 알 수 있는바.....원고가 이 사건 소에 의해 실현하고자 한 목적은 이 사건 부동산이 OO건축에게 복귀됨으로써 이미 달성되었기에 더 이상 권리보호의 이익이 없어졌다고 할 것이고, OO건축이 그 후 다른 법률행위에 의해 이 사건 부동산을 다시 양도하였다 하더라도 이 사건 사해행위의 취소에 의해 그 원상회복을 구할 수는 없다 할 것이다.』 223)

3. 사해행위는 기본적으로 일반채권자들의 공동담보가 되는 책임재산을 감소시키는 행위입니다. 그런데 토지신탁사업의 경우, 위탁자는 신탁사업을 통해 개발이익의 향수, 즉, 신탁 전 책임재산(신탁 부동산) 가액 대비 신탁 이후 책임재산(신탁수익) 가액의 증액을 목적으로 한다는 점에서, 그러한 신탁행위는 사해의사 자체가 인정되기 어렵다고 할 것입니다.

판례 토지신탁의 사해신탁 여부 판단

• 대법원 2011.05.23. 자 2009마1176 결정

『......자금난으로 사업을 계속 추진하기 어려운 상황에 처한 채무자가 자금을 융통하여 사업을 계속 추진하는 것이 채무변제력을 갖게 되는 최선의 방법이라고 생각하고 자금을 융통하기 위한 방편으로 신탁계약의 체결에 이르게 된 경우 이를 사해행위라고 보기 어려울 뿐만 아니라...... 자익신탁의 경우 신탁재산은 위탁자의 책임재산에서 제외되지만 다른 한편으로 위탁자는 신탁계약에 따른 수익권을 갖게 되어 위탁자의 채권자가 이에 대하여 강제집행을 할 수 있고, 이러한 수익권은 채무자가 유일한 재산인 부동산을 매각하여 소비하

---

223) 위 대법원 판례에도 불구하고, 사해신탁 소송 중 신탁해지 및 위탁자 앞 소유권 귀속처리는 쉽게 결정할 사항이 아닙니다. 위탁자가 신탁을 해지하자마자 다른 곳에 처분할 의도가 명백한 경우라면, 수탁자가 이를 알고도 신탁해지에 동의하는 것은 경우에 따라 제3자의 채권을 침해하는 불법행위로 인정될 소지가 있을 것으로 생각됩니다.

기 쉬운 금전으로 바꾸는 등의 행위와 달리 일반채권자들의 강제집행을 피해 은밀한 방법으로 처분되기 어려우며, 특히 수탁자가 「자본시장과 금융투자업에 관한 법률」에 따라 인가받아 신탁을 영업으로 하는 신탁업자인 경우 공신력 있는 신탁사무의 처리를 기대할 수 있으므로, 위탁자가 사업의 계속을 위하여 자익신탁을 설정한 것이 사해행위에 해당하는지 여부를 판단할 때는 단순히 신탁재산이 위탁자의 책임재산에서 이탈하여 외견상 무자력에 이르게 된다는 측면에만 주목할 것이 아니라, 신탁의 동기와 신탁계약의 내용, 이에 따른 위탁자의 지위, 신탁의 상대방 등을 두루 살펴 신탁의 설정으로 위탁자의 책임재산이나 변제능력에 실질적인 감소가 초래되었는지, 이에 따라 위탁자의 채무면탈이 가능해지거나 수탁자 등 제3자에게 부당한 이익이 귀속되는지, 채권자들의 실효적 강제집행이나 그밖의 채권 만족의 가능성에 새로운 장애가 생겨났는지 여부를 신중히 검토하여 판단하여야 한다.』

※ 대법원 2003.12.12. 선고 2001다57884 판결도 같은 취지

4. 담보신탁이 사해신탁으로 취소되는 경우는 많이 발생하고 있습니다. 자력이 부족한 상태의 채무자가 자신의 유일한 부동산을 담보신탁한다면, 우선수익자는 신탁수익으로부터 사실상 우선 변제를 받을 수 있는 반면, 나머지 기존의 일반채권자는 그만큼 집행가능한 책임재산이 감소하기 때문에 사해신탁으로 인정될 수 있는 것입니다.

사해신탁이 인정되는 경우, 수탁자는 신탁취소에 따라 신탁재산을 위탁자에게 이전하는 것이 일반적입니다. 그런데 간혹 신탁 전 설정된 근저당권을 대체하기 위하여 해당 근저당권을 말소하고 담보신탁을 하는 경우가 있습니다. 이 경우에는 사해행위 법리상 가액배상이 인정될 수 있다는 점에 주의할 필요가 있습니다.

판례 준공후 담보신탁이 사해신탁으로 인정된 사례

• 대법원 2014. 1. 23. 선고 2013다72169 판결

『OO랜드가 피고와 이 사건 신탁계약을 체결한 시점은 이 사건 상가의 신축

공사를 완료하여 ○○랜드 명의로 소유권보존등기와 이전등기를 마친 이후로서, 공사 진행 중인 부동산에 관하여 신탁계약을 체결하는 것과는 달리, 이미 이 사건 상가에 관한 잠재적 수익이 실현된 상태인 점, 따라서 이 사건 신탁계약에 의하여 일반채권자들에 대한 책임재산이 증가하거나 ○○랜드의 채무변제력이 회복된다고 보기 어려운 점, 이 사건 상가는 원고를 비롯한 일반채권자들의 공동담보에 공하여지는 책임재산인데, 그것이 신탁됨으로써 일반채권자들은 이 사건 신탁계약에 의하여 우선수익자로 지정되지 않는 한 이 사건 상가에 대한 강제집행을 통하여 그들의 채권을 회수할 수 없게 되는 반면, 피고가 이 사건 신탁계약에 따라 이 사건 상가를 처분하는 경우 그 처분대금 중 신탁비용 및 우선수익자의 채권 등에 충당하고 남은 나머지 대금은 위탁자인 ○○랜드가 정산받아 사용할 수 있게 되어 실질적으로 일반채권자들의 책임재산을 감소시키는 결과를 초래하는 점.....이 사건 신탁계약은.....원고 등 일반채권자들에 대한 사해행위에 해당한다.』

『.....사해행위 후 변제 등에 의하여 근저당권설정등기가 말소된 경우 그 부동산의 가액에서 근저당권의 피담보채무액을 공제한 잔액의 한도에서 사해행위를 취소하고 그 가액의 배상을 구할 수 있을 뿐이고, 이러한 법리는 그 부동산이 담보신탁을 목적으로 이전된 경우에도 마찬가지라고 보아야 할 것이며,....이 사건 신탁계약이 사해행위에 해당하더라도, 이 사건 부동산 전부에 관하여 이 사건 신탁계약을 취소하고 이 사건 부동산 자체의 반환을 명할 수는 없고, 이 사건 부동산의 가액에서 위 근저당권의 피담보채무액 중 이 사건 부동산이 부담하는 부분을 공제한 잔액의 한도에서 이 사건 신탁계약을 취소하고 피고에 대하여 그 가액의 배상을 명하여야 할 것이다.』

※ 기타 사해신탁 관련 중요 판례
대법원 2012.10.11.자 2010마2066 결정, 대법원 2009.11.12. 선고 2009다53437 판결 [224]

---

224) 토지에 대한 1차 신탁 이후 준공건물에 대한 2차 담보신탁이 있었던 사안에서, 양 계약상 연속성과 밀접관련성을 부정하고, 2차 신탁계약만을 기준으로 사해행위 여부를 판단하여야 하는지 여부에 대하여, 각각 상반된 판시를 하고 있음

05   담보신탁 공매시 분양대금반환금 정산 순서

담보신탁 부동산 공매 후 환가대금 정산시 우선수익자는 위탁자에 대한 일반채권자에 우선하여 정산금을 교부받아 피담보채권 변제에 충당하는 것이 원칙입니다. 그런데 담보신탁을 이용한 개발 및 분양사업에서, 분양계약 해제분을 공매하는 경우에도 우선수익자의 피담보채권이 수분양자의 분양대금반환청구권보다 우선하는 것일까요. 아래 대법원 판결은 이를 부정하고 있습니다.

판례   분양대금반환채권은 우선수익자 채권에 우선

• 대법원 2009. 7. 9. 선고 2008다19034판결 [225]

『원심은 <u>미분양건물을 처분하여 정산하는 경우와 달리 이미 분양된 건물 부분을 처분하여 정산하는 경우에 있어서 수분양자에 대하여 부담하는 분양대금 반환채무는 이 사건 부동산담보신탁계약 제21조 제1항에서 정한 1순위로 정산하여야 하는 채무 또는 그보다 앞선 순위로 정산하여야 할 채무에 해당하는 것으로 보아야 한다</u>고 전제한 다음, 피고가 위탁자인 소외 1주식회사의 요청을 받아 이미 분양된 건물 부분인 102호를 매각한 대금으로 먼저 수분양자에 대한 분양대금과 상계하거나 공탁한 행위는 위 신탁계약 제21조의 정산 의무를 위반하여 원고의 우선수익권을 침해한 것이라고 볼 수 없다고 판단……위와 같은 원심의 판단은 정당한 것』

---

225) 위 대법원 판결 이후 이에 반하는 듯한 하급심 판결(서울중앙지방법원 2010가합 58778판결)도 나온 바 있습니다. 이 때문에 법원의 입장은, 이미 분양된 건물 부분을 환가하여 정산하는 경우에는 수분양자의 분양대금반환채권에 의해 우선수익권 행사가 제한되나 분양된 건물이지만 수분양자의 분양계약 해제의 의사표시에 의해 분양계약이 해제된 이후에는 건물을 환가하여 정산하더라도 우선수익권 행사가 제한없이 가능하다고 보고 있다는 주장이 있습니다(법무법인 지평 건설부동산 뉴스레터 2015년7월호 참조). 사견으로는 담보신탁을 이용한 개발 및 분양사업에서, 분양대금이 사업비 또는 기존 우선수익자 채권 변제 충당에 사용되었다면, 해

해설　분양대금반환청구권과 우선수익채권의 우열

토지신탁을 이용한 개발 및 분양사업의 경우, 수탁자가 사업주체이자 공급자로서 분양계약을 체결하는바, 분양계약 해제에 따른 분양대금 반환금은 신탁사무처리비용으로서 수익채권에 우선하는 것이 명백합니다.

그런데 담보신탁을 이용한 개발 및 분양사업의 경우, 위탁자가 공급자로서 분양계약을 체결하므로 분양대금 반환청구권은 위탁자에 대한 채권에 불과합니다. 만일, 분양계약 해제분에 대한 공매가 진행되는 경우 신탁계약상 처분대금 정산조항에서 달리 정한 바가 없다면,[226] 우선수익자의 채권이 수분양자의 분양대금반환청구권에 우선한다고 보는 것이 신탁법리에 충실한 해석일 수 있습니다. 그러나 이러한 해석은 구체적인 형평성을 침해하는 결과를 야기합니다.

위 대법원 판결의 원심 판결(서울고등법원 2008. 1. 25.선고, 2005나69542판결)에서 적시하고 있듯이 "우선수익자로서는 수분양자가 이미 납부한 분양대금으로 건축공사를 함으로써 신탁건물의 담보가치가 분양대금만큼 증가되거나, 우선수익자로서 대출금의 이자 등 채권을 일부 변제받았음에도 또 다시 수분양자에게 분양대금을 반환하지 아니한 채 수분양된 물건의 매각대금에 관하여 우선권을 행사함으로써 수분양자의 희생 하에 이중의 만족을 얻게 되는 불합리한 결과"를 야기할 수 있는 것입니다.

사견으로도 담보신탁을 이용한 개발 및 분양사업에서, 분양대금이 사업비 또는 우선수익자의 채권 변제에 사용되었다면, 이후 분양계약 해제분에 대한 환가대금 정산의 경우 수분양자의 분양대금반환청구권은 우선수익자 채권보다 우선하는 것이 적절한 것으로 보입니다.

당 신탁부동산 환가대금 정산시에는 분양계약의 해제원인이나 해제시기를 구분할 필요없이, 수분양자의 분양대금반환청구권을 최우선적으로 정산해주는 것이 타당한 것으로 생각됩니다.

226) 건축물의 분양에 관한 법률의 경우, 분양관리신탁계약서에 "신탁을 정산할 때에 분양받은 자가 납부한 분양대금을 다른 채권 및 수익자의 권리보다 우선하여 정산하여야 한다는 사항"을 포함하도록 하고 있습니다(위 법 시행령 제3조 제1항 참조). 토지 개발 및 분양 목적의 담보신탁계약이라면, 신탁부동산 환가대금 정산순서에서는 위 법 규정을 차용하여 수분양자를 우선적으로 보호하는 것이 타당하다고 생각됩니다.

종래 대법원은, 구분소유권은 최소한 집합건축물대장 등록이라는 확정적인 구분행위가 있어야 성립한다고 보았습니다. 그러나 2013년 대법원은 판례를 변경하여, 건축허가신청이나 분양계약 등만으로도 구분행위가 인정된다고 판시하였습니다. 따라서 미준공건물의 경우에도 허가 내용에 따른 건물 외형을 갖추고, 구분된 건물부분이 구조상·이용상 독립성을 갖고 있다면, 분양계약 등의 구분행위만으로 구분소유권은 성립될 수 있고, 이후에는 집합건물법상 대지사용권의 분리처분금지원칙에 따라 대지만의 처분(신탁 포함)은 허용되지 않습니다.

판례 구분행위가 있다면 건축물대장 등록 전 구분소유의 성립가능

• 대법원 2013.01.17. 선고 2010다71578 전원합의체 판결

[1] 『1동의 건물에 대하여 구분소유가 성립하기 위해서는 객관적·물리적인 측면에서 1동의 건물이 존재하고, 구분된 건물부분이 구조상·이용상 독립성을 갖추어야 할 뿐 아니라, 1동의 건물 중 물리적으로 구획된 건물부분을 각각 구분소유권의 객체로 하려는 구분행위가 있어야 한다..... 건축허가신청이나 분양계약 등을 통하여 장래 신축되는 건물을 구분건물로 하겠다는 구분의사가 객관적으로 표시되면 구분행위의 존재를 인정할 수 있고, 이후 1동의 건물 및 그 구분행위에 상응하는 구분건물이 객관적·물리적으로 완성되면 아직 그 건물이 집합건축물대장에 등록되거나 구분건물로서 등기부에 등기되지 않았더라도 그 시점에서 구분소유가 성립한다.』

[2] 『갑이 아파트를 신축하면서.... 분양계약을 체결한 후 토지에 관하여 을 주식회사와 부동산담보신탁계약을 체결..... 신탁등기를 마친 당시 아파트 각 층의 기둥, 주벽 및 천장 슬래브 공사가 이루어져 건물 내부의 각 전유부분이 구조상·이용상의 독립성을 갖추었고, 그보다 앞서 갑이 구분건물 각각에 대하여 분양계약을 체결함으로써 구분의사를 외부에 표시하였으므로 구분행위의 존재도 인정된다고 보아, 아파트의 전유부분에 관하여 이미 구분소유권이 성립한 이상 부동산담보신탁계약은 집합건물의 소유 및 관리에 관한 법률 제20조에 위배되어 무효이므로 신탁등기는 말소되어야......』

07 　신탁재산과 조세채권 관련 강제집행

신탁재산은 위탁자와 수탁자의 재산으로부터 독립된 재산입니다. 따라서 위탁자에 대한 채권자나 수탁자의 고유재산에 대한 채권자는 신탁재산으로부터 자기채권의 만족을 구할 수 없습니다. 결국, 신탁재산에 대한 강제집행은, 수탁자를 채무자로 하는 수익채권과 신탁사무처리상 발생한 신탁채권만 가능한 것이며, 위탁자가 납세채무자인 조세채권에 기하여 신탁재산에 강제집행을 할 수는 없습니다.

판례　위탁자 조세채권에 기한 신탁재산 강제집행

• 대법원 2012.07.12. 선고 2010다67593 판결

[1] 『신탁법에 의한 신탁재산은 대내외적으로 소유권이 수탁자에게 완전히 귀속되고 위탁자와의 내부관계에서 그 소유권이 위탁자에게 유보되어 있는 것이 아닌 점……등을 종합적으로 고려하면, 신탁법 제21조 제1항 단서에서 예외적으로 신탁재산에 대하여 강제집행 또는 경매를 할 수 있다고 규정한 '신탁사무의 처리상 발생한 권리'에는 수탁자를 채무자로 하는 것만이 포함되며, 위탁자를 채무자로 하는 것은 여기에 포함되지 아니한다.』

[2] 『위탁자인 갑 회사가……재산세를 체납하자227) 지방자치단체가 위 부동산에 대한 경매절차에서 재산세와 가산금을 당해세로 교부청구하여 우선배당받은 사안에서, 위탁자에 대한 조세채권에 기하여는 수탁자 소유의 신탁재산을 압류하거나 그 신탁재산에 대한 집행법원의 경매절차에서 배당을 받을 수 없는데도, 이와 달리 위탁자인 갑 회사에 대한 재산세 및 가산금 채권이 신탁법 제21조 제1항 단서의 '신탁사무의 처리상 발생한 권리'에 해당하여 수탁자인 을 회사 소유의 신탁재산에 대한 경매절차에서 배당받을 수 있다고 본 원심판결에 법리오해의 위법이 있다고 한 사례.』

※ 관련 판례 : 대법원 2011두11006판결, 대법원 2011두14975판결, 대법원 2010두4612판결 등도 같은 취지임

---

227) 위 판결 당시 지방세법상 재산세 납세의무자는 위탁자였습니다.

• 헌법재판소 2016.02.25 선고 2015헌바127

『신탁법상 신탁은 단순히 소유권의 명의만 이전된 것이 아니라 수탁자에게 신탁재산에 대한 관리처분의 권한과 의무가 적극적, 배타적으로 부여되어 있다는 점에서 명의신탁과 구별된다. 이처럼 수탁자가 대내외적 소유권을 취득함으로써 신탁법상 신탁재산은 위탁자의 책임재산으로부터 분리되고, 신탁목적 달성을 위하여 수탁자의 고유재산으로부터도 독립성을 가지게 되므로, 위탁자의 채권자나 수탁자의 채권자는 신탁재산에 대하여 원칙적으로 강제집행이나 체납처분 등을 할 수 없으며, 예외적으로 신탁 전의 원인으로 발생한 권리 또는 신탁사무의 처리상 발생한 권리에 기한 경우에만 강제집행 등을 할 수 있다(신탁법 제22조 제1항). 그런데 이 사건에서 문제가 되고 있는 신탁재산에 대한 재산세는 신탁재산에 대하여 체납처분이 가능한 권리인 위 "신탁사무의 처리상 발생한 권리"에 해당하는바, 신탁법 제2조의 취지에 의하면 신탁법에 의한 신탁재산은 대내외적으로 소유권이 수탁자에게 완전히 귀속되고 위탁자와 내부관계에서 그 소유권이 위탁자에게 유보되어 있는 것이 아닌 점, 신탁법 제22조 제1항은 신탁의 목적을 원활하게 달성하기 위하여 신탁재산의 독립성을 보장하는 데 입법취지가 있는 점 등을 종합적으로 고려하면, 위 "신탁사무의 처리상 발생한 권리"에는 수탁자를 채무자로 하는 것만이 포함되며, 위탁자를 채무자로 하는 것은 포함되지 않는다고 보아야 하므로(대법원 2012. 4. 12. 선고 2010두4612 판결), 위탁자에 대한 조세채권으로는 신탁재산에 대하여 체납처분을 할 수 없다.』

08

신탁원부의 대항력

구 신탁법 제3조와 현행 신탁법 제4조는 신탁재산에 대하여 등기·등록 등 공시방법을 갖출 경우 제3자에게 대항할 수 있음을 규정하고 있습니다. 신탁 등기의 일부인 신탁원부에는 신탁계약서 전문이 첨부되고 있는바, 그렇다면 신탁계약서상 모든 내용이 제3자에 대하여 대항력을 가질 수 있는 것일까요. 신탁재산에 대한 임대차에 대하여 수탁자가 임대보증금 반환의무를 부담하지 않는다고 정한 신탁계약서가 신탁원부에 등재된 사안에서, 대법원은 해당 신탁계약의 내용을 제3자에게 대항할 수 있다고 판단하고 있습니다.

판례 신탁 공시에 따른 대항력의 범위

• 대법원 2022. 2. 17. 선고 2019다300095판결

『신탁계약에서 수탁자의 사전 승낙 아래 위탁자 명의로 신탁부동산을 임대하도록 약정하였으므로 임대차보증금 반환채무는 위탁자에게 있고, 이러한 약정이 신탁원부에 기재되어 임차인에게도 대항할 수 있으므로, 임차인인 병은 임대인인 갑 회사를 상대로 임대차보증금의 반환을 구할 수 있을 뿐 수탁자인 을 회사를 상대로 임대차보증금의 반환을 구할 수 없고, 을 회사가 임대차보증금 반환의무를 부담하는 임대인의 지위에 있지 아니한 이상 그로부터 오피스텔의 소유권을 취득한 정이 주택임대차보호법 제3조 제4항에 따라 임대인의 지위를 승계하여 임대차보증금 반환의무를 부담한다고 볼 수도 없다.』

해 설 ___ 신탁원부의 대항력 인정 범위에 대하여

• 신탁법 제4조는 신탁재산에 대한 공시를 대항요건으로 정하고 있습니다.228) 한편, 부동산등기법상 신탁원부는 등기의 일부로 간주되고, 실무상

신탁원부상 '신탁조항' 기재에 갈음하여 신탁계약서 전문을 신탁원부의 별지로 첨부하고 있습니다. 이 경우 신탁원부에 등재된 신탁계약상 권리관계는 모두 제3자에 대한 대항력을 갖을 수 있는 것인지 문제가 될 수 있습니다.

위 대법원 판결은 신탁원부상 임대차보증금 반환채무의 귀속 주체가 기재되어 있다면, 이를 임차인에게도 대항할 수 있다는 취지로서, 신탁등기의 대항력을 상당히 넓게 인정하고 있습니다(대법원 2002다12512판결, 대법원 2001다58054판결도 같은 취지임). 그러나 이러한 대법원의 판결들에 대하여는 신탁원부의 공시적 기능이 취약하다는 점(수탁자와 거래하는 거래상대방이 거래시마다 신탁원부를 상세히 확인하고 거래한다는 것을 사실상 기대하기 어렵고(공시적 기능의 취약성), 신탁원부에 지나치게 광범위한 공시력과 대항력을 부여하여 그에 의한 채무면책을 허용하는 것은 부당하다는 비판의 목소리도 존재합니다.

한편, 본건 판례 사안의 임대차는 2011. 7. 25. 법률 제10924호로 신탁법이 전면 개정되기 전인 2007년경에 체결되었습니다. 구 신탁법 제3조는 "……그 등기 또는 등록을 함으로써 제3자에게 대항할 수 있다"고 규정했으나, 현행 신탁법 제4조 제1항은 "……신탁의 등기 또는 등록을 함으로써 그 재산이 신탁재산에 속한 것임을 제3자에게 대항할 수 있다"라고 정하고 있습니다. 사견으로는 개정 신탁법 제4조의 문언해석상 신탁 공시에 따른 대항력의 범위는 신탁재산의 편입과 귀속에 한정되는 것이고 기타 신탁재산 관련 권리의무까지 확장할 것은 아닌 것으로 생각됩니다. 다만, 개정 신탁법에 따라 신탁원부의 대항력을 달리 판단하는 판결은 아직 나오지 않고 있습니다.

---

228) 대법원은 부동산 신탁의 경우, 수탁자 앞 소유권이전등기를 신탁재산의 편입요건으로 보고 있는바(대법원 2019.10.31.선고 2016두50846판결 참조), 수탁자 앞 소유권이전등기 및 신탁등기는 신탁재산에 대한 대항요건이자 신탁재산으로의 편입요건이라고 할 것입니다.

09

신탁부동산에 대한 관리비 납부의무 귀속 주체

신탁원부의 대항력과 관련하여 실무상 자주 등장하는 문제 중 하나는, 신탁원부상 위탁자가 신탁재산인 집합건물에 대한 관리비를 부담하는 것으로 정했을 경우, 이로써 해당 집합건물 관리단 등에 대항할 수 있는지 여부입니다. 대법원 판례는 전반적으로 이를 긍정하고 있습니다.

판례 신탁원부상 관리비 부담주체를 정한 경우 그 대항력 1

• 대법원 2012.5.9.선고 2012다13590판결

『신탁법 제3조는 "등기 또는 등록하여야 할 재산권에 관하여는 신탁은 그 등기 또는 등록을 함으로써 제3자에게 대항할 수 있다."고 규정하고, 구 부동산등기법 제123조, 제124조는 신탁의 등기를 신청하는 경우에는 ① 위탁자, 수탁자 및 수익자 등의 성명, 주소 ② 신탁의 목적 ③ 신탁재산의 관리방법 ④ 신탁종료사유 ⑤ 기타 신탁의 조항을 기재한 서면을 그 신청서에 첨부하도록 하고 있고 그 서면을 신탁원부로 보며 다시 신탁원부를 등기부의 일부로 보고 그 기재를 등기로 본다고 규정하고 있다. 따라서 <u>위의 규정에 따라 등기의 일부로 인정되는 신탁원부에 신탁부동산에 대한 관리비 납부의무를 위탁자가 부담한다는 내용이 기재되어 있다면 수탁자는 이로써 제3자에게 대항할 수 있다.</u>』229)

---

229) 구 신탁법 제3조를 근거로 하여, 공동주택 관리비 납부의무 귀속주체를 위탁자로 정하고 그 내용이 신탁원부에 등재되었다면, 관리단 등 제3자에게도 이를 대항할 수 있다는 취지의 판결입니다. 그런데 앞에서 살펴보았듯이, 현행 신탁법 제4조 제1항은 문언상으로는 신탁 공시에 따른 대항력의 범위를 신탁재산의 편입과 귀속에 한정한 것으로 생각됩니다. 현행 신탁법 시행 이후에는 위 판결이 변경될 소지가 있을까요.

현행 신탁법 시행 이후 수탁자의 관리비 납부의무가 문제된 사안에서, 서울고등법원은 위 대법원 판결과 동일하게 판단하였고(서울고등법원 2014나14940판결), 해당 판결에 대한 상고는 심리불속행 기각으로 확정된 바 있습니다(대법원 2014다82880

• 대법원 2018. 9. 28. 선고 2017다273984 판결

『집합건물의 소유 및 관리에 관한 법률 제18조의 입법 취지와 공용부분 관리비의 승계 및 신탁의 법리 등에 비추어 보면, 위탁자의 구분소유권에 관하여 신탁을 원인으로 수탁자 앞으로 소유권이전등기가 마쳐졌다가 신탁계약에 따른 신탁재산의 처분으로 제3취득자 앞으로 소유권이전등기가 마쳐지고 신탁등기는 말소됨으로써, 위탁자의 구분소유권이 수탁자, 제3취득자 앞으로 순차로 이전된 경우, 각 구분소유권의 특별승계인들인 수탁자와 제3취득자는 특별한 사정이 없는 한 각 종전 구분소유권자들의 공용부분 체납관리비채무를 중첩적으로 인수...... 또한 등기의 일부로 인정되는 신탁원부에 신탁부동산에 대한 관리비 납부의무를 위탁자가 부담한다는 내용이 기재되어 있더라도, 제3취득자는 이와 상관없이 종전 구분소유권자들의 소유기간 동안 발생한 공용부분 체납관리비채무를 인수한다고 보아야 한다.』 230)

사건 참조). 그러나 향후에는 신탁법 제4조에 따라 구법과 달리 신탁 공시에 따른 대항력 인정범위가 축소된다는 해석과 판례들이 등장할 가능성이 있다는 점에 주의하기 바랍니다.

230) 위 사안의 경우, 원심인 고등법원에서는, 위탁자가 관리비를 부담한다는 내용의 신탁계약서가 신탁원부에 포함되어 등기부에 등재되었으므로 수탁자는 관리비납부의무를 면하였고 수탁자로부터 신탁부동산을 매수한 제3취득자인 원고도 관리비납부의무를 부담하지 않는다고 판시하였으나, 대법원에서는 별다른 이유 설시 없이 신탁 공시의 대항력 인정 여부와 상관없이 제3취득자는 공용부분 체납관리비 채무를 인수한다고 판단하였습니다. 판결 이유상 명확치는 않으나, 제3취득자가 신탁사의 면책항변을 원용할 수 없다는 취지로 보이며, 신탁사도 신탁공시에 따른 효과로서 관리비 납부의무에 대한 면책 주장을 하지 못한다는 취지는 아닌 것으로 생각됩니다.

토지의 지목을 사실상 변경함으로써 그 가액이 증가한 경우에는 이를 취득으로 간주합니다(지방세법 제7조 제4항). 또한, 지목이 대지가 아닌 토지 위에 건물을 신축하는 경우 공부상 변경이 없더라도 건물의 준공시점에 토지의 지목은 사실상 대지로 변경된 것으로 봅니다. 따라서 대지가 아닌 토지를 담보신탁하고 그 토지 상에 건물을 신축하는 경우, 건물의 준공 시점에 토지의 지목은 대지로 사실상 변경되고, 그 당시 토지 소유자인 수탁자에게 취득세 납세의무가 있다는 점에 주의하기 바랍니다.

판례　신탁재산 간주취득세 납세의무자는 수탁자

• 대법원 2012.06.14. 선고 2010두2395 판결

『토지의 경우, 구 지방세법(2005. 12. 31. 법률 제7843호로 개정되기 전의 것, 이하 '법'이라 한다) 제105조 제1항, 제2항, 제5항에 의하여 취득세 과세대상이 되는 것은 토지의 소유권을 취득하거나 '소유하고 있는' 토지의 지목이 사실상 변경되어 가액이 증가한 경우인데, 신탁법상 신탁은 위탁자가 수탁자에게 특정의 재산권을 이전하거나 기타의 처분을 하여 수탁자로 하여금 신탁 목적을 위해 재산권을 관리·처분하게 하는 것이므로, 부동산 신탁에 있어 수탁자 앞으로 소유권이전등기를 마치게 되면 소유권이 수탁자에게 이전되는 것이지 위탁자와의 내부관계에 있어 소유권이 위탁자에게 유보되는 것은 아닌 점, 신탁법 제19조는 "신탁재산의 관리·처분·멸실·훼손 기타의 사유로 수탁자가 얻은 재산은 신탁재산에 속한다."고 규정하고 있는데, 위 규정에 의하여 신탁재산에 속하게 되는 부동산 등 취득에 대한 취득세 납세의무자도 원칙적으로 수탁자인 점 등에 비추어 보면, 신탁법에 의한 신탁으로 수탁자에게 소유권이 이전된 토지에 대하여 법 제105조 제5항이 규정한 지목의 변경으로 인한 취득세 납세의무자는 수탁자로 봄이 타당하고, 위탁자가 토지의 지목을 사실상 변경하였다고 하여 달리 볼 것은 아니다.』

11 신탁계정대여금 관련 판결

차입형 토지신탁의 경우 신탁사가 사업비 조달에 대한 책임을 부담합니다. 신탁사는 고유계정에서 신탁계정에 자금을 대여하고 이를 재원으로 신탁사무처리비용을 지출하였습니다. 이에 대하여 대법원은 신탁계정 대여가 개정 전 신탁법 제31조 제1항에 위반되어 무효라고 판단하였습니다. 다만, 자본시장법 시행 이후에는 부동산 신탁의 경우 고유계정에서 신탁계정으로의 자금대여에 대한 법률적 근거가 마련되었습니다(자본시장법 제105조 제2항 참조)

판례 고유계정과 신탁계정간 소비대차거래는 무효

• 대법원 2009.01.30. 선고 2006다62461 판결

『신탁법 제31조 제1항 본문에 의하면, 특별한 사정이 없는 한 누구의 명의로 하든지 신탁재산을 고유재산으로 하거나 이에 관하여 권리를 취득하지 못할 뿐만 아니라 고유재산을 신탁재산이 취득하도록 하는 것도 허용되지 아니하고, 위 규정을 위반하여 이루어진 거래는 무효이다.』

판례 신탁계정대여금 채권에 기초한 이자상당의 비용상환청구 가능 여부

• 대법원 2011.06.10. 선고 2011다18482 판결

『신탁회사가 자기자금과 외부차입금을 고유계정에 혼입하여 보관하던 중 자기자금으로 신탁계정에 대여한 사안에서, 신탁회사가 자기자금으로 신탁계정에 대여한 거래는 신탁법 제31조 제1항을 위반하여 무효이므로, 무효인 대여금채권을 근거로 외부 차입 시 발생하는 이자 상당의 차입비용이 발생하였다고 보기는 어렵다.』

※ 대법원 2017. 7. 11. 선고 2017다8395 판결, 대법원 2020. 11. 5. 선고 2017다7156 판결 등도 같은 취지임

해 설   신탁계정대여의 효력을 부정한 판례에 대하여

대법원은 고유계정과 신탁계정 간 자금대여가 개정 전 신탁법 제31조 제1항[231]에 위반된다고 판단하였습니다. 그러나 고유계정과 신탁계정 간 자금대여는 위 조항에서 금지하고 있는 '신탁재산을 고유재산으로 하는 행위'(ex. 신탁부동산 매수 등)도 아니고, '신탁재산에 관한 권리 취득행위'(ex. 신탁부동산에 대한 근저당권 설정 등)라고 보기도 어렵습니다. 더욱이 위 조항은 수탁자와 수익자 간 이행상충을 방지하기 위한 조항입니다. 수익자의 이익을 위해서 신탁사무를 처리하기 위한 비용을 충당하기 위해, 신탁행위에서 정한 바에 따라 고유계정에서 대여한 것을, 위 조항을 근거로 무효라고 판단한 것은 납득하기 어렵습니다.

신탁사는 신탁계정 대여시 그에 대한 이자를 정함에 있어, 신탁사 기준 외부 차입비용에 소정의 가산금리를 더하여 산정하고 있었습니다. 대법원은, 신탁계정대여는 무효이므로 그 대여원리금을 주장할 수는 없으나 실제 신탁사가 신탁사무처리를 위하여 투입한 비용에 대한 비용상환청구는 가능하다고 판단하면서도 그 비용상환청구의 범위와 관련하여서는 신탁사가 신탁계정대여시 정한 가산금리에 따른 이자상당액은 제외하여야 한다고 판단하였습니다.

위 대법원 판결 이후, 과거 차입형 토지신탁사업의 위탁자 또는 그 채권자가 신탁사를 상대로 신탁계정대여금 중 가산금리에 따른 이자상당액의 반환을 청구하는 소송들을 제기하여 큰 혼란이 있었습니다.

자본시장법 시행 이후에는 부동산 신탁의 경우 고유계정에서 신탁계정으로의 자금대여에 대한 법률적 근거가 마련되었습니다(자본시장법 제105조 제2항 참조). 또한 개정 신탁법은 비용상환청구시 이자 가산이 가능함을 명확히 하였는바(신탁법 제46조 참조), 고유계정에서 신탁사무처리비용을 대지급하는 경우에도 미리 신탁행위로 정한 이자를 수취할 수 있다고 할 것입니다.

---

[231] **법령**　2011.7.25. 개정 전 신탁업법

제31조(수탁자의 권리취득의 제한)①수탁자는 누구의 명의로 하든지 신탁재산을 고유재산으로 하거나 이에 관하여 권리를 취득하지 못한다. 단, 수익자에게 이익이 되는 것이 명백하거나 기타 정당한 이유가 있는 경우에는 법원의 허가를 얻어 신탁재산을 고유재산으로 할 수 있다.

12 자금관리 사업장에서 수탁자의 감독책임 범위

판례 자금관리사무 수탁자가 분양광고에 대한 감독책임을 부담하는지

• 대법원 2014.01.29. 선고 2011다107627 판결

『이러한 사실관계에 비추어 보면, 자금관리 대리사무계약은 기본적으로 이 사건 분양사업과 관련하여 시행사인 OO개발이 자금관리사인 피고 OO신탁에 분양수입금의 수납, 관리 및 사업자금의 집행을 위임하는 위임계약으로서, 수분양자들로부터 수납한 분양대금이 OO개발에 의하여 자의적으로 인출되는 것을 방지하여 이 사건 분양사업이 원활하게 이루어지도록 하고, 대주단의 대출금채권을 안정적으로 확보하기 위한 것일 뿐이므로, 그로 인하여 피고 OO신탁이 그 위임사무인 자금관리업무과 무관한 분양홍보물이나 광고의 허위 여부에 관한 관리·감독의 주의의무를 부담하게 된다고는 볼 수 없다.

구체적으로 자금관리 대리사무계약 제11조 제6항을 보더라도, 이는 OO개발이 피고 OO신탁의 상호 및 로고를 사용함에 있어 피고 OO신탁의 사전 동의를 얻도록 함으로써 피고 OO신탁의 상호 및 로고가 OO개발에 의하여 함부로 사용되거나 자금관리사 아닌 다른 명칭으로 표기되는 것을 방지하기 위한 규정이지, 피고 OO신탁에 대하여 OO개발의 허위 분양광고를 방지할 주의의무를 부과하는 규정이라고 볼 수는 없다.

또한, …… 피고 OO신탁이 OO개발이 다른 계좌로 분양대금을 수납하는 것을 방지할 주의의무까지 부담하게 된다고 보기는 어려울 뿐만 아니라, 가사 OO신탁에 그러한 주의의무가 있고, 피고 OO신탁이 그 주의의무를 위반하여 OO개발이 원고들 이외의 다른 수분양자들에게 일부 점포를 분양하면서 분양대금 납부계좌란에 자기 명의의 계좌가 기재된 분양계약서를 사용하였다고 하더라도, 그로 인해 OO개발 등의 원고들에 대한 허위 분양광고를 통한 기망이 용이하게 되었다고 할 수 없으므로, 방조행위와 불법행위 사이에 상당인과관계가 있다고 할 수도 없다.』

분양수입금이 신탁재산인지, 수분양자가 분양대금
반환책임이 있는지

• 대법원 2014.11.27. 선고 2012다21621 판결(토투개발 사건)

『이 사건 오피스텔에 관한 분양수입금은 OO개발과 피고 사이에 체결된 자금관리 대리사무계약에 의하여 피고가 관리함으로써 대주들의 대출 원리금 회수가 보장되도록 하였을 뿐 신탁재산이 아니라 위탁자인 OO개발의 재산으로 봄이 타당하다. 나아가 이 사건 자금관리계약에 따른 피고의 자금관리 대리사무가 종료되어 정산이 실시되기 이전에 OO개발이 분양수입금계좌인 신탁관리계좌에 있는 자금을 인출하기 위해서는 대주의 사전 동의가 필요하다고 할 것이며, 이는 이 사건 매매계약의 해제로 인하여 매매대금을 원상회복하는 경우에도 마찬가지라고 할 것이다.

따라서 OO개발이 대주의 사전 동의를 받지 않은 이상, 이 사건 매매계약이 해제되고 OO개발 또는 OO개발을 대위한 원고들이 피고에게 그 매매대금의 지급을 요청하였다 하더라도 피고가 OO개발 또는 이를 대위한 원고들에게 곧바로 위 신탁관리계좌에 있는 매매대금 상당액을 반환하여야 하는 의무가 있다고 할 수 없다.』

※ 관련 판례 : 대법원2013다82388판결, 대법원2013다76284판결

판례   대리사무계약을 근거로 수탁자에게 분양대금 반환을 청구할 수 있는지

• 대법원 2014.12.11. 선고 2013다71784 판결

『이 사건 담보신탁계약과 이 사건 대리사무 약정은 그 계약 체결의 목적이

---

232) 상세내용은 Chapter 3. N.2. "담보신탁 부동산에 대한 위탁자 직접 분양의 문제" 참조.

나 규율내용이 전혀 다른 별개의 계약으로 보아야 하고, <u>이 사건 대리사무</u> <u>약정에 따라 피고가 관리하는 분양수입금은 애초부터 이 사건 담보신탁계약</u> <u>에서 정하고 있는 '신탁부동산의 처분대금이나 이에 준하는 것'에 해당한다고</u> <u>볼 수 없다.....</u> 피고가 이 사건 담보신탁계약상 신탁 원본에 편입되는 이 사건 분양대금을 취득하였음을 전제로 하여 이 사건 분양계약의 해제로 OO건설이 피고에게 이 사건 분양대금반환청구를 할 수 있다는 원고의 주장은 이유 없고......특별한 사정이 없으면 이 사건 분양계약이 해제되었다는 사정만을 들어 피고가 이 사건 분양대금을 OO건설에 반환하여야 하는 법률관계가 형성된다고 볼 수 없고, 또한 이 사건 대리사무 약정 제12조 제2항에 의하면 분양 개시 후 분양수입금관리계좌에 입금된 수입금 중 공사비를 제외한 모든 사업비의 지출은 시공사와 대출금융기관의 확인을 얻은 OO건설의 서면요청에 의하여 피고가 집행하여야 하는데, 위 확인을 얻었다고 인정할만한 증거가 없는 이상, OO건설이 이 사건 대리사무 약정에 의하여 피고에게 바로 이 사건 분양대금 반환을 청구할 수 없어 이 사건 사업비 지출 요청권을 행사할 수 없다.』

판례	분양관리신탁계약의 경우에도 수탁자에게 분양대금 반환을 청구할 수 없는지 여부

• 대법원 2017. 7. 11. 선고 2013다55447판결

『계약의 일방당사자가 계약상대방의 지시 등으로 급부과정을 단축하여 계약상대방과 또 다른 계약관계를 맺고 있는 제3자에게 직접 급부한 경우(이른바 삼각관계에서의 급부가 이루어진 경우), 그 급부로써 급부를 한 계약당사자의 상대방에 대한 급부가 이루어질 뿐 아니라 상대방의 제3자에 대한 급부도 이루어지는 것이므로 계약의 일방당사자는 제3자를 상대로 하여 법률상 원인 없이 급부를 수령하였다는 이유로 부당이득반환청구를 할 수 없다. 이러한 경우에 계약의 일방당사자가 계약상대방에 대하여 급부를 한 원인관계인 법률관계에 무효 등의 흠이 있거나 계약이 해제되었다는 이유로 제3자를 상대로 하여 직접 부당이득반환청구를 할 수 있다고 보면 자기 책임 아래 체결된 계약에 따른 위험부담을 제3자에게 전가하는 것이 되어 계약법의 원리에 반하

는 결과를 초래할 뿐만 아니라 수익자인 제3자가 계약상대방에 대하여 가지는 항변권 등을 침해하게 되어 부당하다..... 갑 주식회사가 을 등과 상가 분양계약을 체결할 당시 병 주식회사와 체결한 분양관리신탁계약 및 대리사무계약에 따라 분양대금채권을 병 회사에 양도하였고, 을 등이 이를 승낙하여 분양대금을 전부 병 회사의 계좌로 납입하였는데, 그 후 을 등이 갑 회사와 병 회사를 상대로 분양계약 해제로 인한 원상회복 또는 분양계약 취소로 인한 부당이득반환으로 을 등이 납부한 분양대금 등의 지급을 구한 사안에서, 을 등이 분양계약에 따라 병 회사 명의의 계좌에 분양대금을 입금한 것은 이른바 '단축급부'에 해당하고, 이러한 경우 병 회사는 갑 회사와의 분양관리신탁계약 및 대리사무계약에 따른 변제로서 정당하게 분양대금을 수령한 것이므로, 을 등이 병 회사를 상대로 법률상 원인 없이 급부를 수령하였다는 이유로 원상회복청구나 부당이득반환청구를 할 수 없다고 한 사례.』

※ 관련 판결 : 대법원 2015.04.23. 선고 2014다77956 판결

14   토지신탁사업에서 개발부담금 납부의무자

토지신탁계약에 따라 신탁사가 개발사업을 수행하는 경우, 개발부담금 납부의무자는 위탁자일까요, 수탁자일까요. 신탁을 하나의 실체로 인정하지 않고 이익과 소득의 도관으로 보는 입장에서는 개발이익의 종국적 귀속주체인 위탁자를 납부의무자로 보게될 것입니다. 이와 달리, 신탁을 위탁자로부터 독립한 실체로 보는 입장에서는 수탁자가 개발이익의 직접 귀속주체로서 납부의무자가 되고, 위탁자는 이후 신탁계산을 거쳐 확정된 신탁이익을 향수하는 것일 것입니다. 대법원은 토지신탁사업의 경우 개발부담금 납부의무자는 수탁자라고 판단하였습니다.[233]

판례   토지신탁에서 개발부담금 납부의무자는 수탁자

• 대법원 2014.08.28. 선고 2013두14696 판결

『개발이익환수에 관한 법률 제6조 제1항 본문에서 정한 개발부담금 납부의무자로서의 사업시행자는 특별한 사정이 없는 한 개발사업의 시행으로 불로소득적 개발이익을 얻게 되는 <u>토지 소유자인 사업시행자</u>를 말한다.....부동산 신탁에서 수탁자 앞으로 소유권이전등기를 마치게 되면 대내외적으로 소유권이 수탁자에게 완전히 이전되고, 위탁자의 내부관계에서 소유권이 위탁자에게 유보되지 않으며, 신탁재산의 관리, 처분, 운용, 개발, 멸실, 훼손, 그 밖의 사유로 수탁자가 얻은 재산은 신탁재산에 속하게 되므로(신탁법 제27조), <u>토지 소유자인 사업시행자가 부동산신탁회사에 토지를 신탁하고 부동산신탁회사가 수탁자로서 사업시행자의 지위를 승계하여 신탁된 토지에서 개발사업을 시행한 경우에 토지가액의 증가로 나타나는 개발이익은 해당 개발토지의 소유자이자 사업시행자인 수탁자에게 실질적으로 귀속된다고 보아야 하고, 수탁자를 개발부담금의 납부의무자로 보아야 한다.</u>』

---

233) 담보신탁에서 개발부담금 납부의무자에 대하여는 Chapter 8. N.11. 참조

15

수탁자의 배타적 처분·관리권

신탁상품 중에서는 수익자의 지시에 따라 신탁재산을 관리·처분하는 내용의 수동형 상품들이 많습니다. 이러한 수동신탁은 신탁의 본지(대내외적 소유권의 완전한 이전)에 위배되는 것이 아닌지 문제됩니다. 만일, 수익자의 지시가 사실상 수탁자의 배타적 관리·처분권을 형해화할 정도에 이른다면, 이는 신탁법상의 신탁이 아니라 명의신탁에 지나지 않을 것입니다. 수탁자는 신탁재산을 관리·처분함에 있어 수익자의 지시만을 따르는 수동적 존재가 아니라 선관주의로써 신탁재산의 관리·처분 방법을 결정하는 최종적인 의사결정주체입니다. 관련하여 참고할 판례가 있습니다.

판례 수탁자의 배타적 처분·관리권

• 대법원 2003. 1. 27. 선고 2000마2997판결

『신탁법 제36조 제1항에 의한 관리방법의 변경을 하는 경우에도 신탁법의 취지나 신탁의 본질에 반하는 내용의 변경을 할 수는 없다고 할 것인데, 신탁법상의 신탁은 위탁자가 수탁자에게 특정의 재산권을 이전하거나 기타의 처분을 하여 수탁자로 하여금 신탁 목적을 위하여 그 재산권을 관리·처분하게 하는 것이어서(신탁법 제1조 제2항), 신탁의 효력으로서 신탁재산의 소유권이 수탁자에게 이전되는 결과 수탁자는 대내외적으로 신탁재산에 대한 관리권을 갖는 것이고, 다만 수탁자는 신탁의 목적 범위 내에서 신탁계약에 정하여진 바에 따라 신탁재산을 관리하여야 하는 제한을 부담함에 불과하므로, 신탁재산에 관하여는 수탁자만이 배타적인 처분·관리권을 갖는다고 할 것이고, 위탁자가 수탁자의 신탁재산에 대한 처분·관리권을 공동행사하거나 수탁자가 단독으로 처분·관리를 할 수 없도록 실질적인 제한을 가하는 것은 신탁법의 취지나 신탁의 본질에 반하는 것이므로 법원은 이러한 내용의 관리방법 변경을 할 수는 없다.』

사안은 과거 전업 부동산 신탁사가 부실화되면서 신탁계좌의 부적절한 운영이 우려되자, 토지신탁사업의 위탁자가 구 신탁법 제36조 제1항(현행 신탁법 제88조 제3항)에 따라 법원에 신탁계좌를 위탁자 명의 계좌로 변경해달라고 신청하였던 사안입니다. 원심법원은 계좌 명의는 수탁자로 하되 인출 및 지출시 미리 위탁자의 동의를 받도록 관리방법 변경하는 결정을 하였는바, 대법원에서는 이러한 사전 동의 방식도 수탁자의 배타적 관리·처분권을 침해하는 것이라고 판단한 사안입니다.

본건은 법원 결정에 의한 신탁재산 관리방법 변경이 문제된 사안이나, 이는 신탁계약에서 신탁재산에 대한 관리방법을 정할 때에도 적용될 수 있는 기준이라 할 것입니다. 시장에서 통용되는 대부분의 신탁상품의 경우 (우선)수익자의 요청에 따라 신탁재산을 관리·처분하는 구조입니다. 그런데 이 경우에도 (우선)수익자의 요청이 절대적이고 기속적인 지시로 수탁자의 독자적 판단 가능성을 배제하는 것으로 해석된다면 그 또한 수탁자의 배타적 관리·처분권을 침해하는 것으로 볼 수 있을 것입니다.

16

소유권에 기한 방해배제청구권 행사 주체

신탁부동산을 제3자가 불법적으로 점유하는 경우, 위탁자가 직접 소유권
에 기한 인도청구의 소를 제기하는 경우가 있습니다. 그러나 신탁부동산
에 대하여 대내외적으로 완전한 소유권자는 수탁자이며, 소유권에 기한
방해배제청구권의 행사주체도 수탁자가 되어야 하는 것입니다. 이는 신탁
계약에서 위탁자에게 신탁부동산에 대한 사용권을 부여하고, 신탁부동산을
보전·관리하도록 정한 경우에도 마찬가지입니다.

판례   수동신탁에서 소유권에 기한 방해배제청구권 행사 주체

• 대법원 2008.03.13. 선고 2007다54276 판결

『신탁법상의 신탁은 신탁설정자(위탁자)와 신탁을 인수하는 자(수탁자)의 특
별한 신임관계에 기하여 위탁자가 특정의 재산권을 수탁자에게 이전하거나
기타의 처분을 하고 수탁자로 하여금 일정한 자(수익자)의 이익을 위하여 또
는 특정의 목적을 위하여 그 재산권을 관리, 처분하게 하는 법률관계를 말하
고, 신탁계약에 의하여 재산권이 수탁자에게 이전된 경우 그 신탁재산은 수탁
자에게 절대적으로 이전하므로, 이 사건 신탁계약을 체결하면서 수탁자인 원
고가 위탁자 겸 수익자와의 사이에 "수탁자의 권한은 등기부상 소유권 관리
및 보전에 한정되므로 그 이외의 실질적인 관리, 보전 업무 일체는 우선수익
자의 책임하에 수익자가 주관하여 관리한다"고 특약하였다고 하더라도, 원고
는 우선수익자나 수익자에 대한 관계에서 위와 같은 특약에 따른 제한을 부
담할 뿐이고 제3자인 피고에 대한 관계에서는 완전한 소유권을 행사할 수 있
다.
같은 취지에서, 위와 같은 특약이 있었음을 들어 원고의 이 사건 철거 등의
청구에 응할 수 없다는 피고의 주장을 배척한 원심판결은 정당한 것으로 수
긍되고, 거기에 판결 결과에 영향을 미친 신탁법상의 신탁행위에 관한 법리오
해, 심리미진 등의 위법이 없다.』

17 신탁재산의 독립성

채무자에 대한 회생절차가 개시되고 회생계획이 인가되면, 회생채권자나 회생담보권자의 권리는 회생계획에 따라 변경되며, 이후 회생계획에서 정한 변제방법대로 변제를 받습니다. 위탁자가 수익권에 질권을 설정한 경우, 그 질권자는 회생담보권자가 될 것입니다. 우선수익자는 어떨까요. 우선수익권은 위탁자의 재산에 대한 권리가 아니라 수탁자가 소유하는 신탁재산에 대한 권리이고, 우선수익채권은 수탁자를 채무자로 하는 권리입니다. 따라서 우선수익권은 위탁자의 도산절차와 절연되고, 우선수익자는 수탁자를 상대로 온전한 우선수익권을 행사할 수 있는 것입니다.

판례 (우선)수익권이 회생담보권인지 여부

• 대법원 2002. 12. 26. 선고 2002다49484판결

『신탁계약시에 위탁자인 정리 전 회사가 제3자를 수익자로 지정한 이상, 비록 그 제3자에 대한 채권담보의 목적으로 그렇게 지정하였다 할지라도 그 수익권은 신탁계약에 의하여 원시적으로 그 제3자에게 귀속한다 할 것이지, 위탁자인 정리 전 회사에게 귀속되어야 할 재산권을 그 제3자에게 담보 목적으로 이전하였다고 볼 수는 없는 것이어서, 그 경우 그 수익권은 정리절차개시 당시 회사 재산이라고 볼 수 없다 할 것이고, 따라서 그 제3자가 정리절차에서 그 수익권에 대한 권리를 정리담보권으로 신고하지 아니하였다고 하여 회사정리법 제241조에 의하여 소멸된다고 볼 수는 없다 할 것이다(물론 신탁계약시에 위탁자인 정리 전 회사가 자신을 수익자로 지정한 후 그 수익권을 담보 목적으로 제3자에게 양도한 경우에는 그 수익권을 양도담보로 제공한 것으로서 정리절차개시 당시 회사 재산에 대한 담보권이 된다고 볼 것이다).』

※ 참고판례 : 대법원 2017. 11. 23. 선고 2015다47327 판결

18 수익채권을 수동채권으로 하는 상계

현행 신탁법 제25조는 원칙적으로 신탁재산에 속하는 채권(채무)과 신탁재산에 속하지 않는 채무(채권)의 상계를 금지하고 있습니다. 한편, 수탁자가 신탁사무를 처리하다보면 위탁자에 대하여 비용상환청구권이나 손해배상청구권을 가지는 경우가 많습니다. 그런데 동일한 위탁자가 다른 신탁재산에 대하여 수익자로서 수익채권을 가지고 있다면, 수탁자는 수익채권을 수동채권으로 하여 위 비용상환청구권 내지 손해배상청구권을 대등액에서 상계할 수 있을까요.

판례 수익자에 대한 고유의 채권과 수익채권의 상계

• 대법원 2007. 9. 20. 선고 2005다48956판결

『수탁자 개인이 수익자에 대하여 갖는 고유의 채권을 자동채권으로 하여 수익자가 신탁종료시 수탁자에 대하여 갖는 원본반환채권 내지 수익채권 등과 상계하는 것은, 우선 신탁법 제20조가 금지하는 상계의 유형에 해당하지 아니할 뿐만 아니라 위와 같은 상계로 인하여 신탁재산의 감소가 초래되거나 초래될 위험이 전혀 없는 점, 수익자는 상계로 소멸하는 원본반환채권 등과 대등액의 범위 내에서 자신의 채무를 면하는 경제적 이익을 향수하게 되는 점.....등에 비추어 볼 때, 수탁자의 위와 같은 상계는 수익자의 반대채권과의 상계를 통한 채권회수를 둘러싸고 신탁재산에 속하는 채권과 수탁자 고유의 채권이 경합하는 관계에 있어 이익상반행위에 해당한다거나 일반 민법상의 권리남용에 해당한다는 등의 특별한 사정이 없는 한 적법·유효한 것으로서 허용된다. 신탁재산 독립의 원칙은 ..... 신탁재산 자체가 그 소유자 내지 명의자인 수탁자와 구별되는 별개의 법인격을 가진다는 것까지 의미하는 것은 아니므로, 수탁자가 수익자에 대하여 갖는 고유의 채권을 자동채권으로 하여 수익자가 신탁종료시 수탁자에 대하여 갖는 원본반환채권 등과 상계하는 것이 신탁관계에 신탁재산 독립의 원칙이 적용된다는 이유만으로 신탁법상 금지된 것이라고 할 수는 없다.』

19 수익권 포기에 따른 비용상환의무 면책 가능 여부

신탁법상 수익자는 수익권을 포기할 수 있고(법 제57조), 수익권을 포기한 경우에는 비용상환의무가 없다고 정하고 있습니다(법 제46조 제4항). 그렇다면 토지신탁사업장이 부실화되어 신탁사의 신탁계정대여금이 회수가 되지 않을 경우, 위탁자 겸 수탁자가 수익권을 포기하면, 신탁사는 더 이상 비용상환청구권을 행사할 수 없는걸까요.

판결 자익신탁에서 수익권 포기시 비용상환의무 소멸 여부

• 대법원 2016. 3. 10. 선고 2012다25616판결

『..... 수익권의 포기를 인정하는 취지는, ... 수익자가 자기의 의사에 반하여 수익권을 취득할 것을 강제당하지 않도록 하기 위한 데에 있다..... 자익신탁의 경우, 위탁자 겸 수익자는 스스로 신탁관계를 형성하고 신탁설정 단계에서 스스로를 수익자로 지정함으로써 그로부터 이익을 수취하려는 자이므로, 그 신탁의 결과 발생하는 이익뿐만 아니라 손실도 부담하도록 해야 하고, 수익권 포기를 통해 비용상환의무를 면하도록 할 필요가 없다. 그러므로 자익신탁에서 위탁자 겸 수익자는 수익권을 포기하더라도 이미 발생한 비용상환의무를 면할 수 없다고 봄이 타당하다.

토지개발신탁에서는 장기간에 걸쳐 사업이 진행되고 부동산 경기를 예측한다는 것이 쉽지 않은 일이어서 경우에 따라 대규모의 손실이 발생할 수 있는 것인데.....신의칙과 손해의 분담이라는 관점에서 상당하다고 인정되는 한도로 수탁자의 비용상환청구권의 행사를 제한할 수 있다(대법원 2008. 3. 27. 선고 2006다7532, 7549 판결 참조)..... 선행 신탁계약에 따른 신탁사업은 이른바 IMF 외환위기로 인하여 신탁기간이 종료된 후에도 미분양 물량이 남아 있었고, 이를 공매 처분한 결과 약 391억 원의 손실이 발생한 점, 피고는 선행 신탁계약에 따른 신탁보수로 약 25억 원을 사실상 지급받은 점 등의 사정을 고려하여 신의칙 및 손해의 공평분담이라는 취지에서 피고의 비용상환청구권 행사를 60%로 제한함이 상당하다

사안의 개요

판결사안은 다음과 같습니다. 동일 위탁자와 수탁자간에, 1차 토지신탁사업에서는 수탁자 기준 391억원의 손실이 발생했으나, 2차 토지신탁사업에서는 신탁사 기준 2,328억원의 이익이 발생했습니다. 신탁사는 1차사업 비용상환청구권(391억원)과 2차 사업 수익채권을 대등액에서 상계처리하였고, 이에 위탁자는 1차 사업에서의 수익권 포기 의사표시를 통지한후, 수익권 포기에 따라 비용상환의무가 면책되었다는 주장을 하며 수익금지급 청구소송을 제기한 사안입니다.

원심의 판단　서울고등법원 2012.2.2.선고 2010나83835 판결

원심은 수익자는 당해 신탁계약이 자익신탁인지 타익신탁인지에 관계없이 수익권을 포기할 수 있다고 판단하였습니다. 다만, 사안의 경우 위탁자는 1차사업에 대한 최종 수지계산서를 받은 후에도 수익권 포기의 의사표시를 하지않다고 소송 제기 후에 수익권을 포기하였는바, 이는 신의칙과 금반언의 원칙에 반하므로 수익권 포기의 소급효가 제한된다고 판단하였습니다. 결국, 수탁자의 상계는 가능한 것으로 보았으나, 신의칙과 손해의 분담이라는 관점에서 수탁자의 비용상환청구권 행사 범위를 일부 제한했습니다.

판례해설　대법원 2016. 3. 10. 선고 2012다25616판결

대법원은 자익신탁의 위탁자 겸 수익자는 수익권을 포기하더라도 이미 발생한 비용상환의무를 면할 수 없다고 판시하였습니다. 자익신탁의 위탁자 겸수익자는 신탁원본의 손실위험을 최종적으로 부담하는 자라는 점에서, 대법원의 결론은 타당한 것으로 보이나, 문언상 예외가 없는 상황에서 구체적형평의 원칙만으로 수익권 포기의 효과를 제한한 것은 다소 이례적인 해석인 것 같습니다.

한편, 비용상환청구권은 제한이 가능하다는 것은 확립된 판례입니다(대법원 2004다24557판결, 대법원 2006다7532판결, 대법원 2005다9685판결 등). 그러나 신탁사무처리비용 집행시 선관주의의무 위반의 의심이 없는 상황에서 비용상환청구권을 60%로 제한한 것은 문제가 있어 보입니다(추측건대 사안의 경우, 위 신탁사가 신탁계정대여금에 대한 이자수입만 287억 원 상당이었던 점을 감안한 것으로 보입니다).

토지신탁사업 부가가치세를 신탁재산에서 납부하여야 하는지 여부

책임준공확약조건부 관리형 토지신탁의 경우 부가가치세 납부의무자는 위탁자로 해석되고 있습니다. 만일, 책준사업이 부실화되고 신탁사의 고유계정이 투입되었다면, 신탁사는 신탁재산으로부터 체납된 부가가치세보다 우선적으로 신탁계정대여금을 회수할 수 있을까요.

판결 수탁자의 부가세 납부의무에 대하여

• 서울고등법원 2014.11.3.선고 2014나2018504 판결 (발췌요약)

『①신탁사업에서 부가가치세의 납세의무자는 수탁자인 H신탁이 아니라 위탁자인 점, ② 수분양자들로부터 거래징수한 부가가치세 상당액은 부가가치세 납부의무 이행을 위하여 일시 보관하는 것이 아니라 분양대금과 일체로 되어 신탁재산에 속하는 점, ③ 신탁재산에서 부담할 수 있는 비용을 정한 본계약 제17조 제1항의 제세공과금은 "수탁자인 피고 명의로 부과되는 제세공과금"에 한정된다고 보는 것이 타당한 점, ④ 신탁법 및 신탁계약상 신탁사무관련 비용상환청구권에 우선변제권이 부여된 것을 고려할 때, 위탁자의 부가세 체납 상태에서 신탁재산인 분양수입금 등을 신탁보수 등에 먼저 충당한 것을 위법하다고 볼 수 없다는 점, ⑤ 부가세 환급금을 수탁자에게 양도하도록 정하였다하여, 위탁자의 부가세 납부세액이 발생할 경우 이를 지급할 의무를 부여한 것으로 볼 수 없고, ⑥ 수탁자가 사업 중에 일부 부가세를 납부한 것은 신탁사업의 원활한 사업추인을 위해 부가세 신고 및 납부 업무를 수행할 수 있도록 정한 약정상 권한을 행사한 것에 불과한 점 등을 종합할 때, 피고가 이 사건 신탁계약상 토마토디엔씨에 대한 관계에서 부가가치세가 체납되지 않도록 조치할 선량한 관리자로서의 주의의무를 부담한다거나 부가가치세 상당액을 지급할 의무가 있다고 볼 수 없다.』

사안의 개요

• H신탁사는 차입형 토지신탁계약을 체결하고 오피스텔 신축분양사업을 진행하였습니다. 본 사업은 분양이 부진했던 것으로 보이고, 위탁자는 31.6억 원의 부가가치세를 체납한 채 폐업하였습니다(당시 세법상 부가가치세 납세의무자는 위탁자였습니다).

• H신탁사는 사업초기 신탁재산에서 부가가치세를 납부했었으나, 이후 분양수입금에서 신탁계정대여금을 우선적으로 상환하였고, 위 체납액은 납부하지 못하였습니다.

• 국세청은 분양수입금 수령시 거래징수한 부가가치세 상당액은 위탁자를 위하여 부가가치세로 납부되어야 함에도 불구하고, H신탁사가 이를 신탁보수 및 고유계정차입금 상환에 사용한 것은 위법하다는 취지의 손해배상 소송 등을 제기하였습니다.

국세청 주장 요지

국세청의 주장은, ①수탁자는 위탁자의 이익을 위해 신탁재산을 관리해야할 선관주의의무가 있고, ②수탁자가 분양대금 수령시 부가가치세 상당액을 거래징수하였고, 사업초기에 부가가치세 환급금까지 양수받고서, 본건 부가가치세를 납부하지 않는 것은 부당하며, ③신탁계약에서도 신탁재산 관련 제세공과금을 신탁재산에서 납부할 수 있도록 정하고 있고, 실제 사업 중 일부 부가가치세는 신탁재산으로 납부한 점 등을 고려할 때, 수탁자는 신탁보수 또는 고유계정차입금 상환에 앞서 부가가치세를 납부해야한다는 것으로 요약할 수 있습니다(국세청은 시공사나 신탁사가 거래징수한 부가가치세 상당액으로 공사대금이나 고유계정차입금을 우선상환하면서 징수하지 못한 부가가치세가 전국적으로 1조3,000억 원에 이른다고 주장했습니다).

법원의 판단

1심 법원은 국세청의 주장을 받아들였으나, 2심에서는 앞서 기재한 바와 같은 이유로 H신탁이 전부 승소를 하였습니다. 2심 판결은 부가가치세법 개정 전의 판결이지만 논리 전개 측면에서 살펴볼 필요가 있습니다. 한편, 위 고등법원 판결 이후, 별개 사건에서 대법원은 기존 판례를 변경하여 신탁재산 처분 관련 부가가치세 납세의무자를 수탁자로 판단하였습니다. 이후 본건 판결에 대한 상고심에서는, 국세청의 주장은 위탁자가 부가가치세 납세의무자라는 잘못된 전제에 서있다는 형식적인 이유를 들어 국세청의 상고를 기각하였습니다(대법원 2017.9.21.선고 2014다231071판결).

본건 분쟁의 시사점

신탁이란 대내외적으로 소유권의 완전한 이전행위이며(대법원 2000다70460판결 등 다수), 신탁재산은 위탁자의 재산권과 수탁자의 고유재산으로부터 독립하는 것입니다(대법원 2002마2754판결 등 다수), 따라서 신탁재산에서 책임을 부담하는 "신탁사무의 처리상 발생한 권리"(신탁채권)에는 수탁자를 채무자로 하는 것만이 포함되며, 위탁자를 채무자로 하는 것은 포함될수 없습니다(대법원 2010두4612판결 등 참조).

즉, 위탁자의 채권자들은 신탁재산으로부터 자신들 채권에 대한 만족을 구할 수 없는 것이며, 이러한 신탁의 특성이, 시장에서 신탁을 이용하는 이유가 되는 것이며, 감히 신탁의 존재의의가 되는 것입니다. 결국, 신탁재산에서 책임을 부담하는 것은, 신탁채권, 수탁자의 비용상환청구권 및 보수청구권, 수익자의 수익채권에 한정되는 것입니다.

위탁자 및 그 채권자들이 범하기 쉬운 오해는 수탁자의 업무를 위탁자의 재산을 관리하는 것으로 이해하는 것입니다. 본 사안에서 국세청도 위와 같은 시각의 연장선상에서 수탁자가 위탁자가 체납한 부가가치세를 납부할 의무가 있다고 주장한 것입니다. 하지만 수탁자는 위탁자의 책임재산과 독립된 별개의 재산을 관리하는 것이며, 신탁재산으로 위탁자의 채무를 변제하는 것은 원칙적으로 있을 수 없는 일입니다(위탁자는 신탁의 이익을 교부받아 이로써 자신의 채무를 변제해야 할 것입니다).

⇨ 현행 부가가치세법상 차입형토지신탁의 경우 부가가치세 납세의무자는 수탁자이므로, 이 경우 해당 사업 관련 부가가치세는 신탁사무처리비용이며 신탁재산에 속하는 채무라고 할 것입니다(즉, 수탁자에 대한 조세채권은 신탁채권입니다). 반면에, 관리형토지신탁의 경우 부가가치세 납부의무자는 여전히 위탁자인바, 달리 정하지 않은 이상 신탁계정대여금 상환이 위탁자 채무인 부가가치세 납부보다 우선한다고 할 것입니다. 이 경우 국세청은 수탁자에게 물적 납세의무를 고지할 수 있을 것이나, 만일, 신탁재산이 채무 초과상태로서 신탁계정대여금 상환도 다할 수 없는 경우에는 물적납세의무가 성립하지 않을 것입니다(조세심판원 2020-중-0634결정 참조).

체육시설에 대한 법원 경매 또는 캠코 공매(체납처분) 등이 있는 경우 그 매수인은 체육시설법 제27조에 따라 회원에 대한 입회금반환의무 등을 승계합니다. 신탁계약에 따른 공매의 경우에도 위 법원 경매 등에 준하는 절차로 보아 입회금 반환의무 등이 승계될까요. 대법원은 신탁회사의 공매도 법원 경매 또는 캠코 공매에 준하는 절차에 해당한다며, 이를 긍정하였습니다. 그런데 추가적인 근거로 신탁의 도산격리 효과를 수정해서라도 구체적 형평을 도모할 필요가 있다고 설시합니다. 어떤 내용일까요.

판결　골프장 공매시 회원에 대한 권리·의무의 승계 여부

- 대법원 2018.10.18.선고 2016다220143 입회보증금반환(전원합의체)

『공매는 체육필수시설을 포괄적으로 이전한다는 점에서 체육시설법상의 영업양도와 마찬가지로 회원에 대한 권리·의무의 승계를 인정할 필요가 있다......공매절차가 유찰되어 최종 공매 조건으로 체결되는 체육필수시설에 관한 수의계약의 경우에도 공매로 체육필수시설이 이전되는 경우와 마찬가지로 회원에 대한 권리·의무의 승계를 인정할 필요가 있다.....

공매는 채무자인 체육시설업자의 의사와 무관하게 진행되는 강제환가절차를 통한 소유권 이전이라는 점에서 민사집행법에 따른 경매 절차 등과 실질적으로 차이가 없다.....따라서 이와 같은 공매절차나 수의계약도 체육시설법 제27조 제2항 제4호에서 정하는 "그 밖에 제1호부터 제3호의 규정에 준하는 절차"에 해당한다고 볼 수 있다.....담보신탁의 기능 등에 비추어 그에 따른 공매 등은 저당권 등 담보권 실행을 위한 경매절차 등과 구별하여 다루어야 할 만큼 실질적인 차이가 없다.....회원에 대한 입회금반환채무의 승계를 부정한다면.... 회원들의 입회금을 받아 체육시설의 경제적 가치가 증가되었는데도 이러한 체육필수시설을 취득한 자가 그 입회금 반환채무를 인수하지 않는다는 불합리한 결과.....시설에 담보신탁을 설정하는 이유 중 하나는 위탁자인 체육시설업자가 도산상태에 빠진 경우에도 이른바 도산격리 효과에 따라 수탁자

와 수익자를 보호하기 위해 일반채권자들이 신탁재산에 대해 채권 행사를 할 수 없도록 하는 것이다. 그러나 담보신탁의 도산격리 효과를 부분적으로 수정해서라도 회원들의 권익보호라는 체육시설법 제27조의 입법취지를 우선하여 실현하는 것이 이익형량의 관점에서도 타당하다.』234)

안성Q 골프장 사건

- 안성Q 골프장의 경우 회생절차에서 퍼블릭골프장으로 전환 운영하기로 하고 입회금 반환채권은 17% 현금 변제, 담보신탁 우선수익자의 대출채권은 67% 현금 변제 및 출자전환하는 것을 내용으로 하는 회생계획을 수립하였습니다. 이에 회원들은 체육시설법에 따라 주식인수인 측이 입회금 반환채권을 전액 변제하여야 한다는 주장, 담보신탁 우선수익자의 대출채권과 현금변제율이 다른 것은 부당하다는 주장을 하였습니다.

- 대법원은 주식인수인은 영업 양수인이 아니므로 체육시설법 제27조 제1항에 따라 입회금 반환의무를 승계한다고 볼 수 없고, 담보신탁 우선수익자는 신탁재산인 골프장 시설 등에 대한 처분요청권한 등을 내용으로 하는 수익권을 가지는바, 회생계획의 수행을 위해 수익권 포기 등에 대한 동의를 받기 위하여 담보신탁 우선수익자에게 우월한 변제조건을 정한 것은 부당하지 않다고 판단하였습니다(대법원 2016. 5. 25. 선고 대법원 2014마1427판결)

---

234) [신탁에 따른 도산격리 효과의 수정?] 골프장을 신탁한 경우, 회원들의 입회금 반환채권은 위탁자에 대한 채권에 지나지 않습니다. 신탁법리상 신탁재산은 위탁자 재산과 독립하는 것이므로,회원들은 신탁재산으로써 입회금반환채권의 만족을 구할 수 없고, 반면에 우선수익자는 위탁자 도산과 상관없이 우선수익권을 행사할 수 있는 것이 원칙입니다. 다만, 회원제 골프장의 자산 중 상당부분은 회원들의 입회금으로 형성된 것입니다. 그런데 골프장 운영법인이 신규 대출을 받는 등의 사정으로 시설 전체를 담보신탁하면, 회원들은 공매대금에서 입회금 반환을 받을 수도 없고, 공매절차 매수인에게 입회금 반환의무 승계를 주장할 수도 없다는 것은 매우 가혹한 결론일 수 있습니다. 이에 대법원은 구체적 형평의 관점에서 회원들의 권익보호를 위해 담보신탁에 따른 도산격리 효과를 부분적으로 수정할 필요가 있다는 설시를 한 것입니다. 다만, 관련 법 조항 문언 중 '경매 등에 준하는 절차'를 폭넓게 해석하는 것이 충분히 가능한 상황에서, 구체적인 법적 근거없이 도산격리 효과의 수정을 말할 필요는 없었다는 생각입니다.

22 우선수익권과 피담보채권의 부종성

민법상 담보물권은 피담보채권의 존재를 전제로 존재할 수 있으며, 피담보채권이 소멸하면 담보물권도 함께 소멸합니다. 이를 담보물권의 부종성이라고 합니다. 담보신탁의 우선수익권은 그 피담보채권과의 부종성이 인정될까요.

판결 우선수익권과 피담보채권의 부종성 인정 여부

• 대법원 2017. 6. 22. 선고 2014다225809 전원합의체 판결

『담보신탁을 해 준 경우, 특별한 사정이 없는 한 우선수익권은 경제적으로 금전채권에 대한 담보로 기능할 뿐 금전채권과는 독립한 신탁계약상의 별개의 권리가 된다. 따라서 이러한 우선수익권과 별도로 금전채권이 제3자에게 양도 또는 전부되었다고 하더라도 그러한 사정만으로 우선수익권이 금전채권에 수반하여 제3자에게 이전되는 것은 아니고, 금전채권과 우선수익권의 귀속이 달라졌다는 이유만으로 우선수익권이 소멸하는 것도 아니다.......
이 사건 대여금채권과 우선수익권의 귀속주체가 달라졌다고 하여 곧바로 참가인 회사의 우선수익권이나 이를 목적으로 한 원고의 권리질권이 소멸한다고 볼 수도 없다.』

사건의 경위

• 당사자들의 관계
- 피고는 운남지구 토지구획정리조합(이하 "피고조합")
- 피고보조참가인 크레타건설은 위 토지구획정리사업의 시행대행사
- 원고 GS건설은 운남지구 영종자이아파트 신축공사 시공사

• 사건의 경위

- 크레타건설(위탁자), 한국토지신탁(수탁자), GS건설은 영종자이아파트 신축을 위한 분양형토지신탁계약 체결.

- 크레타건설은 영종자이아파트 분양수입금을 재원으로 피고조합에게 220억 원을 대여하고, 피고조합은 이를 담보하기 위하여 운남지구내 체비지41필지에 대한 담보신탁계약을 체결(우선수익자 : 크레타건설). 크레타건설은 GS건설의 공사비채권 담보 목적으로 우선수익권에 질권을 설정하고, 담보신탁 부동산인 체비지 매각대금은 GS건설 관리계좌로 수령하기로 합의함.

- 크레타건설의 제3채권자가 피고조합에 대한 대여금 채권(220억원)에 대한 전부명령을 받음.[235]

- 피고조합은 위 전부명령에 따라 크레타건설의 대여금 채권이 전부되면서 크레타건설의 우선수익권도 소멸되었다는 판단하에, 담보신탁재산인 체비지를 임의 매각함.

원고의 주장

• 피고조합이 체비지를 임의로 매각하고, 매각대금도 제3의 계좌로 수령하여 원고가 가지는 우선수익권에 대한 질권을 침해하였으므로, 체비지 매각대금 상당의 손해를 배상해야 한다.

원심판결요지

• 서울고등법원 2014.8.28. 선고 2013나46582판결

『부동산담보신탁제도는.....비전형 담보물권의 성질을 겸유....우리 민법상 담보물권은 피담보채권에 부종하며, 이와 같은 강한 부종성은.... 부동산담보신탁계약에 기하여 채권자인 수익자가 취득하는 수익권에도 적용된다.....(크레타건설은 전부명령에 따라 대여금채권을 상실하였고), 크레타건설의 우선수익권은 피담보채권인 이 사건 대여금채권을 상실함으로 인하여 그 부종성에 따라 소멸한다....(크레타건설의 우선수익권이 소멸하므로), 위 우선수익권을

---

235) 전부명령은 전부채권자가 자신의 채권 변제에 갈음하여 채무자가 제3자에 대하여 가지는 채권을 이전받는 집행방법입니다.

목적으로 하는 GS건설의 권리질권 역시 그 목적물의 소멸로 인하여 소멸되었다.」236)

판례 해설

• 담보신탁의 우선수익권은 우선수익한도 범위 내에서 피담보채권의 변제에 이를 때까지 신탁의 이익을 교부받을 수 있는 권리입니다. 따라서 피담보채권이 다른 원인으로 소멸된 경우, 우선수익권은 더 이상 신탁의 이익을 교부받을 수 없다는 점에서 그 성질상 존속상의 부종성이 인정된다고 생각합니다. 즉, 담보신탁의 우선수익권은 그 피담보채권 범위 내에서 그 채권변제를 목적으로 존재하는 것인바, 피담보채권과 분리하여 우선수익권만 처분할 수는 없다고 할 것입니다. 결국, 특별한 사정으로 피담보채권만 처분된 경우에는 그에 대한 우선수익권은 소멸된다고 보아야 할 것입니다. 본건 대법원 판결 다수의견에 대한 반대의견이 타당한 것으로 생각됩니다.237)

---

236) 대법원은 담보신탁의 우선수익권은 그 피담보채권과의 부종성이 인정되지 않는다는 전제에서, 이 사건 피고가 담보신탁계약 목적물인 체비지를 임의매각하고 그 매각대금을 약정된 계좌에 입금하지 않은 것은 원고에 대한 담보권 침해행위로 볼 수 있다는 취지로 원심판결을 파기하였습니다.

237) 이 사건에 대하여 권순일 대법관의 반대의견 요지는 아래와 같습니다.
『이 사건 우선수익권은 담보물권은 아니지만 신탁계약에 의하여 자신의 대여금채권에 대한 우선변제를 요구할 수 있는 권리이므로 그 대여금채권과 분리하여 우선수익권에 대해서만 질권을 설정하는 것은 원칙적으로 허용되지 아니한다고 보아야 한다(원고로서는 우선수익권에 대한 질권설정계약시 대여금 채권에 대하여도 함께 질권을 설정하였어야 한다)....이 사건 전부명령이 확정됨으로써 우선수익자인 참가인 회사의 위탁자인 피고에 대한 이 사건 대여금채권이 소멸한 이상, 이 사건 담보신탁계약은 신탁기간의 만료로 인하여 종료... 따라서 참가인 회사는 더 이상 수탁자에 대하여 이 사건 담보신탁계약에 기한 우선수익자로서의 권리를 행사할 수 없고, 원고 역시 우선수익권에 대한 질권자로서의 권리를 행사할 수 없다....』

도시계획시설사업은 기본적으로 공익적 목적의 기반시설 조성사업입니다. 도시계획시설 사업자에게 토지수용권이 인정되는 이유도 그 사업의 공익적 성격 때문입니다. 그런데 도시계획시설사업의 외양을 갖추고 실질은 민간 수익사업의 성격을 가지는 사업들이 시행되는 경우가 있습니다. 민간이 시행하는 도시계획시설사업의 경우 어느 정도 비용 보전 목적의 수익사업을 인정해야할 경우도 있습니다만, 그 한계는 어디까지일까요.

판결 사업대상인 토지를 매각하는 내용의 실시계획의 효력

• 대법원 2017. 7. 11. 선고 2016두35120 판결

『국토계획법의 규정 내용에 따르면, 사업시행자인 사인은 그 책임으로 도시·군계획시설사업의 공사를 마쳐야 하고, 사업시행자 지정을 받지 않은 사인은 도시·군계획시설사업을 시행할 수 없다. 사업시행기간 중에 사업 대상인 토지를 제3자에게 매각하고 그 제3자에게 도시·군계획시설을 설치하도록 한다면 그와 같은 내용의 도시·군계획시설사업은 사실상 토지를 개발·분양하는 사업으로 변질될 수 있는 데다가 개발이익이 배제된 가격으로 수용한 토지를 처분상대방이나 처분조건 등에 관한 아무런 제한도 받지 않고 매각하여 차익을 얻을 수 있게 됨으로써 도시·군계획시설사업의 공공성을 현저히 훼손한다......따라서 사인인 사업시행자가 도시·군계획시설사업의 대상인 토지를 사업시행기간 중에 제3자에게 매각하고 제3자로 하여금 해당 시설을 설치하도록 하는 내용이 포함된 실시계획은 국토계획법상 도시·군계획시설사업의 기본원칙에 반하여 허용되지 않고, 특별한 사정이 없는 한 그와 같은 실시계획을 인가하는 처분은 그 하자가 중대하다고 보아야 한다.』

사건의 경위

• 전남도지사는 2010.1.13. 담양군 메타세쿼이어길 주변 유원지 조성사업

관련 군관리계획을 결정·고시

· 담양군수는 2012. 10. 8. (유)디자인프로방스를 위 유원지 조성사업 2단계 (13만㎡, 주차장, 관광호텔, 컨벤션센터, 펜션, 상가) 사업시행자로 지정.

· 담양군수가 2013. 3. 20. 인가한 실시계획 내용은, 사업시행자는 상가만 건설하여 임대하고, 호텔과 컨벤션 센터 등은 사업시행자가 부지만을 조성하여 제3자에게 분양·매각하여 사업비를 조달하는 내용이었음.

원심 판결

· 광주고등법원 2016.2.4. 선고 2014누6066판결

『민간기업이 사업시행자로 지정된 경우 그가 주체가 되어 군계획시설사업의 공사를 마칠 때까지 그 사업을 시행하여야 한다.....이 사건 실시계획은 그 내용 자체에 의하더라도, 디자인프로방스가 군계획시설사업의 공사를 마치기도 전에 이 사건 주요 공익시설 등의 부지를 제3자에게 매각하여 그로 하여금 위 공익시설을 설치하겠다는 것인바....이 사건 인가처분은 그 하자가 중대·명백하여 무효라고 봄이 상당하다.』

판결의 의의

· 민간사업자가 사업시행기간 중에 사업 대상인 토지를 제3자에게 매각하여 자금을 조달하는 내용의 실시계획이 국토계획법령상 허용되지 않는다는 법리를 분명히 하였습니다(위 판결에서는 기존에 이러한 법리가 제시된 바 없다는 이유로 이러한 실시계획인가 내용상의 하자는 명백하지 않다고 보았습니다. 위 판결을 통해 위 법리가 확립되었기 때문에 향후 동일한 하자는 무효로 인정될 가능성이 높을 것입니다).

· 유원지라 함은 주민의 복지향상에 기여하기 위하여 설치하는 오락과 휴양을 위한 시설이며, 유원지에는 휴양시설, 위락시설, 편익시설 등을 설치할 수 있습니다(도시·군계획시설의 결정·구조 및 설치기준에 관한 규칙 제58조 제2항 참조). 유원지에는 위와 같이 영리성이 강한 시설들이 설치될 수 있기에 공익사업(유원지조성사업)을 가장한 영리사업으로 변질될 우려가 있는 것입니다. 본건 판결에서는, 사업시행자가 인가받은 실시계획이 그 내용상 유원지 조성이 아니라 실질적으로 상가 조성을 위한 토지분양사업에 해당되

어 국토계획법상 허용되지 않는다고 판단한 것입니다.

• 유원지 외에도 문화시설, 체육시설, 사회복지시설 등에는 일부 영리성이 강한 시설들이 설치될 수 있습니다. 민간사업자가 위와 같은 도시계획시설 사업을 시행하는 경우, 일부 영리시설 사업부지를 매수하여 신탁사업으로 개발하고자 하는 경우가 있을 수 있습니다. 이 경우 그러한 실시계획인가는 물론 이를 기초로 한 토지수용처분도 무효가 될 수 있다는 점에 주의하기 바랍니다.

참고 판결

• 위 사안은 도시계획시설 사업시행자가 부지 일부를 매각하고, 제3자가 그 부지상에 영리적인 시설을 설치했던 사안입니다. 그런데 도시계획시설 사업 시행자가 직접 해당 시설 성격에 맞지 않는 영리적인 시설을 설치하는 경우에도 해당 실시계획인가는 무효가 될 수 있습니다(아래 판결 참조).

판결 참고 사례 : 제주 예래 유원지 사건

• 대법원 2015. 3. 20. 선고 2011두3746판결

『행정청이 도시계획시설인 유원지를 설치하는 도시계획시설사업에 관한 실시계획을 인가하려면, 그 실시계획에서 설치하고자 하는 시설이 국토계획법령상 유원지의 개념인 '주로 주민의 복지향상에 기여하기 위하여 설치하는 오락과 휴양을 위한 시설'에 해당하고, 그 실시계획이 국토계획법령이 정한 도시계획시설(유원지)의 결정·구조 및 설치의 기준에 적합하여야 한다.....
이 사건 휴양형 주거단지는 고소득 노인층 등 특정 계층의 이용을 염두에 두고 분양 등을 통한 영리 추구가 그 시설 설치의 주요한 목적이라고 할 수 있고, 그 주된 시설도 주거 내지 장기 체재를 위한 시설로서 일반 주민의 이용 가능성이 제한될 수밖에 없을 뿐만 아니라 전체적인 시설의 구성에 비추어 보더라도 일반 주민의 이용은 부수적으로만 가능하다고 보이므로, 도시계획시설 규칙 제56조에 정한 '주로 주민의 복지향상에 기여하기 위하여 설치하는 오락과 휴양을 위한 시설'로서 공공적 성격이 요구되는 도시계획시설인 유원지와는 거리가 먼 시설임이 분명하다고 할 것이다.』

판결 재개발사업에서 토지등소유자의 자격 및 동의자 수는 위탁자 기준

• 대법원 2015.6.11.선고 2013두15262판결

『.....도시환경정비사업의 경우에 사업시행인가 신청 당시의 사법(私法)상 소유자와 동의를 얻어야 하는 토지 등 소유자가 일치하지는 아니한다. 또한 이와 같이 토지 등 소유자로 하여금 도시환경정비사업을 시행할 수 있도록 하고 토지 등 소유자의 동의를 얻도록 요구하는 것은 도시환경정비사업과 직접적인 이해관계가 있는 당사자를 주체로 하여 사업을 추진하고 또한 그러한 이해관계인의 의견을 반영하려는 취지이다.....신탁의 경우에 도시환경정비사업의 시행 및 토지 등 소유자의 동의 절차에서는 해당 부동산에 관한 소유권 등의 행사 및 그 사업 시행에 직접 이해관계를 가지는 종전 토지 등 소유자인 위탁자가 주체가 되어 그의 의견이 반영될 수 있도록 함이 타당하다. 한편 신탁법에 의한 신탁재산은 대내외적으로 소유권이 수탁자에게 완전히 귀속.....그렇지만 구 신탁법은 신탁재산을 수탁자의 고유재산과 구분하여 권리·의무관계를 규정하고 있으므로, 비록 신탁재산이 수탁자의 소유에 속한다 하더라도 그에 관한 권리관계를 수탁자의 고유재산과 마찬가지로 취급할 수는 없다.

도시환경정비사업에서 사업시행인가 처분의 요건인 사업시행자로서의 토지 등 소유자의 자격 및 사업시행계획에 대한 토지 등 소유자의 동의를 일반적인 사법(私法)관계와 동일하게 볼 수 없다. 따라서 도시환경정비사업 시행을 위하여 또는 그 사업 시행과 관련하여 부동산에 관하여 담보신탁 또는 처분신탁 등이 이루어진 경우에, 도시정비법 제28조 제7항에서 정한 사업시행자로서 사업시행인가를 신청하는 토지 등 소유자 및 그 신청에 필요한 동의를 얻어야 하는 토지 등 소유자는 모두 수탁자가 아니라 도시환경정비사업에 따른 이익과 비용이 최종적으로 귀속되는 위탁자로 해석함이 타당하며, 토지 등 소유자의 자격 및 동의자 수를 산정할 때에는 위탁자를 기준으로 하여야 할 것이다.』

---

238) 관련 내용은 Capter1. N.15. 참조

25 신탁종료 후 신탁재산의 귀속

개정 신탁법은, 신탁 설정시 위탁자는 더 이상 신탁재산의 소유권자가 아니고, 신탁의 이익은 수익자가 향수한다는 점을 고려하여 신탁종료시 잔여 신탁재산은 수익자에게 귀속되는 것을 원칙으로 정하였습니다(신탁법 제101조 참조). 이와 관련 신탁법 개정 전 설정된 신탁이 신탁법 개정 이후 종료되는 경우의 신탁의 잔여재산은 누구에게 귀속될까요. 통상적으로 신탁사 신탁상품 약관들은 신탁종료시 신탁원본을 수익자에게 교부하는 것으로 정하고 있습니다. 이러한 규정을 귀속권리자를 정한 것으로 볼 수 있는지 문제되었는데, 대법원은 이를 긍정하였습니다.

판결 | 신탁종료시 잔여신탁재산의 귀속권리자

• 대법원 2019.10.31. 선고 2015다49170 판결

『구 신탁법 제60조, 제61조에 따르면, 신탁이 종료된 경우 신탁재산의 귀속권리자가 신탁행위에 정해져 있는 때에는 신탁재산은 그 귀속권리자에게 귀속......그런데 원심은 이 사건 관리신탁계약의 수익자를 OO건설 주식회사로 인정하면서도 이 사건 관리신탁계약 당시 신탁재산의 귀속권리자를 누구로 정하였는지에 대해서는 제대로 살피지 않은 채(.....이 사건 관리신탁계약 제15조 제3항은 신탁 종료 시 수탁자는 신탁재산을 수익자에게 교부한다고 정하고 있음을 엿볼 수 있다) 신탁 종료로 인하여 피고가 위탁자인 반도주택에 체비지대장상 신탁등재를 말소할 의무가 있다고 판단.....신탁 종료 시 신탁재산의 귀속에 관한 법리를 오해하여 필요한 심리를 다하지 않음으로써 판결에 영향을 미친 잘못이 있다.』

08

신탁 관련
중요
유권해석

01 건축물의 분양에 관한 법률 관련 중요 유권해석

1. 건축물 사용승인 전에 건축물 중 3,000㎡ 미만 부분을 임의분양하였으나, 이후 사정 변경으로 추가 분양을 하고자 할 경우 건분법 적용여부

해석 추가 분양으로 건분법 적용 대상이 되는 경우

- 국토부 부동산개발정책과 민원회신(2016.9)

『분양사업자가 건축물 사용승인 전에 약 2천9백 제곱미터를 임의분양한 후 불가피한 사정으로 100제곱미터 이상을 사용승인서 교부 전에 추가로 분양하고자 한다면...... 추가분양 부분은 분양신고 및 분양신고수리를 통보 받은 후 공개모집 및 공개추첨 등의 절차에 따라 분양해야 할 것.』

『만약, 허가권자가 분양신고를 수리한 경우에는 기 분양 받은 자에 대한 분양계약은 유효하다고 보나......분양신고 전에 기 분양받은 자에 대한 권리 및 의무사항을 고지하고, 동의서를 받은 후 분양신고를 해야 할 것.』

2. 건분법에 따라 공개모집 이후 준공 전에 수의계약을 하면서 분양가를 변경할 수 있는지 여부

해석 공개모집 후 수의계약시 분양가 변경 가부

- 국토부 부동산개발정책과 민원회신(2016.3)

『건축물의 분양에 관한 법률 제6조 제5항에서......"이 경우 분양받을 자로 선정된 자와의 분양계약 체결에 관하여는 제4항을 적용한다"고 규정하고 있어 수의계약으로 분양은 하되, 당초 분양신고 내용과 동일하게 분양가격, 납부조건 등 변경사항이 없이 즉 공개모집내용과 동일한 조건으로 계약을 하여야 할 것임. 따라서, 질의와 같이...... 분양가격이 변경되는 경우라면 변경내용으

로 하는 분양신고 후 다시 공개모집이 타당하며, 이후 미매각 부분에 대하여
는 수의계약이 가능할 것임. 참고로, 추가 분양하는 분양가격의 변경은 같은
법 제7조의 설계변경에 해당되지 않아 기 분양자의 동의사항이 아닌 것으로
봄』

3. 건분법에 따른 분양건물의 사용승인 전 전매승인시 주의할 사항

해석 공개모집 후 수의계약시 분양가 변경 가부

• 국토부 부동산개발정책과-649, '16. 7.27.

『건축물의 분양에 관한 법률 제6조의3(분양건축물의 전매행위 제한) 제1항
에 따라, 거주자 우선분양 지역(같은 법 제6조의2)에서 분양하는 100실 이상
의 오피스텔에 해당하는 경우 분양계약을 체결한 날부터 사용승인 후 1년의
범위에서 전매(알선 포함)가 제한되며, 제1항에 해당되지 않는 건축물로서 분
양계약을 체결한 건축물의 경우, 사용승인 전에 2명(공동명의 포함)에게 전매
하거나 전매를 알선할 수 없다고 규정하고 있습니다. 이는 동일 건축허가 건
으로 2실 이상 분양받아 사용승인 전에 전매하고자 하는 경우 1인에게만 전
매가 가능하다는 의미로서, 전매횟수의 제한이 아님.
(예시: 동일 허가건의 상가 3실을 분양받아 3실 모두를 전매하고자 하는 경우
1인에게만 전매하여야 하며, 각각 다른 이에게 전매하고자 하는 경우 1실을
사용승인 전에 전매한다면 나머지 2실은 사용승인 후 전매 가능)』

『참고로, 이는 분양에 따른 거래질서 확립을 위해 분양사업자만 2인 이상에
게 분양할 수 있도록 건축물의 분양에 관한 법률에서 규정하고 있는바, 분양
사업자가 아닌 자가 오피스텔, 상가 등을 2실 이상을 분양받아 사용승인 전
에 각각 2인 이상에게 전매하거나 알선하는 것을 제한하는 사항임』

건축허가의 요건인 "해당 대지의 소유권을 확보"하는 것의 의미 [239]

> **해석** 건축대지를 담보신탁한 경우 건축허가를 위한 소유권확보 요건이 충족되는지 여부

- **법제처 16-0509, 2016. 11. 21.**

『공동주택의 건축허가를 받으려는 자에게 해당 대지의 소유권을 확보하도록 하는 것은 공동주택을 분양받는 자를 보호하기 위한 것.....

신탁법에 따라 부동산을 담보신탁하여 수탁자 앞으로 소유권이전등기를 마치게 되면 대내외적으로 소유권이 수탁자에게 완전히 이전되고, 위탁자와의 내부관계에서 소유권이 위탁자에게 유보되어 있는 것은 아니라고 할 것......건축법상 분양을 목적으로 하는 공동주택의 건축허가를 받은 후 해당 건축대지를 담보신탁하여 그 소유권이 위탁자인 건축주에서 수탁자인 신탁회사로 이전된 경우, 건축주가 담보신탁 이후에도 건축대지의 소유권을 확보하고 있는 것으로 보기는 어렵다고 할 것.....

민법상 저당권은 담보물권의 일종으로 그 설정자가 대지를 사용하거나 처분하는 데 영향을 미치지 않으며 무엇보다도 등기상 소유명의자는 여전히 저당권설정자로서 대지에 설정된 저당권의 담보가치를 훼손하지 않는 범위 내에서는 소유권을 행사하는데 제약이 없다고 할 것인 반면, 신탁법에 따른 담보신탁의 경우 소유권등기명의가 수탁자에게 이전됨에 따라 대내외적인 소유권은 물론 배타적인 관리·처분권까지도 수탁자에게 이전되므로, 민법상 저당과 달리 위탁자에게 소유권이 남아있는 것으로 보기 어려워 건축법 제11조제11항의 "대지의 소유권 확보" 요건이 충족되지 않는다고 할 것입니다.』

---

239) 이와 관련한 상세 논의는 Chapter 1. N.15. "각종 부동산 및 개발 관련 법령에서 토지소유자는 위탁자인가 수탁자인가" 참조.

| 해석 | 사용승인시에도 소유권확보 요건 충족에 대한 소명이 필요한지 |

• 법제처 08-0067, 2008.5.15.

『관광숙박시설(휴양 콘도미니엄) 사업계획승인을 얻어 공사 중 경매로 대지의 소유권이 제3자에게 이전되어 대지의 소유권이 없는 경우에 <u>대지의 소유 또는 그 사용에 관한 권리를 증명하는 서류를 제출하지 않아도 「건축법」 제22조에 따라 사용승인서의 교부가 가능합니다.</u>

...... 건축물의 건축허가를 받으려는 자는 건축할 대지의 범위와 그 대지의 소유 또는 그 사용에 관한 권리를 증명하는 서류를 건축허가신청서에 첨부하여 허가권자에게 제출하여야 한다고 규정하고 있으나, 이는 개인간의 다툼을 방지하기 위해서 건축허가를 할 때에 대지의 소유 또는 사용에 관한 권리를 확인하려는 취지이고, 사용승인을 신청할 때에는 그러한 요건을 규정하고 있지 않으며, 사용승인서의 교부가 대지의 소유자에 대한 침해행위까지 정당화시키는 것은 아니므로 대지의 사용관계에 대해 다툼이 있는 경우 대지의 소유자와 건물의 소유자간에 민사적인 방법으로 해결하는 것은 별개의 논의로 하고, 사용승인 시에는 「건축법」 제22조에 따라 사용승인서의 교부 여부를 판단하면 될 것입니다.』

| 해석 | 건축주변경시에도 소유권확보 요건 충족에 대한 소명이 필요한지 |

• 법제처 10-0265, 2010.9.13.

『건축 중인 건축물을 양수함에 따라 건축허가·신고사항 중 건축주의 변경을 신고하는 경우, 양수인은 허가권자에게 「건축법 시행규칙」 제6조에 따라 건축할 대지의 범위와 그 대지의 소유 또는 그 사용에 관한 권리를 증명하는 서류를 제출하지 않아도 됩니다.』

03 주택건설사업계획의 승인을 위한 주택건설대지 소유권 확보의 의미 240)

 주택건설대지를 담보신탁한 경우, 사업계획승인을 위한 소유권확보요건이 충족되는지 여부

• 법제처 13-0284, 2013.8.21

『주택법』에 따라 설립된 지역주택조합이 「신탁법」에 따라 금융기관을 수익자로 하여 해당 주택건설대지를 부동산신탁회사에 담보신탁한 후에 「주택법」 제16조제4항에 따라 주택건설사업계획의 승인을 신청하는 경우, 위탁자인 지역주택조합이 같은 항에 따른 주택건설사업계획의 승인 요건으로서 해당 주택건설대지의 소유권을 확보한 것으로 볼 수는 없다고 할 것입니다.』

해석 지역주택조합이 토지대 잔금 지급 전에 지주들로부터 신탁을 받은 경우, 사업계획승인을 위한 소유권확보요건이 충족되는지 여부

• 법제처 18-0378, 2018.11.2

『신탁법에 의한 신탁재산은 대내외적으로 소유권이 수탁자에게 완전히 귀속되며 위탁자와의 내부관계에서 그 소유권이 위탁자에게 유보되어 있는 것은 아니지만......비록 신탁재산이 수탁자의 소유에 속한다 하더라도 그에 관한 권리관계를 수탁자의 고유재산과 마찬가지로 취급할 수는 없고(대법원 2015. 6. 11.선고 2013두15262 판결례 참조) 신탁법은 신탁에 관한 사법(私法)적 법률관계를 규정함을 목적으로 하는데(제1조) 주택법에 따른 주택건설사업계획의 승인 요건을 일반적인 사법적 법률관계와 동일하게 볼 수는 없습니다.....

이와 같이 주택법령에서는 사업주체로 하여금 단순히 주택건설대지의 소유권을 확보하도록 할 뿐만 아니라 해당 토지를 안정적이고 지속적인 사용이 가

---

240) 이와 관련한 상세 논의는 Chapter 1. N.15. "각종 부동산 및 개발 관련 법령에서 토지소유자는 위탁자인가 수탁자인가" 참조.

능한 상태로 소유할 것까지를 요구하고 있는데 수탁자는 신탁의 해지 및 신탁기간의 만료 등 신탁 관계의 종료 사유가 발생하면 그 소유권을 위탁자에게 다시 이전하여야 할 의무를 부담하게 되고 이 경우에는 수탁자가 등기부상 소유권을 상실함으로써 주택건설사업의 시행자로서의 지위 또한 상실할 가능성이 있으므로 주택건설대지의 수탁자를 주택건설사업을 안정적으로 수행할 수 있는 주체로 보기는 어렵습니다.(서울행정법원 2012. 5. 18. 선고 2011구합37718 판결례 참조)

따라서 신탁재산인 주택건설대지의 등기부상 소유권자가 아니고 해당 신탁재산에 대한 처분·관리권을 갖지 못하는 위탁자를 주택건설대지의 소유권을 확보한 자로 볼 수 없는 것(법제처 2013. 8. 21. 회신 13-0284 해석례 참조)과 마찬가지로 신탁의 해지 등 신탁 관계의 종료에 따른 소유권 이전 의무의 발생이 예정된 수탁자를 주택건설대지의 소유권을 확보한 자로 보는 것은 이러한 주택법령의 취지에도 부합하지 않습니다.』

해설 사업계획승인을 위한 토지소유권 확보의 의미

• 사견으로는, 소유권 확보의 의미가, 주택법상 사업계획승인의 요건이 된다는 이유로, 일반적인 사법적인 법률관계와 다른 의미를 가질 이유는 없다고 생각합니다. 또한, 각종 부동산 개발법령상 소유권의 의미가 해당 법령의 취지나 관련 신탁계약의 내용에 따라 매번 다르게 해석될 수 있다는 주장에는 동의하기 어렵습니다.

• 본건 유권해석 사안을 살펴보면, 지역주택조합이 지주에게 매매대금 전액을 지급하지 아니한 상태에서 신탁을 원인으로 소유권이전등기를 경료한 사안이고, 이러한 경우 해당 지역주택조합이 매매계약을 이행하지 못할 경우 신탁계약마저도 해지되는 구조였던 것으로 추측이 됩니다. 즉, 사안에서 수탁자인 조합의 소유권자로서의 지위는 관련 매매계약의 이행여부에 따라 언제든지 상실 가능한 불안정한 지위였던 것으로 보입니다. 토지신탁사업과 같이 위탁자가 소유권을 확보한 후 이를 수탁자에게 대내적으로 완전하게 이전한 경우까지 본건 유권해석이 확장 적용되지는 않을 것으로 생각됩니다.

해석	주택재개발사업에서, 신탁재산에 대한 토지등소유자의 동의자 수 산정방법

• 법제처 06-0130, 건설교통부

【질의요지】

주택재개발예정구역에 각각 1필지를 소유하고 있는 10명의 토지소유자가 동일한 신탁회사에 처분신탁을 하여 등기부상 신탁회사의 명의로 되어 있는 경우 .....*(조합설립추진위원회 구성을 위하여 필요한)* 토지등소유자의 동의자수 산정에 있어서 신탁회사 1인으로 하여야 하는지 또는 신탁계약의 위탁자 및 수익자 10명으로 하여야 하는지 여부

【회답 및 이유】

......이는 주택재개발과 직접 이해관계가 있는 토지등소유자의 의견을 반영하기 위한 것이므로, 토지소유자 등이 토지를 신탁회사에 처분신탁한 경우에도 토지등소유자의 동의자수 산정에 있어서는 재개발에 따른 이익과 비용이 최종적으로 귀속되는 위탁자 및 수익자를 기준으로 하여야 할 것입니다.

---

241) 도시정비법상 토지등소유자가 재개발사업을 시행하려는 경우, 공공시행자 또는 지정개발자를 지정하는 경우, 조합설립추진위원회를 구성하는 경우, 조합을 설립하는 경우, 사업시행계획인가를 신청하는 경우 등에는 사안별로 일정한 토지등소유자의 동의가 필요합니다(도시정비법 제36조 참조). 유권해석 사안은 조합설립추진위원회 구성을 위해 과반수의 토지등소유자 동의자 필요했던 사안입니다(이와 관련한 상세 논의는 Chapter 1. N.15. "각종 부동산 및 개발 관련 법령에서 토지소유자는 위탁자인가 수탁자인가" 참조).

04-2 소규모주택정비법상 조합설립의 동의 대상인 '토지등소유자'의 해석 [242]

> **해석** 가로주택정비사업에서 조합설립 동의 대상인 '토지등소유자'는 위탁자

• 법제처 23-0538, 2023. 9. 7

소규모주택정비법 제2조제6호 ....신탁업자가 사업시행자로 지정된 경우 토지등소유자가 소규모주택정비사업을 목적으로 신탁업자에게 신탁한 토지 또는 건축물에 대하여는 '위탁자'를 토지등소유자로 본다고 규정하고 있으나, 사업시행자가 신탁업자가 아닌 경우에도 사업시행구역에 위치한 토지 또는 건축물을 신탁업자에게 신탁한 위탁자를 토지등소유자로 보아야 하는지에 대해서는 별도로 규정하고 있지 않습니다. 그런데.... 비록 신탁재산이 수탁자의 소유라 하더라도 그에 관한 권리관계를 수탁자의 고유재산과 마찬가지로 취급할 수는 없다고 할 것이고....그 정비사업과 관련한 '토지등소유자' 해당 여부 등 권리·의무 관계에 대하여 「신탁법」 등 일반적 사법에 따른 소유관계가 그대로 적용된다고 보아야 하는 것은 아닙니다(대법원 2015. 6. 11. 선고 2013두15262 판결례 참조).

가로주택정비사업은.....사업 추진 과정에서 일정 비율 이상 토지등소유자의 동의를 받도록 규정하고 있는바, 이는 '직접적인 이해관계'가 있는 자가 가로주택정비사업을 추진하도록 하고, 이해관계인의 의견을 사업에 반영하려는 취지(대법원 2015. 6. 23. 선고 2014두6784 판결례 참조)라고 할 것인바, 토지등소유자가 토지 또는 건축물을 신탁업자에게 신탁한 경우에도 가로주택정비사업의 조합설립 시 동의를 받아야 하는 대상인 토지등소유자는 신탁한 토지 또는 건축물과 관련하여 가로주택 정비사업 추진에 따른 이익과 비용이 최종적으로 귀속되는 '위탁자'라고 보는 것이 소규모주택정비법의 입법취지 및 규정체계에 부합하는 해석(대법원 2015. 6. 11. 선고 2013두15262 판결례 참조)

---

242) 이와 관련한 상세 논의는 Chapter 1. N.15. "각종 부동산 및 개발 관련 법령에서 토지소유자는 위탁자인가 수탁자인가" 참조

이라고 할 것입니다.

아울러....만약 사업시행구역에 위치한 토지 또는 건축물을 신탁업자에게 신탁한 경우 그 "신탁업자"를 조합설립 시 동의를 받아야 하는 대상인 '토지등소유자' 본다면, 다수의 토지등소유자가 토지 또는 건축물을 동일한 신탁업자에게 신탁하는 경우에는 그 수탁자인 신탁업자를 토지등소유자 1인으로 산정해야 하므로 동일한 신탁업자에게 부동산을 신탁한 다수의 토지등소유자가 조합설립에 관한 동의 의사를 달리하는 경우, 1개의 동의권만을 행사해야 하는 신탁업자로서는 결국 어느 일방의 토지등소유자의 의사에 반하는 동의권을 행사할 수 밖에 없게 되는 불합리한 결과가 초래될 수 있다는 점도 이 사안을 해석할 때 고려해야 합니다(서울행정법원 2012. 5. 18. 선고 2011구합37718 판결례 참조). 따라서 이 사안의 경우, 사업시행구역에 위치한 토지 또는 건축물을 신탁업자에게 신탁한 '위탁자'가 소규모주택정비법 제23조제1항에 따라 가로주택정비사업 조합설립 시 동의를 받아야 하는 대상인 '토지등소유자'에 해당합니다.

05 도시개발법상 토지소유자의 의미 ²⁴³⁾

| 해석 | 도시개발법상 신탁재산에 대한 토지소유자는 위탁자인지 수탁자인지 여부 |

• 법제처 06-0393, 2007.2.9, 건설교통부

【질의요지】

「신탁법」에 따라 채무의 담보를 목적으로 채권자를 수익자로 하여 채권자가 아닌 제3자에게 토지를 신탁한 경우 「도시개발법」 제4조제3항, 제11조제6항, 제13조제3항 및 제28조제3항에 규정된 토지소유자가 누구인지?

【회답 및 이유】

「도시개발법」 제4조제3항, 제11조제6항 및 제13조제3항은 개발계획의 수립, 도시개발구역지정의 제안, 조합의 설립에 관하여 일정 수 또는 면적 이상의 토지소유자의 동의를 받도록 규정하고 있고 동법 제28조제3항은 환지계획인가를 신청하거나 환지계획을 정하고자 하는 경우 토지소유자에게 이를 통지하도록 규정하고 있는바, 이는 도시개발사업과 직접 이해관계가 있는 토지소유자의 의견을 반영하기 위한 것이므로, 토지를 신탁한 경우 「도시개발법」에 규정된 "토지소유자"는 도시개발사업에 따른 이익과 비용이 최종적으로 귀속되는 자(위탁자)를 말한다고 할 것입니다.

---

243) 이와 관련한 상세 논의는 Chapter 1. N.15. "각종 부동산 및 개발 관련 법령에서 토지소유자는 위탁자인가 수탁자인가" 참조

토지소유자가 관리·처분 목적으로 신탁한 경우, 해당 수탁자가 도시개발법상 토지소유자에 해당하는지 여부 244)

 신탁사가 토지소유자들의 신탁을 받아 토지소유자로서 도시개발사업 시행자가 될 수 있는지 여부

• 법제처 09-0329, 2009.11.9

【질의요지】

「도시개발법」 제21조에 따른 수용 또는 사용방식으로 도시개발사업을 시행하려는 도시개발구역 내 토지면적의 3분의 2 이상을 소유한 토지소유자들이 관리 또는 처분 목적으로 신탁회사와 신탁계약을 체결하여 소유권을 이전한 경우, 해당 신탁회사가 같은 법 제11조제1항제5호에 따른 토지소유자에 해당하는지?

【회답 및 이유】

..... 만약, 일반적인 신탁회사가 토지소유자들로부터 수탁을 받아 법 제11조제1항제5호의 토지소유자로서 도시개발사업의 시행자가 될 수 있다고 한다면, 일정한 기준을 충족하는 신탁업자에 한해서만 사업시행자가 될 수 있도록 한 법 제11조제1항제9호와 사업시행자가 지정권자의 승인을 받아 일정한 요건을 갖춘 신탁업자에 한하여 사업집행을 위한 신탁계약을 체결할 수 있도록 한 법 제12조제4항의 의미가 훼손......부동산의 신탁에 있어서 수탁자 앞으로 소유권 이전등기를 마치게 되면 대내외적으로 소유권이 수탁자에게 완전히 이전되고, 그 결과 수탁자는 대내외적으로 신탁재산에 대한 관리권을 가지며, 이에 따라 신탁재산을 수탁한 신탁회사에 대하여 신탁의 법리에 따라 사법관계에서의 지위를 인정한다고 하더라도, 그 신탁회사에 대하여 일반적인 사법관계라고 하기 어려운 도시개발사업의 시행자가 될 수 있는 법 제11조제1항제5호의 '토지소유자'로 인정하는 것은 별개의 문제.......해당 신탁회사는 법 제11조제1항제5호에 따른 토지소유자에 해당하지 않습니다.

---

244) 이와 관련한 상세 논의는 Chapter 1. N.15. "각종 부동산 및 개발 관련 법령에서 토지소유자는 위탁자인가 수탁자인가" 참조

도시계획시설사업의 시행자 지정 요건인 토지의 소유 여부 판단시 담보신탁 토지를 위탁자 소유로 볼 수 있는지 여부 [245]

해석 담보신탁한 토지를 도시계획시설사업의 시행자로 지정 받으려는 자가 소유한 토지로 볼 수 있는지 여부

• 법제처 20-0008, 2020.5.4., 경상북도 경산시]

『신탁재산이 부동산등기법에 따른 등기부상 수탁자에게 소유권이 이전되더라도 그에 관한 권리관계를 수탁자의 고유재산과 마찬가지로 취급할 수는 없고......신탁법은 신탁에 관한 사법(私法)적 법률관계를 규정하는 것을 목적(제1조)으로 하는 법률이라는 점에서 국토계획법에 따른 도시 · 군계획시설사업 시행자의 토지 소유 요건을 이와 동일하게 보아야 하는 것은 아닙니다.

......국토계획법에 따른 도시 · 군계획시설사업은 기반시설 중 도시 · 군관리계획으로 결정된 시설을 설치하는 등의 사업으로서 공공복리의 실현과 밀접한 관련이 있는 등 공공성이 인정되어 도시 · 군계획시설사업의 시행자로 하여금 필요한 경우 토지 등을 수용 또는 사용할 수 있도록(제95조제1항) 한 것인데, 사인(私人)이 시행하는 도시 · 군계획시설사업의 경우 국가등이 시행하는 경우와 비교할 때 시설의 공공적 기능 유지나 시설의 운영 · 처분 과정에서 발생하는 이익의 공적 귀속이라는 측면에서 상대적으로 공공성이 약하다고 볼 수 있어 공공성을 보완하고 사인에 의한 일방적인 수용을 제어하고자 국가등이 아닌 자가 도시·군계획시설사업의 시행자로 지정받기 위한 토지 소유 요건을 정한 것(제86조제7항)인바, 건축법에 따른 공동주택 건축허가 또는 주택법에 따른 사업계획승인 시 분양받는 자를 보호하려는 취지에서 대지의 소유권을 확보(법제처 2016. 11. 21. 회신 16-0509 해석례 및 법제처 2013. 8. 21. 회신 13-0284 해석례 참조)하도록 한 것과는 차이가 있습니다.

......그렇다면 이 사안과 같이 사업시행자로 지정받으려는 자가 해당 도시 · 군

---

245) 이와 관련한 상세 논의는 Chapter 1. N.15. "각종 부동산 및 개발 관련 법령에서 토지소유자는 위탁자인가 수탁자인가" 참조

계획시설사업의 자금조달을 위해 대상 토지를 「신탁법」에 따라 신탁회사에 담보신탁한 경우, 담보신탁한 토지를 위탁자가 소유한 것으로 보더라도 추가적인 토지 수용이 필요하게 되지 않는다는 점에서 도시·군계획시설사업의 시행자 지정 요건으로 토지를 소유하도록 한 취지에 반하지 않습니다.

해설 담보신탁 위탁자가 도시계획시설사업상 시행자 지정요건을 갖춘 토지소유자인지 여부

• 담보신탁의 위탁자가 도시계획시설사업을 실시하고자 시행자 지정 및 실시계획인가를 신청한 사안에서, 법제처는 공익적 성격을 가지는 도시계획시설사업 관련 법령에서의 토지소유권은 사법적 법률관계와 동일하게 해석할 수 없다면서 담보신탁 토지를 위탁자가 소유한 것으로 간주해석하였습니다.

• 공익사업 관련 소유권의 의미를 사법적 법률관계의 소유권과 달리 해석할 근거는 없다고 생각합니다. 나아가 신탁상품의 종류에 따라 소유권자를 달리 해석하는 것 역시 법적 안정성을 위협하는 해석이라는 생각입니다.

• 다만, 토지신탁 외에 담보신탁을 이용한 개발사업도 다수 존재하는 상황에서 위탁자의 도시계획시설사업 시행자 자격을 부정하는 것도 현실에 부합하지 않는 측면이 있습니다. 부득이하게 신탁재산에 대한 수탁자는 물론 위탁자도 도시계획시설사업에 대한 사업시행이 가능하도록 법령개정을 하는 것이 바람직할 것 같다는 생각입니다.

해석 담보신탁 위탁자가 수의계약 대상인 토지소유자에 해당하는지 여부(공유재산 및 물품관리법 시행령 제38조제1항 제4호)

• 법제처 21-0512, 2021. 9. 14.

『공유재산법 제29조제1항 단서 및 같은 법 시행령 제38조제1항제4호에서는 「건축법」 제57조제1항에 따른 최소 분할면적에 못 미치는 토지로서 건물이 없는 토지의 인접 토지소유자가 1인일 때 일반재산인 해당 토지를 그 인접 토지소유자에게 수의계약으로 매각할 수 있다고 규정하고 있는데, 담보신탁한 토지의 "위탁자"가 "토지소유자"에 해당하는지 여부..... 공유재산법에 따른 소유관계를 반드시 「신탁법」에 따른 소유관계와 동일하게 보아야 하는 것은 아닙니다..... 공유재산법 시행령 제38조제1항제4호는...... 단일 필지로는 그 활용가치가 떨어지는 경우, 해당 토지와 인접한 토지의 소유자에게 그 토지를 수의계약으로 매각할 수 있도록 하여 토지를 효율적으로 활용하게 하려는 것인바, 「신탁법」에 따른 담보신탁의 특성상 위탁자인 채무자가 대출받은 채무를 상환하면 신탁계약은 종료되고 그 소유권은 다시 위탁자에게 환원된다는 점, 실제 수의계약의 대상이 되는 경우로 한정해 보면 인접 토지와 일반재산인 토지를 함께 활용할 실익이 있는 자는 담보신탁의 수탁자가 아닌 위탁자라는 점에 비추어 볼 때, 이 사안의 경우 담보신탁된 토지의 위탁자를 토지소유자로 보는 것이 공유재산법 시행령 제38조제1항제4호의 취지에 부합하는 해석입니다.』

08 토지거래허가구역과 토지신탁의 문제

해석 공동주택 건축·분양 목적으로 토지거래허가를 받은 후 담보신탁, 관리신탁 또는 처분신탁 등의 방법으로 토지를 이용하는 것이 가능한지 여부

• 법제처 08-0351, 2008.12.11

【회답 및 이유】

자금조달의 방식인 담보신탁은 자금조달의 한 방법에 해당..... 토지를 매입한 후 신탁방식으로 자금을 조달하거나, 「건축물의 분양에 관한 법률」에 따라 분양사업자가 건축물의 선분양을 위한 방법으로 신탁계약과 대리사무계약을 체결하여 허가받은 목적대로 그 토지에 공동주택을 건축하여 분양하는 등 목적사업을 완료하면, 토지의 이용은 허가받은 자가 직접 사업시행의 주체가 되어 허가받은 내용대로 토지를 이용한 것에 해당한다.....

그러나 신탁 방식 중 수탁자가 허가받은 목적사업을 직접 수행하는 개발형토지신탁, 허가받은 토지의 간접이용을 전제로 하는 관리신탁, 이용의무기간 내에 해당 토지의 처분을 목적으로 하는 처분신탁 등에 있어서는 토지거래계약 허가를 받은 자를 실수요자에 해당한다고 볼 수 없다고 할 것입니다.

※ 동일 취지의 유권해석으로 법제처 07-0438, 2008.4.10. 등 참조

해설

• 부동산거래신고법 제17조에 따라, 토지거래허가를 받은 자는 일정기간 그 토지를 허가받은 목적대로 이용할 의무가 있습니다. 그런데 개발 및 분양 목적으로 토지거래를 허가받은 자가 토지신탁계약을 체결하고 이후 수탁자가 신탁계약에 따라 그 개발사업을 수행하는 것이, 위 조항에 따른 직접이용의무 위반인지가 문제되었습니다. 법제처는 담보신탁이나 분양관리신탁을 체결하는 것은 위탁자의 직접이용의무 위반이 아니라고 보았으나, 토지신탁, 관리신탁, 처분신탁 등을 이용하는 것은 직접이용의무에 위반된다고 해석하여왔습니다.

• 합리적인 토지이용과 토지의 투기적 거래 방지를 목적으로 하는 토지거래 허가제도와 직접이용의무의 취지 등을 고려할 때, 개발 목적으로 토지거래허

가를 받은 후 토지신탁 방식으로 개발하는 것을 금지할 이유는 없다고 생각하나, 법제처의 유권해석은 확고했습니다.

• 2021. 1. 19. 대통령령 제31407호로 개정된 부동산 거래신고 등에 관한 법률 시행령은 주택공급 활성화를 목적으로, 주택 또는 준주택(오피스텔 포함)을 건축·분양할 목적으로 토지거래계약허가를 받은 경우 신탁업자와 해당 토지의 개발, 담보 또는 분양관리를 목적으로 신탁계약을 체결하면 신탁업자도 허가받은 목적으로 토지를 이용할 수 있도록 하였습니다(부동산 거래신고 등에 관한 법률 시행령 제14조 제1항 제10의2호 참조)

선례 신탁을 원인으로 하는 소유권이전등기신청시 토지거래허가증의 제출요부 246)

• 제정 1996. 5. 6. [등기선례 제4-609호, 시행]

『국토이용관리법 제21조의 3 제1항의 규정에 의하면 토지거래허가대상을 허가구역안에 있는 토지에 대하여 대가를 받고 소유권등의 권리를 이전 또는 설정하는 경우로 정하고 있는바, 신탁법에 의한 신탁계약은 대가가 수반되는 계약이라고 볼 수 없으므로 토지거래허가구역내 토지에 대하여 신탁을 원인으로 하여 소유권이전등기신청을 하는 경우 토지거래허가증을 첨부할 필요는 없다.』

선례 신탁예약을 원인으로 한 신탁가등기시 토지거래계약허가증 등의 첨부 요부

• 제정 2007. 3. 21. [등기선례 제8-69호, 시행]

『토지거래허가지역내의 농지에 대하여 위탁자인 소유자가 신탁회사에 신탁예약을 원인으로 신탁가등기를 신청하는 경우, 이는 대가가 수반되는 계약이라 볼 수 없으므로 토지거래계약허가증이나 농지취득자격증명을 첨부하지 않아도 되나, 가등기에 기한 본등기신청을 하는 경우 농지는 농지법상 그 소유가 허용된 자만이 취득할 수 있으므로 농지취득자격증명은 첨부하여야 한다.』

---

246) 신탁종료에 따라 신탁재산 귀속을 원인으로 위탁자 이외의 수익자 등 제3자 명의로 소유권이전을 하는 경우에는 토지거래허가증 첨부가 원칙입니다(제정 2011. 1. 4. 등기선례 제201101-1호 참조)

주택공급에 관한 규칙상 "주택이 건설되는 대지"에 주택건
설사업주체가 설치하는 도시계획시설부지 면적의 포함 여부

 주택공급에 관한 규칙상 소유권확보 대상인 "주택이
건설되는 대지"에 도시계획시설부지가 포함되는지 여부

• 법제처 08-0043, 2008.5.9

【질의요지】

주택건설사업의 사업주체가 주택건설사업지역을 벗어난 부지에 주택의 사용검
사 전까지 도로 및 공원 등 도시계획시설을 조성하여 기부채납할 것을 조건으
로 하여 주택건설사업계획을 승인받은 경우, 주택건설사업계획상 승인된 대지
면적 외에 위 도로 및 공원 등 도시계획시설부지 면적도 「주택공급에 관한
규칙」 제7조제1항제1호의247) "주택이 건설되는 대지"의 범위에 포함된다고
볼 것인지?

【회답】

「주택공급에 관한 규칙」 제7조제1항제1호의 "주택이 건설되는 대지"의 범
위에 주택건설사업계획상 승인된 대지 면적 외에 사업주체가 조성하는 도로
및 공원 등 도시계획시설부지 면적은 포함되지 않습니다.

---

247) 현행 주택공급에 관한 규칙 제15조 제1항 제1호에 해당합니다.

10 가압류, 가처분 등기가 경료된 사업부지에 대한 입주자모집공고 승인 가부

해석 사압부지에 가압류,가처분 등기 경료시 이를 말소하지 않아도 입주자모집공고 승인을 받을 수 있는지

• 법제처 12-0720, 회신일자 2013-02-28

『....이는 사업주체로 하여금 주택이 건설되는 대지에 대한 재산권 행사를 제한하거나 영향을 미칠 수 있는 사유를 해소하고 입주자모집공고 승인신청을 하도록 함으로써 입주자를 보호하려는 것이므로, 「주택 공급에 관한 규칙」 제7조제5항의 "저당권, 가등기담보권, 전세권, 지상권 및 등기되는 부동산임차권"은 주택건설대지에 대한 재산권 행사를 제한하는 대표적인 사항을 예시한 것으로 해석함이 상당하다고 할 것입니다. 또한, 가압류, 가처분은..... 해당 본안 판결이 확정되면 가압류, 가처분 채권자에 대해서는 가압류, 가처분에 반하는 내용을 주장할 수 없게 되어 그 재산권 행사가 실질적으로 제한되므로 본안 판결의 결과에 따라 입주자가 불측의 손해를 보게 되는 불합리한 결과가 초래될 수 있고, 이는 입주자의 보호라는 해당 조문의 취지에 반한다고 할 것입니다.....가압류, 가처분 등기를 말소하거나 말소소송을 제기하여 승소판결을 받아야 입주자모집공고 승인을 받을 수 있다고 할 것입니다.』

해설

위 유권해석 이후, 2014. 4. 28. 국토교통부령 제91호로 주택공급에 관한 규칙 제7조 제5항(현행 제16조 제1항)이 개정되어, 입주자 모집 전 말소대상에 가압류, 가처분을 포함하였습니다.

그러나 건축물의 분양에 관한 법률 제4조 제7항은 여전히 "분양사업자는 제6항에 따라 소유권을 확보한 대지에 저당권, 가등기담보권, 전세권, 지상권 및 등기되어 있는 부동산임차권이 설정되어 있는 경우에는 이를 말소하여야 한다."라고만 규정하고 있습니다. 그러나 위 유권해석의 취지상 건축물의 분양에 관한 법률상 사업부지에 가압류 또는 가처분이 있는 경우에도 이를 말소하여야만 분양신고가 가능할 것으로 보입니다.

해석 담보신탁을 이용한 개발사업에서 개발부담금 납부의무자는 위탁자

• 국토교통부 토지정책과-1245, 2013. 5.23

『○ 개발이익 환수에 관한 법률 제6조제1항에 따르면 같은 법 제5조에서 정한 개발사업을 시행한 자는 개발부담금을 납부하도록 규정하고 있는 바, 궁극적으로 개발사업의 시행으로 발생한 개발이익을 향유하는 자가 개발부담금 납부의무가 있는 것으로 보는 것이 타당하다고 할 것입니다.

○ 귀 질의의 경우 개발사업이 시행되고 있는 토지의 소유권을 부동산신탁회사로 이전한 것은 금융기관으로부터 자금을 대출받는 과정에서 일시적으로 담보물을 제공한 것에 불과하기 때문에 토지의 신탁관계에 구애됨이 없이 여전히 개발사업의 시행자는 甲이며 개발사업 시행으로 인한 개발이익을 향유하는 자 역시 甲으로 보여집니다.

○ 따라서 위 개발사업에 대한 개발부담금 납부의무자는 甲으로 보는 것이 합당하다는 점을 알려드립니다.』

해설

원칙적으로 개발부담금 납부의무자는 개발사업의 시행으로 불로소득적 개발이익을 얻게 되는 "토지소유자인 사업시행자"라고 할 것입니다. 그런데 사업시행방식에 따라 토지소유자와 사업시행자가 분리되는 경우, 개발부담금 납무의무자가 누구인지에 대한 논란이 발생합니다.

개발이익환수법은 위와 같이 토지소유자와 사업시행자가 분리되는 일정한 경우에 대하여 개발부담금 납부의무자를 정하는 특별규정을 갖고 있으나(개발이

---

248) 이와 관련한 상세 논의는 Chapter 1. N.15. "각종 부동산 및 개발 관련 법령에서 토지소유자는 위탁자인가 수탁자인가" 참조

익환수법 제6조 제1항 제1호, 제2호 참조), 담보신탁을 활용한 개발사업에 대하여는 특별한 규정이 없는 상황입니다. 순수하게 신탁법리만을 고려한다면, 신탁재산의 관리·처분·개발을 통해 발생하는 개발이익은 신탁상품의 종류와 상관없이 소유권자인 수탁자에게 귀속되는 것이므로 (위탁자는 신탁계산을 거쳐 확정된 신탁이익을 배당받는 것), 수탁자를 개발부담금 납부의무자로 해석하는 것이 타당해 보이나,[249] 법제처는 담보신탁의 위탁자를 납부의무자로 보고 있습니다. 법제처의 해석 근저에는 신탁을 신탁재산에서 발생하는 이익과 소득의 도관으로 보는 것으로 의심되는 부분이 있습니다.

 ※ 한편, 서울고등법원 2017누49159판결에서는, 단순한 채권담보 목적의 담보신탁이 아니라 수분양자 보호를 목적으로 일정한 경우 수탁자가 신탁재산의 소유권을 수분양자에게 직접 이전할 수 있도록 정하여 신탁을 한 경우에는, 수탁자가 사업시행자 지위를 승계한 것으로 볼 수 있고 이에 따라 수탁자를 개발부담금 납부의무자로 보아야 한다는 취지로 판결하였습니다(위 판결은 대법원 2018.1.11.,2017두61263 심리불속행기각결정으로 확정되었습니다). 수탁자의 직접 소유권이전 조항 등을 근거로 사업시행자 지위 승계를 의제하는 것은 수긍하기 어려운 법리입니다. 하지만 위 판결이 확정된 이상, 개발사업 시행 목적의 토지 담보신탁의 경우와 분양관리신탁의 경우에는 계약서 내용에 따라 수탁자가 개발부담금 납부의무를 부담할 수 있다는 점에 주의할 필요가 있을 것입니다.

---

249) 수탁자를 개발부담금 납부의무자로 보는 것이, 수탁자에게 불리한 해석은 아닙니다. 법률관계가 명확하다면, 수탁자는 위탁자나 수익자에게 책임을 전가할 수 있고, 각종 제세공과금 부과에 대하여 안정적으로 대처를 할 수 있습니다. 수탁자에게 불리한 해석은, 법령의 취지나 신탁상품의 종류에 따라 그 의미가 달라지는 소유권자에 대한 해석입니다.

11-2 담보신탁에서 교통유발부담금 납부의무자 [250]

해석 담보신탁에서 교통유발부담금 납부의무자는 위탁자

• 법제처 23-0569, 2023. 9. 22

『도시교통정비법 제36조에 따른 교통유발부담금은.....기반시설이 갖춰진 일정 규모 이상의 도시에 부과대상 시설물이 입지하면 교통 혼잡을 일으켜 사회적 ·경제적 손실을 야기하는 반면에 부과대상 시설물의 소유자에게는 사회적· 경제적 이익이 발생한다는 점을 고려하여 원인자 부담의 원칙에 따라 교통을 유발하는 시설물에 대하여 일괄적으로 경제적 부담을 부과하는 것이므로(각주: 법제처 2015. 8. 31. 회신 15-0368 해석례 참조), 교통유발부담금의 부과대상 자는 원칙적으로 도시교통정비지역에 부과대상 시설물을 소유 및 운영함으로써 발생하는 이익이 실질적으로 귀속되는 자로 보아야 합니다.

그런데.....신탁재산은 수탁자의 고유재산과 명백히 구분하여 관리되는 독립성을 갖는 것(각주: 대법원 1987. 5. 12. 선고 86다545 판결례 참조)....담보신탁의 경우 그 수익자가 채권자이나, 위탁자인 채무자가 대출받은 채무를 상환하면 신탁계약은 종료되어 채권자는 수익자의 지위를 상실하고 그 소유권은 다시 위탁자에게 환원된다는 점에 비추어 보면, 부과대상 시설물을 소유·운영함으로써 발생하는 이익은 최종적으로 위탁자에게 귀속된다고 보아야 할 것이므로, 도시교통정비법 제36조제1항에 따른 부과대상 시설물의 소유자는 위탁자라 할 것입니다......도시교통정비법에 따른 부과대상 시설물의 '소유자'는 「신탁법」에 따른 대내외적인 소유관계가 아닌 그 사회적·경제적 이익의 귀속관계에 따라 판단해야.....따라서 이 사안의 경우, '부과대상 시설물의 소유자'는 그 위탁자입니다.

---

250) 이와 관련한 상세 논의는 Chapter 1. N.15. "각종 부동산 및 개발 관련 법령에서 토지소유자는 위탁자인가 수탁자인가" 참조

12 신탁재산 계좌를 공동명의로 관리할 수 있는지 여부 [251)]

해석 신탁재산을 우선수익자와 공동명의계좌로 관리하거나, 신탁사 단독 명의로 계좌를 개설하되 우선수익자와 공동인감을 날인하여 집행하는 신탁재산 관리행위가 신탁법에 위반되는지

• 법무부 상사법무과-444, 2012. 2. 16.

『당사자 사이에 신탁계약을 체결하면서 위탁자 또는 수익자가 수탁자의 신탁재산 관리·처분에 대하여 개입할 수 있도록 한 경우 그와 같은 신탁이 신탁법상의 신탁으로 인정될 수 있는지 여부를 판단함에 있어서는 투자신탁, 부동산관리신탁, 담보신탁 등 해당 신탁에 있어서의 신탁계약의 구체적인 내용에 따라, 신탁의 목적을 고려하여 위탁자 또는 수익자의 개입이 수탁자의 신탁재산에 대한 관리·처분권을 실질적으로 제한하는 것인지 여부를 개별적으로 고려하여 판단하여야 할 것임.

위탁자(또는 위탁자 겸 수익자)가 신탁재산을 수탁자와 공동명의계좌로 관리하거나, 공동인감을 날인하여 집행하는 형태의 신탁계약이 있다면 이는 신탁법상의 신탁으로 인정되기 어려울 것임.

수탁자의 관리·처분권에 개입하는 주체가 수익자인 경우에는 신탁계약의 내용에 신탁의 목적에 따라 허용되는 개입의 범위나 대상이 위탁자의 경우보다 더 넓다고 해석하여야 할 것임.

결론적으로, 위탁자의 지위와 무관한 순수한 수익자인 시공사나 보증기관이 신탁계약에 정하여진 바에 따라 신탁의 목적 범위내에서 수탁자와 공동명의계좌로 신탁재산을 관리하거나, 수탁자 명의로 계좌를 개설, 관리하되, 공동인감을 날인하여 집행하는 것은 수탁자의 신탁재산에 대한 관리·처분권을 실질적으로 제한하거나 형해화하는 것으로 보기 어려움.』

---

251) 관련 내용으로 Chapter 7. N.15. "수탁자의 배타적 처분·관리권" 참조

13 분양관리신탁계약 체결시 부동산개발업법상 토지 소유권 확보 요건을 충족하지 못하게 되는 것인지 여부

해석 부동산개발업법상 토지소유자의 공동개발을 위해 필요한 소유권확보요건에 대하여

• 법제처 18-0620, 2019. 2. 8.

1. 질의요지

부동산개발업법 제4조 제4항에 따라 토지소유자가 부동산개발업의 등록을 한 자와 공동으로 부동산 개발을 하기 위해 토지의 소유권을 확보한 후 건분법에 따라 신탁회사와 신탁계약을 체결하고 소유권이전등기를 마치게 되면, 그 이후 위탁자는 부동산개발업법 시행령 제7조 제1항 제1호에 따른 "토지의 소유권 확보"요건을 충족하지 못하게 되는 것인지 여부

2. 회답 및 이유

부동산개발업법 시행령 제7조제1항제1호에 따른 "토지의 소유권 확보" 여부는 해당 토지의 등기부상 소유자로서 그 토지에 대해 처분·관리권을 가지는 자인지 여부를 기준으로 결정하는 것이 타당한데, 토지소유자가 해당 토지에 대해 "건축물분양법" 제4조제1항제1호에 따라 신탁계약을 체결한 후 신탁을 원인으로 소유권이전등기를 마치게 되면 그 토지에 대한 소유권이 대내외적으로 수탁자인 신탁업자에게 완전히 이전되어 수탁자만 배타적인 처분·관리권을 가지게 되므로 위탁자인 토지소유자가 위 "토지의 소유권 확보" 요건을 충족했다고 보기는 어렵습니다.

14 준공 및 신탁 종료 후 위탁자가 분양하려는 경우 위탁자의 부동산개발업 등록 여부

해석 신탁 종료 후 위탁자가 의한 분양하고자 할 경우 부동산개발업 등록이 필요한지 여부

• 법제처 안건번호 20-0694, 회신일자 2021. 3. 19.

『 .....부동산개발업자인 수탁자가 건축물을 건축한 후 건축물을 위탁자에게 이전한 경우 "부동산개발 행위"는 완료되었더라도, 해당 건축물을 이전받은 위탁자가 분양·임대하려는 경우 개발된 부동산을 타인에게 공급하는 행위가 남아 있으므로 이를 위해서는 부동산개발업법 제 4 조제 1 항에 따라 부동산개발업의 등록이 필요하다.....』

해설

본건 유권해석 신청인들은 일반형 관리형 토지신탁사업으로 건축물 준공 후 신탁을 종료하고 위탁자에 의한 분양을 계획했던 것으로 보여집니다. 타인에게 공급할 목적으로 일정 규모 이상의 부동산 개발(ex. 주상복합외의 건물 기준으로 연면적 3,000 ㎡이상의 부동산 개발)을 하고자 할 경우 부동산개발업 등록이 필요합니다. 그동안 실무상으로는 준공된 건축물을 분양하는 경우까지 부동산개발업 등록이 필요한 것은 아닌 것으로 보았습니다. 그러나 본건 유권해석은 토지신탁계약의 수탁자가 건물 준공 후 신탁을 종료하고 위탁자에 의한 분양을 하고자 하는 경우, 위탁자도 부동산개발업 면허가 필요하다는 판단을 한 것입니다.

15 신탁사의 고유재산 개발행위, 신탁사가 지분 참여한 조합으로부터의 수탁행위 등

해석 신탁사가 사업부지 매수 후 직접 개발하는 행위가 가능한지 여부

• 금융위원회 법령해석 200040, 회신일자 2020. 3. 2.

[질의요지]
부동산신탁회사가 부동산개발사업의 주체(컨소시엄 구성의 경우, 참여지분 비율과 상관없이)가 되어, 사업대상 부동산을 부동산신탁회사의 명의로 매수 및 등기한 후, 이를 직접 개발하는 행위가 자본시장법상 허용되는지 여부

[회답요지]
자본시장법에서 정한 신탁재산의 수탁 없이 부동산신탁회사가 부동산개발사업의 주체가 되어 해당 사업의 기초가 되는 부동산을 확보하여 직접 개발하는 행위는 자본시장법상 허용된 신탁업으로 볼 수 없음

해설

[신탁사의 부동산 개발업 영위가 가능한지 여부]

전업 부동산 신탁업자들은 자본시장법상 부동산신탁업 인가를 받은 금융투자업자입니다. 한편 신탁사들은 토지신탁 사무처리 목적으로 부동산개발업 또는 주택건설사업 면허를 갖고 있습니다. 여기서 신탁사가 고유재산의 영역에서 부동산개발업 또는 주택건설사업을 영위할 수는 없는지 문제됩니다. 그러나 신탁사의 부동산개발업 또는 주택건설 사업 면허는, 토지신탁에서 신탁 목적 범위 내의 개발사무를 수행하기 위한 것입니다. 금융투자업자인 신탁사가 부동산개발업 등을 직접 업으로 영위할 수는 없는 것입니다. 이러한 점에서 본 건 유권해석의 결론은 타당한 것으로 보입니다.

• 금융위원회 법령해석 200052, 회신일자 2020. 4. 24.

[질의요지]
부동산신탁회사가 부동산 개발이익을 목적으로 부동산개발사업을 하는 조합에 투자자로 참여하고, 해당 조합의 개발사업 부지를 수탁받아 부동산신탁업자로서 자산관리, 자금관리 업무 등을 수행할 수 있는지, 업무를 수행할 수 있다면 자본시장법상 부수업무 신고가 필요한지 여부

[회답요지]
부동산신탁회사가 부동산 개발이익을 목적으로 부동산 개발사업에 투자하고, 동 개발사업 부지를 수탁받아 부동산개발사업의 주체로서 자산관리 및 자금관리 업무를 영위하는 것은 자본시장법상 부동산신탁회사가 영위할 수 있는 고유업무, 겸영업무 및 부수업무로 보기 어려운 것으로 판단됩니다.

해설

위 유권해석은 그 문언상 신탁사가 부동산 개발이익을 향수할 목적으로 Equity 투자를 한 경우에 대한 해석으로 보입니다. 신탁사가 법률상(또는 공모사업지침상) 시행자격을 갖추기 위한 목적 등으로 시행법인에 단순 비참가적 우선주로 참여하는 경우, 기타 사업이익 발생여부와 상관없이 확정 배당률에 따른 이익 배당만 받는 내용의 종류주로 참여하는 경우까지 위 유권해석을 확대적용할 것은 아닌 것으로 생각합니다.

---

252) 관련 상세 논의는 Chapter 4. N.5-2. "사업구조별 신탁사업의 제한 여부" 참조

16 부동산 집합투자기구에서 재신탁 설정 방식 담보신탁으로 금전을 차입할 수 있는지 여부

해석 펀드의 자산보관기관이 재신탁 설정 방식으로 담보신탁을 할 수 있는지 여부

• 금융위원회 법령해석 자산운용과 2021. 07. 06.

[질의요지]
집합투자업자가 부동산집합투자기구의 계산으로 금전을 차입할 경우, 신탁업자가 신탁받은 부동산을 재신탁하는 방식으로 금전을 차입할 수 있는지 여부

[회답요지]
「자본시장과 금융투자업에 관한 법률」(이하 '법') 제184조제3항은 투자신탁 등의 집합투자업자가 집합투자재산의 보관·관리업무를 신탁업자에게 위탁하도록 규정하고 있으며, 법 제94조제1항과 영 제97조제1항등에 따라 집합투자업자는 제83조제1항 각 호 외의 부분 본문에 불구하고 집합투자재산으로 부동산을 취득하는 경우(제229조제2호에 따른 부동산집합투자기구는 운용하는 경우를 포함한다)금융기관 등에게 부동산을 담보로 제공하는 방법으로 집합투자기구의 계산으로 금전을 차입할 수 있습니다.

ㅇ 다만, 집합투자재산을 수탁받은 신탁업자가 신탁재산인 부동산을 담보로 제공하는 방법이 아닌 재신탁을 설정하는 방법으로 금전을 차입하는 것은 자본시장법령상 허용되지 않습니다.253)

---

253) 리츠의 경우, 2020. 2. 21. 자 부투법 시행령 개정으로, 담보신탁 방식의 자산보관 계약을 명시적으로 허용하였습니다(부동산투자회사법 시행령 제37조 제2항 참조). 펀드와 리츠간 규제차익 해소 차원에서라도 위 법령상 펀드 관련 규제는 조만간 개선될 것으로 예상됩니다.

17   실시계획인가상 사업시행기간 종료의 효과

해석   실시계획인가상 사업시행기간 도과시 실시계획인가의 효력

• 법제처 12-0124, 2012. 04. 03.

도시계획시설사업 시행자가 작성한 실시계획을 인가하는 것은 시행자에게 도시계획사업을 실시할 수 있는 일종의 권한을 설정하여 주는 처분으로 볼 수 있는데(대법원 2005. 7. 28. 선고 2003두9312 판결 참조), 이와 같이 권한을 설정하여 주면서 권한 설정 대상 행위인 도시계획시설사업을 할 수 있는 시행기간(착수예정일 및 준공예정일)을 명시하도록 하는 것은 전체로서 도시계획사업을 실시할 수 있는 권한 설정 행위의 한 부분을 이루는 것......

결국, 사업시행자는 당초 인가받은 실시계획에서 사업시행기간으로 정하여진 기간 동안 사업을 시행할 수 있는 권한을 부여받은 것으로서, 이러한 사업시행기간이 지난 경우, 즉, 준공예정일이 도과된 경우에는 그 전에 별도의 변경인가를 받지 아니하는 한 더 이상 사업을 진행할 수 있는 권한이 없다고 할 것..... 이 사안의 경우 사업의 계속 진행과 관련하여서는, 사업시행자는 이미 받은 실시계획 인가의 효력이 상실하므로 완공 때까지 계속 사업을 진행하기 위하여는 새로이 실시계획 인가를 받아야 한다고 할 것입니다.

해설

• 실시계획인가상 사업시행기간의 중요성

토지신탁사업의 경우 도시계획시설사업이 수반되는 경우가 많습니다. 그런데 도시계획시설사업에 대한 실시계획상 사업시행기간이 도과한다면, 그 실시계획의 효력이 소멸된다는 점에 주의하여야 합니다. 특히, 국계법상의 실시계획 고시는 토지수용법상의 사업인정 및 고시로 간주됩니다(국토계획법 제96조 참조). 실시계획상 사업시행기간 도과로 실시계획은 물론 기 진행한 토지수용의 절차까지도 무효화되지 않도록 조심할 필요가 있습니다.

현황도로가 국토계획법상 무상귀속의 대상이 되는 종래의 공공시설에 해당하는지 여부

해석 현황도로가 무상귀속의 대상이 되는 종래의 공공시설인지 여부

• 법제처 19-0740, 2020. 03. 12.

국토계획법 제65조제1항에서는 개발행위허가를 받은 행정청이 새로 공공시설을 설치하거나 기존의 공공시설에 대체되는 공공시설을 설치한 경우..... 새로 설치된 공공시설은 그 시설을 관리할 관리청에 무상으로 귀속되고, 종래의 공공시설은 개발행위허가를 받은 행정청에게 무상으로 귀속된다고 규정.....위 규정은 개발행위허가를 받은 자가 공공시설을 설치하는 경우 공공시설 설치에 따른 비용을 보전하는 의미와 함께 국.공유재산의 귀속관계를 간명하게 처리하기 위하여 국.공유재산 관계법령에 대한 특례를 정한 것이므로 무상귀속 대상이 되는 공공시설 여부는 해당 시설이 "종래의 공공시설"인지 여부에 따라야 할 것......그렇다면 도로가 국토계획법 제65조제1항에 따른 "종래의 공공시설"에 해당하는지 여부는 "국가가 직접 공공용으로 사용하는 재산"에 해당하는지를 중심으로 판단해야 하는바, 법령에 의하여 도로로 지정되거나 국가가 직접 공공용으로 사용하기로 결정하는 행정처분이 있는 경우는 물론이고, 명시적인 공용개시 절차가 없더라도 해당 도로의 실질적인 이용현황이 공공용으로 사용되는 것으로 인정되는 경우에는 국가가 직접 공공용으로 사용하는 재산에 해당합니다.

해설

• 현황도로가 무상양도의 대상이 될 수 있는 종래의 공공시설인지 여부

개발 목적의 토지신탁사업에서는 개발행위 허가 조건에 따라 새로 공공시설을 설치하여 기부채납하는 경우가 많습니다. 한편, 국토계획법은 이 경우 용도가 폐지되는 공공시설은 개발행위허가를 받은 자에게 무상으로 양도할 수

있도록 정하고 있습니다(국토계획법 제65조 제2항). 실무에서는 토지신탁사업에서 신탁사가 사업계획승인 조건에 따라 도로를 설치하는 경우, 종전 현황도로 부지인 국공유지를 무상양도 받을 수 있는지 여부가 가장 문제가 됩니다. 위 유권해석은, 개발행위를 허가받은 자가 행정청인 경우에 대한 해석이기는 하나, 공용개시를 거치지 않은 도로일지라도 그 실질적인 이용현황이 공공용으로 사용되는 현황도로라면 국토계획법 제65조의 무상귀속 내지 무상양도 대상이 될 수 있다는 해석입니다.

다만, 위 유권해석에도 불구하고, 국토교통부와 조달청은 현황도로의 공공시설 인정 요건을 다소 엄격하게 보면서, ①국가 또는 지자체가 설치하여 관리하고 있을 것, ②도로의 폭이 4m이상일 것, ③불특정 다수가 자유로이 사용할 수 있을 것 등의 요건을 요구하고 있습니다(상세 내용은 조달청 2024.1. 발간 "행정재산 무상귀속 사전협의 매뉴얼" 참조).